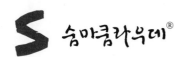

구문독해

ENGLISH SENTENCE STRUCTURE

MANUAL

이룸이앤비
Education & Books

———— SUMMA CUM LAUDE-ENGLISH ————

COPYRIGHT

숨마큼라우데® [구문독해 매뉴얼]

이 책을 지은 선생님

조금희 세종과학고등학교
박선하 보성고등학교
이혜은 잠실고등학교

이 책을 검토한 선생님

김제현 전 종로학원 대표강사
안세라 ASR영어학원 원장

1판 11쇄 발행일 : 2024년 4월 15일
펴낸이 : 이동준, 정재현
기획 및 편집 : 박희라, 안혜원
디자인 : 굿윌디자인

펴낸곳 : (주)이룸이앤비
출판신고번호 : 제2009 – 000168호
주소 : 경기도 성남시 수정구 위례광장로 21–9 KCC웰츠타워 2층 2018호
대표전화 : 02 – 424 – 2410
팩스 : 070 – 4275 – 5512
홈페이지 : www.erumenb.com
ISBN : 978 – 89 – 5990 – 304 – 7

[이 책을 펴내면서]

구문은 여러 가지 문법 사항 중 자주 쓰이는 영어의 고유한 표현 방식입니다. 따라서 길고 까다로운 문장을 접하게 될 때, 구문을 제대로 파악하지 못하면 문장의 뜻을 전혀 헤아릴 수 없거나 오역을 하게 됩니다. 한마디로 말해서, 구문은 영어 독해 능력의 기초이자 핵심입니다.

영어 독해에 많은 두려움을 가지고 있는 학생들이 영어 구문의 핵심적인 뼈대를 제대로 알게 하기 위해서, 이 책은 구문 학습을 위한 단계적인 접근법을 제시하고 있습니다. 우선 핵심적인 구문 유형을 간결한 설명으로 학습한 뒤 다양한 예문에 적용시킵니다. 그다음 중간 길이의 문장을 이용한 다양한 연습문제를 통해 단문 독해에서 중문 독해로 학습 내용을 확장시킬 수 있습니다. 그 후, 앞에서 배운 핵심 구문이 포함된 수능 실전형 문제를 풀도록 구성되어 있습니다. 또한, 3개 단원마다 한 번씩 제공되는 수능 난이도로 구성된 실전 문제를 통해서 다시 한 번 복습하며 학습 내용을 완성할 수 있도록 설계되어 있습니다.

이 책이 나오기까지 많은 도움을 주신 모든 분들께 감사를 드립니다. 또한, 이 책을 학습하는 학생들이 그동안 느꼈던 영어에 대한 답답함을 해소하고 영어에 자신감을 가지고 독해를 할 수 있는 날이 오기를 진심으로 소망합니다. 모쪼록 지치지 말고, 반복해서, 꾸준히 공부한다면 이 책의 모든 내용을 자신의 것으로 만들 수 있을 것이라고 확신합니다.

저자 일동

SUMMA CUM LAUDE·ENGLISH

STRUCTURE

[이 책의 구성과 특징]

이 책은 효율적인 구문 독해 완성을 위해 4단계 학습으로 구성되어 있습니다.
1단계(구문 유형 및 예문 학습) → 2단계(구문 독해 PRACTICE) → 3단계(실전 독해 PRACTICE) → 4단계(수능 맛보기 TEST)

01

구문 유형 및 예문 학습 〈1단계〉

수능 영어 독해에 꼭 필요한 필수 구문 유형 총 95개를 한눈에
알아보기 쉽게 도식화하여 공부하기 쉽도록 하였습니다. 구문
유형별 대표 예문을 10개 내외로 제시하여, 끊어 읽기 연습과
직독직해 연습 등의 학습은 물론 구문 유형에 익숙해지도록 구
성하였습니다.

02

구문 독해 PRACTICE 〈2단계〉

구문 독해 실력에 기초를 쌓을 수 있는 '어법상 틀린 것 고치기,
우리말 뜻에 맞게 단어 배열하기, 어법에 맞게 변형하여 쓰기'
와 같은 다양한 유형의 연습문제를 수록하였습니다. 또한, 앞
서 학습한 단문 위주의 지문보다는 긴 중문 길이의 문장을 통
해, 자연스럽게 단문 독해에서 중문 독해로 확장되는 학습을
할 수 있도록 하였습니다.

03

실전 독해 PRACTICE 〈3단계〉

해당 단원에서 학습한 구문 유형이 포함된 문장을 지문으로 구
성하여 수능 실전 독해 문제를 만들었습니다. 문제 유형으로는
어법성 판단 2문항과 어법 외 수능 유형 1문항으로 구성하여
실제 시험에서의 어법 유형 및 주요 독해 유형 풀이에 대비할
수 있도록 하였습니다.

THINK MORE ABOUT YOUR FUTURE

STRUCTURE

04

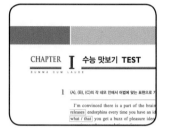

수능 맛보기 TEST 〈4단계〉

해당 Chapter에서 학습한 여러 구문 유형이 포함된 지문으로 수능 맛보기 TEST를 수록하였습니다. 수능의 난이도와 유사하거나 약간 어려운 문제로 구성하여 다양한 난이도의 시험에 대비할 수 있도록 하였습니다. 총 9문항이며 어법성 판단 6문항과 어법 외 수능 유형 3문항으로 구성하여 수능 및 각종 모의고사 대비에 부족함이 없도록 하였습니다.

05

秘 SUB NOTE (정답 및 해설)

구문 유형별 예문에 대한 끊어 읽기 예시와 해석을 실었습니다. 또한, 독해 지문에 등장하는 필수 구문을 쉽게 이해할 수 있도록 구문 분석 및 설명을 자세하게 실어 자기주도 학습에 도움이 되도록 하였습니다. SUB NOTE를 잘 활용하여 학습 효과를 극대화하기 바랍니다.

※ **무료 제공**: 구문 유형 예문 및 독해 지문 mp3 파일(www.erumenb.com)

일러두기

S : 주어(S' 종속절의 주어)　**V** : 동사(V' 종속절의 동사)　**O** : 목적어(I.O 간접목적어, D.O 직접목적어)

C : 보어　**to-v** : to부정사　**v-ing** : 동명사 / 현재분사　**p.p.** : 과거분사

/, // : 끊어 읽기　**( )** : 생략 가능 어구　**[ ]** : 수식구 / 수식절　**=** : 바꿔 쓸 수 있는 문장

SUMMA CUM LAUDE-ENGLISH

CONTENTS

[이 책의 차례]

THINK MORE ABOUT YOUR FUTURE

CONTENTS

SUMMA CUM LAUDE-ENGLISH
CONTENTS

[이 책의 차례]

THINK MORE ABOUT YOUR FUTURE

CONTENTS

구문독해 MANUAL 학습 스케줄러

CHAPTER 4

학습 계획	UNIT	학습 확인		
월 일	10 접속사	구문 유형	구문 독해	실전 독해
		월 일	월 일	월 일
월 일	11 형용사절	구문 유형	구문 독해	실전 독해
		월 일	월 일	월 일
월 일	12 부사절	구문 유형	구문 독해	실전 독해
		월 일	월 일	월 일
월 일	CHAPTER 4 수능 맛보기 TEST	월 일		

CHAPTER 5

학습 계획	UNIT	학습 확인		
월 일	13 전치사	구문 유형	구문 독해	실전 독해
		월 일	월 일	월 일
월 일	14 비교구문	구문 유형	구문 독해	실전 독해
		월 일	월 일	월 일
월 일	15 특수구문	구문 유형	구문 독해	실전 독해
		월 일	월 일	월 일
월 일	CHAPTER 5 수능 맛보기 TEST	월 일		

SUMMA CUM LAUDE
SENTENCE STRUCTURE MANUAL

숨마쿰라우데®
[구문독해 매뉴얼]

CHAPTER **1**
문장의 기본

UNIT 01 주어와 동사

SUMMA CUM LAUDE

구문 유형 01 주어로 쓰이는 명사구

$$\left.\begin{array}{l} \text{to부정사(구)} \\ \text{동명사(구)} \end{array}\right\} + \text{단수동사}$$

≫≫ to부정사(구)와 동명사(구)가 문장에서 주어로 쓰일 경우, 주어는 단수취급하며 동사 역시 단수동사를 쓴다. to부정사(구)가 주어로 쓰이면 가정의 의미를 갖기도 한다. 동명사가 2개 이상 연결되어 쓰여도 단일 개념이면 단수취급한다.

---

001 To read the book / means to be a fan of the writer.
　　　S(to부정사구)　　V
　　그 책을 읽는다는 것은 / 그 작가의 팬이 된다는 것을 의미한다. (그 책을 읽으면 그 작가의 팬이 된다.)

002 Taking the subway / can be a great way to travel Paris.
　　　S(동명사구)　　V
　　전철을 타는 것은 / 파리를 여행하는 좋은 방법이 될 수 있다.

---

003 To try to contact him would mean frustration.

004 To stick your arm out of a car window is very dangerous.

005 Giving and sharing makes you feel good.

006 To try to measure his speeds requires a more accurate machine.

007 Evaluating our alternatives after making a decision increases our commitment to the action taken.
　　　　　　　　　　　　　　　　　　　　　　　　　　[수능 응용]

008   To do so often leads to frustration because you will realize you wasted time.

[수능 응용]

009   Giving people the flexibility to apply their talents rapidly accelerates progress.

[수능 응용]

구문 유형 **02** 주어로 쓰이는 명사절

```
┌ That ~
│ Whether ~
│ 관계사 What ~          + 단수동사
└ 의문사 What, When, How ~
```

>>> that, whether, what, 의문사절은 명사절을 이끌며 주어로 쓰일 수 있다. 이 때 what이 관계절일 때는 '~(하는) 것'의 의미이며, 의문사절을 이끌 때는 '무엇(어떤)'의 의미이다. 이상의 명사절이 주어로 쓰이는 경우 단수취급하여 단수동사를 취한다.

010   <u>That he chose the princess</u> / <u>made</u> the mermaid feel hurt.
              S   V
그가 그 공주를 선택했다는 것은 / 그 인어를 가슴 아프게 했다.

011   <u>What kind of floor you install</u> / <u>will decide</u> the type of heating.
                 S   V
어떤 종류의 바닥을 설치하는지가 / 난방의 종류를 결정할 것이다.

012   That he behaved in a rude way became an issue among people.

013   Whether she will take our side is not clear right now.

014   What Jack left behind turned out to be a collection of old music albums.

015   What the wise man said to the prince remains a mystery.

016   How the thief broke into the house seems to be obvious to me.

017   What made him truly famous was his book *Lives*.   [수능 응용]

018   Whether the disease is infectious or not creates a new challenge.

019   How much information people can process at a time is now researched.

[평가원 응용]

구문 유형 **03** 가주어 it

- [to부정사 ~] + 동사 …   →   **It** + 동사 … [to부정사 ~]
                                           가주어   진주어
- [That+S+V ~] + 동사 …   →   **It** + 동사 … [that+S+V ~]
                                           가주어   진주어

〉〉〉 명사구나 명사절이 주어로 쓰이면 주어가 길어져 의미 전달의 효율성이 떨어지게 된다. 따라서, 긴 주어를 문장의 뒤로 보내고 원래 주어 자리에 it을 쓰는데, 이 때 it을 가주어라 하고 뒤로 보낸 주어를 진주어라고 한다. 위의 that절 외에도 whether절이나 의문사절이 오기도 한다.

020   It is very noble / of him to participate in the fundraising campaign.
       가주어   진주어
       (~은) 매우 고결한 일이다 / 그가 기금 모음 캠페인에 참여한 것은.

021   It was apparent // that the fans were impressed with the comment.
       가주어   진주어
       (~은) 명백했다 // 그 말에 팬들이 감동했다는 것은.

022 It is hard for scientists to measure the depth of the Antarctic Ocean.

023 It was common to believe in different Gods and Goddesses in ancient Greece and Rome.

024 It is not known what the general ordered his men that day.

025 It has not been proved whether running is better than walking for our health.

026 It is difficult to appreciate what a temperature of 20,000,000℃ means.

[평가원]

027 It was experimented whether drivers are more careful if there is no traffic light.

[평가원 응용]

028 It is absolutely certain that the accused is innocent.

구문 유형 **04** 비인칭 주어 it

• 문장에서 특별한 의미는 없지만 형식적으로 주어 자리를 채우는 역할을 할 때

1. 자연현상인 날씨, 명암을 표현할 때
2. 때를 나타내는 시간, 요일, 날짜, 계절을 나타낼 때
3. 거리, 막연한 상황을 표현할 때

≫≫ it은 주어 자리에 와서 시간, 거리, 날씨, 요일, 계절, 명암, 막연한 상황 등을 나타낸다. 이 경우 it은 '그것'으로 해석하지 않는다.

029 It was cold // so we wore sweaters and jackets.
  S C(날씨)
(날씨가) 추웠다 // 그래서 우리는 스웨터와 재킷을 입었다.

030 It was Monday // and I felt under the weather.
  S C(요일)
월요일이었다 // 그리고 몸상태가 좋지 않았다.

---

031 It was dark so we needed flashlights.

032 It was six in the evening when I left.

033 It took us two years to travel around the world by yacht.

034 Even when it's pouring rain outside, my dogs are still excited to go for a walk.

[수능 응용]

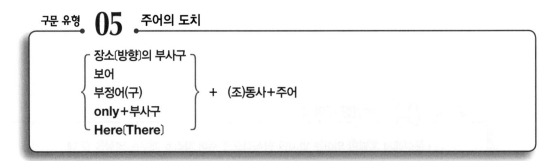

구문 유형 **05** 주어의 도치

장소(방향)의 부사구
보어
부정어(구)   + (조)동사+주어
only+부사구
Here(There)

▶▶▶ 특정 어구의 의미를 강조하기 위해 문두로 이동시킬 때 주어와 동사의 도치가 일어난다. 보통 Here나 There가 문두에 있으면 「Here(There)+동사+주어」의 형태로 도치가 일어나는데, 주어가 대명사일 경우에는 도치가 일어나지 않는다.

참고 • 장소, 방향의 부사구: on, in, under, out, over, round, up 등
• 주요 부정어(구): no, not, never, only, little, hardly, seldom, scarcely, not only, not until, no sooner 등

■ 「부정어(구)+동사+주어」 어순

동사의 종류에 따라서 어순의 변화가 있으므로 주의한다.
- be동사가 있을 때: 「부정어(구)+be동사+주어 ~」
- 일반동사가 있을 때: 「부정어(구)+do[does, did]+주어+동사원형 ~」

---

035 High up in the sky / floated a balloon.
　　　　부사구　　　　V　　　S
하늘 높은 곳에 / 풍선이 떠다녔다.

036 Never again in her life / could the singer perform live.
　　　　부정어구　　　　조동사　　S　　　V
평생 절대 (~한 일은) 없다 / 그 가수가 라이브로 공연을 할 수 있는.

037 Here / comes the first runner.
　　　　부사　　V　　　　S
여기 / 첫 번째 주자가 온다.

---

038 Round the garden ran the excited boys.

039 In the middle of the crowd stood my friend Gilbert.

040 Only by your efforts can you overcome hardships.

041 Never again will the two people meet each other.

042 There existed the wall, enduring all the damages.

043 Next to the doll was a small box containing tiny combs and a silver mirror. [수능]

044 Little can we hope that the countries will come to an agreement. [수능 응용]

045   Only in terms of the physics of image formation do the eye and camera
      have anything in common.

[수능]

구문 유형 **06** 동사의 종류

형식	동사의 종류
주어+자동사	완전 자동사 (1형식)
주어+자동사+주격보어	불완전 자동사 (2형식)
주어+타동사+목적어	완전 타동사 (3형식)
주어+타동사+간·목+직·목	수여동사 (4형식)
주어+타동사+목적어+목적격보어	불완전 타동사 (5형식)

>>> 동사는 목적어의 유무에 따라 자동사와 타동사로 나뉜다. '자동사'는 주어와 동사만으로 완전한 문장을 구성하며, '타동사'는 주어와 동사만으로는 부족하여 동사의 대상인 '목적어'를 필요로 한다.

Further Study

〈주요 동사〉
• 완전 자동사: be(존재하다, 있다), occur, run, stand, happen, appear(나타나다), stay(머무르다)
• 불완전 자동사: get, turn, fall, go, grow, become, look(~하게 보이다), seem, sound, feel, taste, keep, be(~이다), remain(~인 상태로 있다)
• 완전 타동사: eat, have, break, make, compose, reject, stop, enjoy, finish, play
• 수여동사(두 개의 목적어를 취하는 동사): send, give, make, show, teach, lend, buy, ask, tell
• 불완전 타동사: ask, force, allow, encourage, make, find, cost, take

046   He walked / to work on a hot day.
      ‾‾‾‾‾
      V(완전 자동사)
      그는 걸어갔다 / 더운 날에 일하러.

      (불완전 자동사)
047   I felt happy / in the theater.
        ‾‾‾ ‾‾‾‾‾
         V   C
      나는 행복감을 느꼈다 / 극장에서.

048 Helen cooked / dinner for the first time.
　　　V(완전 타동사)　　O
　　Helen은 요리했다 / 처음으로 저녁을.

049 Fred allowed / his son to play the game.
　　　V(불완전 타동사)　　O　　　O.C
　　Fred는 허락했다 / 그의 아들이 게임하는 것을.

050 The witch disappeared and never appeared again.

051 The boy and his story became famous around the world.

052 You have to renew your driver's license. [수능]

053 The coach made the skinny boy a world-famous soccer player.

054 The females find themselves surrounded by relatives. [수능 응용]

055 Wait here and I'll find the book for you. [수능 응용]

056 The chairperson sent me a letter saying that she wants to meet me.

A 어법상 알맞은 것을 고르고, 밑줄 친 부분을 해석하시오.

communicate 전달하다

1 Therefore, it can be said which / that clothing communicates information about group membership.　　　　[평가원 응용]

⇨ _____

rest 놓여 있다
saucer 받침 접시
packet 상품 포장용 봉지

2 Disappointed, I changed my order to a cup of coffee, which the waiter soon brought over. Resting on the saucer was / were two packets of sugar.　　　　[평가원]

⇨ _____

B 밑줄 친 단어를 어법에 맞게 배열하고, 전체 문장을 해석하시오.

1 (things, reason, people, delay, one, many) is that they fear they will do them wrong.　　　　[평가원 응용]

⇨ _____

steady 꾸준한

2 (is, what, noticeable) is that all four countries have showed a steady increase.　　　　[평가원 응용]

⇨ _____

official 공직자

3 All adult men had the right to vote. However, (for, did, not, the, voting, officials) take place regularly.

⇨ _____

C 어법상 틀린 것을 찾아 바르게 고쳐 쓰시오.

1 "It does not matter ① which you've had a rough life or a privileged one. What matters is that you're telling them your story," explains Heckler. "They have to sense that ② what you're telling them is real. They need to see you as a person. That will help them ③ open up and tell their stories." [평가원 응용]

_____ ⇨ _____

2 I am frustrated with the poor quality repairs that ① were made in addition to the overall inferior quality of the camera. I ② insist on receiving a full refund. Enclosed ③ are a copy of the original receipt. [평가원]

_____ ⇨ _____

D 밑줄 친 우리말과 뜻이 통하도록 주어진 단어를 알맞게 배열하시오.

1 (~은) 나에게 굉장한 즐거움을 주었다 to think about how my dream would become a reality. I looked again at the coast. [수능]

[pleasure, great, gave, it, me]

⇨ _____

2 우리가 효과적인 의사소통 기술을 발전시킬지 아닐지의 문제는 depends largely on how we learn to communicate. For example, interaction between parents and their children is often important in determining whether a child is shy or unafraid of interaction. [평가원 응용]

[communication, develop, whether, effective, skills, we]

⇨ _____

1 다음 글의 밑줄 친 부분 중, 어법상 틀린 것은?

seabed 해저, 바다의 바닥
squash 짓누르다
harden 굳다
sedimentary 퇴적의
sediment 퇴적물
mineral 광물, 무기물
shale 혈암, 셰일
fossil 화석

Mud that is washed into the sea slowly ① settles on the seabed. More layers of mud land on top of it and get squashed down by the weight of the water. ② It takes thousands of years for the mud to harden into solid rock. Rock that ③ form in this way is called sedimentary rock. Sediment is anything that settles and collects on the ground or seabed. Any kind of sediment — mud, sand, shells, bits of minerals, or the remains of plants and animals — can become sedimentary rock. There ④ are layers of shale made from mud, sandstone made from sand, and coal made from rotting trees. The fossils of trees and animals can be found in the layers, but they are really hard to find. Only by looking closely ⑤ can you find the fossils.

2 (A), (B), (C)의 각 네모 안에서 어법에 맞는 표현으로 가장 적절한 것은?

pterosaurs 프테로사우르스
bat-like 박쥐와 같은
forest-dwelling 숲에 사는
glide 활강하다
rib 늑골, 갈비뼈
flatten 납작하게 하다
leap 펄쩍 뛰다

The pterosaurs, which lived at the same time as the dinosaurs, (A) had / having huge bat-like wings and flew well. Today, a few forest-dwelling reptiles can do it by gliding from one tree to another. The champion gliders are little lizards that have long ribs, some of which they fold back against their sides. They look like bats, but they (B) belong / are belonged to the lizard family. Some other lizards, and a few snakes, flatten their bodies as they leap, but they cannot glide. (C) Leaping / Leap from a branch required the 'flying lizards' special skills — they spread their ribs, opening umbrella-like fans of skin. Then they glide, like brightly-colored paper darts, for up to 60 feet.

	(A)		(B)		(C)
①	had	—	belong	—	Leaping
②	had	—	are belonged	—	Leaping
③	having	—	belong	—	Leaping
④	having	—	are belonged	—	Leap
⑤	having	—	belong	—	Leap

3 다음 빈칸에 들어갈 말로 가장 적절한 것은?

dime 10센트 동전
mint 주조하다
afford ~를 살 여유가 있다
profitable 이익이 되는
popularity 인기

Investing in coins _____.
It may take you years to collect a dime from every year. But it's the reward of the hunt that makes collecting coins fun. In 1804 there were only 8,265 dimes minted. How many of these do you think survived over the 200 years since they were minted? Imagine adding one of the 1804s to your collection. You may have to wait until you grow up and get a job before you can afford one! On August 30, 1999, a silver dollar minted in 1804, one of only fifteen known pieces, went on the auction block and sold for a record-breaking $4.14 million! Another of these 1804 dollars had sold in 1997 for $1.815 million.

---

① is threatened by inflation
② takes time but it's profitable
③ teaches you the various countries
④ is losing popularity among children
⑤ becomes a hobby of wealthy people

구문 유형 **07** 목적어로 쓰이는 명사구

$$V(타동사) \ + \ \begin{Bmatrix} \text{to부정사(to-v)} \\ \text{동명사(v-ing)} \end{Bmatrix}$$

>>> 타동사는 뒤에 행위의 대상이 되는 목적어를 취하는데, to부정사만을 취하는 동사와 동명사만을 취하는 동사, 그리고 to부정사와 동명사를 모두 취하는 동사가 있다. 그리고 to부정사와 동명사를 취할 때 의미가 달라지는 동사가 있다. 해석은 '~하는 것을, ~하기를'로 하고, 대게 부정사는 미래지향적이고 동명사는 과거지향적이다.

✎ *Further Study*

to부정사를 목적어로 취하는 동사	동명사를 목적어로 취하는 동사
want, wish, hope, expect, intend, pretend, choose, decide, refuse, promise, plan	stop, enjoy, avoid, mind, imagine, consider, appreciate, postpone, deny, finish, practice

057   My wife really wanted / **to have** a baby.

　　　　S　　　　　　V　　　O(to부정사)
내 아내는 정말로 원했다 / 아이를 갖기를.

058   My four-year-old son enjoys / **listening** to stories.

　　　　S　　　　　　　V　　　O(동명사)
네 살인 내 아들은 즐긴다 / 이야기 듣는 것을.

059   I have just finished reading his novel for the first time.

060   She promised to find a permanent home before the baby was born.

061 Eric often practiced playing the violin in his room.

062 He decided to take a day off to get some rest at home.

063 My husband enjoys taking a walk after lunch.

064 The sea lions enjoyed being with those humans they knew. [평가원]

065 I couldn't help laughing when I heard that story.

구문 유형 **08** 목적어로 쓰이는 명사절

V(타동사) + { that / whether(if) / 의문사 } + S'+V'
who, when, where, what, why, how

>>> 타동사가 행위의 대상이 되는 목적어를 취할 때, 명사절이 목적어로 올 수 있다. 명사절을 이끌 수 있는 접속사로 that, whether(if)가 있는데, that은 주로 생략된다. whether(if) 명사절은 ask, tell, know, wonder, doubt 등과 같은 동사의 목적어로 자주 쓰이고, '~인지 (아닌지)'의 뜻으로 해석된다. 의문사 what, when, how, where, why 등도 명사절로 목적어 역할을 할 수 있다. 각 의문사는 고유의 의미로 해석된다.

참고 「의문사+to부정사」도 명사 역할을 한다.

066 He thought / [(**that**) his girlfriend was a liar].
    S   V   O(that이 이끄는 명사절)
    그는 생각했다 / 그의 여자 친구가 거짓말쟁이었다고.

067 I asked my mother / [**if** she liked my gift].
    S   V   I.O   D.O(if가 이끄는 명사절)
    나는 어머니에게 물었다 / 그녀가 내 선물을 좋아했는지를.

068 She told me what I should do in that case.

069 I believed for years that people were motivated to mediate for one reason – money.

070 Everyone would like to assume that their wonderful, creative ideas will sell themselves.　　　　　　　　　　　　　　　　　[평가원]

071 Who discovered that the earth's axis is on a 23 degree tilt and when did they discover it?

072 I was wondering if you could send me an application form.

073 Today I asked myself whether or not objective beauty exists.

074 Ellen Langer learned from her mother how to prepare a roast.　　[수능]

075 A dad needs to teach his daughter when to be cautious.

구문 유형 **09** 가목적어 it

$$S + V + \underset{\text{가목적어}}{it} + 형용사\ or\ 명사 + \begin{cases} to부정사 \\ \underset{\text{진목적어}}{that+S'+V'} \end{cases}$$

>>> 5형식 동사는 목적어와 목적격보어를 취하는데, 목적어가 긴 경우 가목적어 it을 쓰고 진목적어를 문장 끝에 배치한다. 진목적어로는 to부정사(구)와 that절이 올 수 있다.

076   Heavy fog made **it** impossible / **to see ahead**.
　　　　S　　V　　　　　O.C
　　　　　　　　　　　　　가목적어
　　　　　　　　　　　　　　　　　　진목적어
짙은 안개가 불가능하게 만들었다 / 앞을 보는 것을.

077   I have always found **it** easy / **to float in a swimsuit**.
　　S　　　V(현재완료)　　가목적어 O.C　　　진목적어
나는 항상 쉽다는 것을 알았다 / 수영복을 입고 떠 있는 것이.

078   Most students will find it fun and rewarding to do volunteer work.

079   We take it for granted that our children will be better off than we are.

080   Technology makes it impossible to take a vacation from work.

081   A color-blind monkey found it more difficult to find the fruit.   [예비 수능]

082   We take it for granted that film directors are in the game of recycling. [수능]

083   Capitalism is the system that makes it possible to give productively.

084   The Romans considered it necessary to not only purify the body, but to do it thoroughly and often.

구문 유형 **10** 목적어로 쓰이는 재귀대명사

S + V + O(재귀대명사)
　　＝

>>> 재귀대명사는 동사의 행위를 하는 주체인 주어와, 동사의 행위의 대상이 되는 객체인 목적어가 동일한 경우에 쓰는 대명사를 말한다. 해석은 '자신을', '자신에게'로 한다.

085 She asked **herself** / [what is important in her life].
       S   V   I.O(재귀대명사)   D.O
   그녀는 자기 자신에게 물었다 / 그녀의 인생에서 무엇이 중요한지를.

086 "Be calm and brave." // the boy told **himself** again and again.
                                S   V   O(재귀대명사)
   "차분하고 용감하라." / 계속해서 소년은 자기 자신에게 말했다.

087 My son cut himself when he was cooking.

088 I believe that heaven helps those who help themselves.

089 I found myself lying on the floor of a great room full of people.

090 I don't speak good Spanish but I can make myself understood.

091 She overworked herself because she didn't want to let us down.

092 Sports became so complex for him that he forgot how to enjoy himself.
                                                                    [평가원]

093 The Romans believed themselves superior to their barbarian neighbors.

094 Nature is best protected by keeping humans far away, so that it can
    continue to run itself.   [평가원]

11 전치사의 목적어

전치사 + { (대)명사
동명사(v-ing)
명사절 }

의문사, 관계대명사, what, 접속사 whether

>>> 전치사는 「전치사+명사」의 형태로 '구'를 만드는데, 명사 대신 대명사, 동명사(v-ing)가 올 수 있고, 의문사, 관계대명사, what, 접속사 whether가 이끄는 명사절이 올 수 있다. 특히, 동명사가 올 때 동명사의 의미상의 주어가 전치사 다음에 소유격(목적격)의 형태로 올 수 있다는 점에 유의해야 한다.

---

095 He had the possibility / **of being a great leader**.
　　　S　V　　　　O　　　　　전치사　　　　O'(동명사)
그는 가능성을 가지고 있었다 / 훌륭한 지도자가 될.

096 Accepting responsibility / **for being punctual** / is an important life skill.
　　　　　　S　　　　　　　　전치사　　O'(동명사)　　　V　　　　　　C
책임을 진다는 것은 / 시간을 지키는 것에 대해 / 중요한 삶의 기술이다.

---

097 The idea of having a single career is becoming an old-fashioned one.

098 The nurses began to be worried about whether to feed her.

099 He is looking forward to seeing his daughters before the event.

100 Brian is hesitating about whether he should talk to his friend, Paul, first.

101 Aristotle wrote that we learn best by doing, and it has always been true.

102 I am thinking of sending him a text message saying I'm sorry.　　　[평가원]

103 Every small business owner knows the importance of building business relationships.

구문 독해 PRACTICE

A 어법상 알맞은 것을 고르고, 밑줄 친 부분을 해석하시오.

1 The moment you stop to think about whether / that you love someone, you've already stopped loving that person forever.

⇨ _____

personality 성격
achievement 성취
account for ~을 설명하다

2 Many social scientists have believed for some time that / what birth order directly affects both personality and achievement in adult life.   [수능]

⇨ _____

B 다음 우리말 의미에 맞게 밑줄 친 단어를 알맞게 배열하시오.

resources 자원
unawareness 무지, 알지 못함

1 그 병에 대한 무지를 고치는 것을 어렵게 만들어온 것은 자원과 교육의 부족이다.
It is lack of resources and education that (to, has, it, difficult, made, correct) the unawareness of the disease.

⇨ _____

2 그러므로, 일어난 일에 관해 다른 사람이 정말로 어떻게 느꼈는지를 진실하게 사과하기 위해서 우리는 처음에 주의를 기울여 들어야만 한다.
Therefore, to apologize sincerely we must first listen attentively to (feels, the other, person, really, how, about what happened).   [수능]

⇨ _____

어법상 틀린 것을 찾아 바르게 고쳐 쓰시오.

curb 억제하다
distinction 차이
denial 부인

1 ① To say that we need to curb anger and our negative thoughts and emotions does not mean that we should deny our feelings. There is an important distinction to ② be made between denial and restraint. The latter constitutes a deliberate and voluntarily adopted discipline based on an appreciation of the benefits of ③ do so. [수능]

_____ ⇨ _____

2 Every night he taught ① himself English by reciting vocabulary from the English version of Mao's little red book; I saw my father writing down English words on small cards and ② carrying them wherever he went. When I asked him why he did that, he explained in a very simple way ③ which he wanted to learn English.

_____ ⇨ _____

D 밑줄 친 우리말과 뜻이 통하도록 주어진 단어를 알맞게 배열하시오.

defend 방어하다
innate 타고난
stubbornness 고집

1 We want to defend what we have done, and our innate stubbornness 우리가 그 비판을 받아들이는 것을 허용하기를 거부한다 we are receiving. [평가원]

[us, refuses, the criticism, to accept, to permit]

⇨ _____

rededicate oneself to
~에 재헌신하다
be overwhelmed with
~에 압도당하다

2 Unfortunately, many people use these feelings of regret as brakes that they set on their own lives. Instead of rededicating themselves to the exciting months and years ahead, 그들은 자기 자신을 실수들에 압도당하도록 내버려둔다 that they made in the past. [예비 수능]

[with, allow, the mistakes, they, to be, themselves, overwhelmed]

⇨ _____

실전 독해 PRACTICE

1 다음 글의 밑줄 친 부분 중, 어법상 틀린 것은?

anxious 걱정하는
interpret 해석하다
innocent 결백한, 무죄의
burglar 강도
maintain 유지하다
avoidance 회피
scared 무서워하는

Anxious children believe ① that the world is a dangerous place. Because of this belief, they will often interpret very innocent events as examples of danger. For example, a normal noise outside at night might ② be interpreted as a burglar. In this way, this thinking style can help to maintain anxiety by "showing" the child ③ what their fears are real. Most importantly, anxious children will usually avoid things they fear. Because of this avoidance, they never have an opportunity to find out that what they are scared of probably won't happen and that they can cope if it ④ does. Again, this maintains anxiety by ⑤ not allowing children to learn that what they fear is usually not true. Where parents allow their children to avoid their anxieties, parents are also allowing these beliefs to stay.

2 (A), (B), (C)의 각 네모 안에서 어법에 맞는 표현으로 가장 적절한 것은?

pursuit 추구
rather 다소
describe 묘사하다
trivial 사소한
confront 직면하다
earn a living 생계를 벌다

Every student who comes to university and chooses to study something in whole or in part just because they are interested in it (A) is / are involved in the pursuit of knowledge. It's rather alarming how (B) natural / naturally it is to describe such a student as being "just interested" in a subject, as though that's a rather trivial reason to be in school. Why "just?" Many students study particular subjects out of interest but some are understandably sensitive about it. They tend to get questions like, "What are you going to do with that?" And everyone, of course, eventually has to confront the question of how to find work and (C) put / puts food on the table.

	(A)		(B)		(C)
①	is	—	natural	—	put
②	is	—	naturally	—	puts
③	is	—	naturally	—	put
④	are	—	naturally	—	put
⑤	are	—	natural	—	puts

3 글의 흐름으로 보아, 주어진 문장이 들어가기에 가장 적절한 곳은?

> McIlhenny, who was living hand to mouth, started experimenting with the ground peppers to make a sauce that would liven up his dull diet.

Before the Civil War, Edmund McIlhenny operated a sugar plantation and a saltworks on Avery Island, Louisiana. (①) Yankee troops invaded the area in 1863, and McIlhenny had to flee. (②) When he returned in 1865, his sugar fields and saltworks were ruined. (③) The only thing left were some hot Mexican peppers that had reseeded themselves in the kitchen garden. (④) His newfound sauce is known today as Tabasco sauce. (⑤) To this day, over a hundred years later, the McIlhenny Company and its Tabasco business is still run by the McIlhenny family.

live hand to mouth 겨우 살아가다
experiment with ~을 실험하다
ground pepper 후추
liven up 활기를 띠게 하다
the Civil War (미국의) 남북전쟁
operate 운영하다
plantation 농장
saltworks 염전
troop 군대
invade 침입하다
reseed oneself 스스로 씨를 뿌리다

구문 유형 **12** 주격보어의 다양한 형태

S + V $\begin{Bmatrix} 상태동사 \\ 감각동사 \end{Bmatrix}$ + **S.C**(주격보어)

>>> 주격보어는 주어의 상태를 설명해 주는 말이다. 상태동사인 be, become, remain, turn, grow 등의 동사나 감각동사인 look, feel, taste, sound 등의 동사 다음에 쓰인다. 주격보어로 쓰일 수 있는 품사로는 명사, 형용사 및 명사나 형용사 상당어구 등이 있다.

---

104 When you become **a good listener**, // understanding others will become
　　　　S　　V　　　　C(명사구)　　　　　　　　S'　　　　　　V'
easy.
C(형용사)
당신이 경청하는 사람이 되면, // 다른 사람들을 이해하는 것이 쉬워질 것이다.

105 His dream is **to become a world champion** // and it sounds **achievable**.
　　　S　　V　　　C(명사 상당어구: to 부정사)　　　S　　V　　　C(형용사)
그의 꿈은 세계 챔피언이 되는 것이다 // 그리고 그것은 실현 가능하게 들린다.

---

106 The girl grew nervous on the stage.

107 Seoul will become the best city in the world.

108 They remained calm and coped with the situation.

109 Recently, figure skating has become a popular sport in Korea.

110 What we want is to be always in touch and never alone.   [수능 응용]

111 Part of the American story is that bigger is better.   [수능 응용]

구문 유형 **13** be동사의 보어로 쓰이는 어구

$$\text{S} \ + \ \text{V(be동사)} \ + \ \text{C} \begin{cases} \text{형용사(구), 명사(구)} \\ \text{to부정사(구), 동명사(구)} \\ \text{명사절} \end{cases}$$

>>> be동사의 보어로는 형용사(구), 명사(구) 이외에 to부정사(구), 동명사(구), 명사절 등이 올 수 있다.

112 <u>My initial plan</u> / <u>was</u> **<u>to study 6 hours a day</u>**.
　　　　　S　　　　　　V　　　　C(to부정사구)
나의 원래 계획은 / 하루에 6시간씩 공부하는 것이었다.

113 <u>The problem</u> / <u>is</u> **<u>that he has serious health problems</u>**.
　　　　S　　　　 V　　　　　　　C(명사절)
문제는 / 그에게 심각한 건강문제가 있다는 것이다.

114 My plan is to read all of these books by next month.

115 One of my hobbies is traveling around the country.

116 The reason is that your body requires enough water.

117 The campaign's purpose was to raise awareness about global warming.

118 The most important thing for good health is that you should exercise regularly.

119 Gregorio Dati was a successful merchant of Florence.   [수능 응용]

120 The sea lions were friendly to those humans they knew.   [평가원 응용]

121 Surely the best approach with any great work of art is to simply leave it alone.   [평가원 응용]

구문 유형 **14** 목적격보어로 쓰이는 명사와 형용사

$$S + V + O + O.C \begin{cases} \text{명사(구)} \\ \text{형용사(구)} \end{cases}$$

⟩⟩⟩ 목적격보어로는 명사(구)와 형용사(구)가 쓰일 수 있다. 목적격보어로 주로 명사(구)를 취하는 동사에는 call, consider, elect, name 등이 있고, 주로 형용사(구)를 취하는 동사에는 believe, find, keep, leave, make 등이 있다.

122 The council elected / him **mayor** last year.
       S   V   O   O.C(명사)
   그 의회는 선출했다 / 지난해에 그를 시장으로.

123 The noise from outside kept / me **awake** last night.
                S   V   O   O.C(형용사)
   밖에서 나는 소음이 (~하게) 했다 / 어젯밤에 나를 깨어있도록.

124 We call him the most influential person in Asia.

125 They consider their president a great leader.

126　You shouldn't keep the window open while sleeping.

127　The family named their dog "Willow."

128　She finally made her son a global superstar.

129　He found the algebra question too difficult.

130　A book that calls itself the novelization of a film is considered
barbarous.　　　　　　　　　　　　　　　　　　　　　　　[수능 응용]

S + V + O + O.C(to부정사)

>>> to부정사를 목적격보어로 취하는 동사에는 advise, allow, compel, enable, encourage, force, order, persuade, promise, tell, ask 등이 있다.

131　The doctor advised / me **to stay away from work**.
　　　　　　　　 S　　　　V　　　　 O　　　　　　 O.C(to부정사)
　　그 의사는 조언했다 / 내가 일을 쉬라고.

132　The teacher encouraged / his students **to discuss the matter**.
　　　　　　　　 S　　　　　　 V　　　　　　 O　　　　　 O.C(to부정사)
　　그 선생님은 권했다 / 그의 학생들이 그 문제에 대해 논의하는 것을.

---

133   Smartphones allow us to connect with others easily.

134   The "Teach yourself" technique enables students to learn faster.

135   The lack of water forced them to leave their town.

136   The conductor persuaded him to join his orchestra.

137   Bad health compelled Kate to resign from her job.

138   The father forced his children to go for a walk.

139   Satiation of the predator enables most members of the school to escape unharmed.   [평가원 응용]

140   They allow seedlings to sprout more quickly when sown.   [평가원 응용]

구문 유형 **16** 목적격보어로 쓰이는 원형부정사

S + V { 지각동사 / 사역동사 } + O + O.C(원형부정사)

>>> 지각동사(see, watch, hear, feel, observe, notice 등)와 사역동사(make, have, let 등)는 목적격 보어로 원형부정사(동사원형)를 취한다. 단, help는 목적격보어로 to부정사와 원형부정사를 모두 취할 수 있다.

141 The coach watched / his players **dominate the match**.
 　　S　　　V(지각동사)　　　O　　　　　O.C(원형부정사)
그 코치는 지켜보았다 / 자신의 선수들이 그 경기를 지배하는 것을.

142 Alice made / her friends **laugh /** all through the meal.
 　　S　V(사역동사)　　　O　　　O.C(원형부정사)
Alice는 (~)하게 만들었다 / 자신의 친구들이 웃도록 / 식사 내내.

143 We saw the elephant attack the trainer.

144 The teacher made the children bring their own art supplies.

145 Listening to music helps him calm down.

146 The boy observed his mother cook.

147 He didn't let me pay for the lunch.

148 Companies sometimes see profits increase after a rival's launch. [평가원 응용]

149 I made Simon jump in and out several times. 　　　　　　　[평가원 응용]

150 I promise that I won't let it happen again.

$$S + V + O + O.C \quad 관계 \begin{cases} 능동 - 현재분사 \\ 수동 - 과거분사 \end{cases}$$

▶▶▶ 분사는 지각동사 및 사역동사의 목적격보어로 쓰일 수 있다. 이 때, 목적어와 목적격보어의 관계가 능동이면 현재분사를 쓰고, 수동이면 과거분사를 쓴다.

참고 목적격보어로 현재분사가 쓰이면 동사원형이 쓰였을 때보다 진행의 의미가 강조된다.

---

151   I noticed / him **heading back to his house**.
    S   V   O   O.C(능동 - 현재분사)
나는 알아챘다 / 그가 다시 그의 집으로 향하고 있다는 것을.

152   She will have / her room **painted pink**.
    S   V(사역동사)   O   O.C(수동 - 과거분사)
그녀는 (~)하게 할 것이다 / 자신의 방이 분홍색으로 칠해지도록.

---

153   I saw Jane walking out of the park.

154   The audience heard the pianist's name called.

155   Joshua had his car repaired by the mechanic.

156   She made herself understood in three languages.

157   I felt something caught in my throat.

158   I heard them talking about the matter seriously.

159   Looking through the camera lens made him detached from the scene.

160   I can play the film backward and watch the cat fly down to the floor.

[모의 응용]

161   They had the service rendered to them in a manner that pleased them.

[평가원 응용]

구문 독해 PRACTICE

A 어법상 알맞은 것을 고르고, 밑줄 친 부분을 해석하시오.

customary 습관적인, 관습적인
thoughtlessness 부주의함
mistakenly 잘못하여, 실수로

1 When parents are required to judge their children, it is perhaps their customary thoughtlessness that <u>makes them judge / to judge so mistakenly.</u> [평가원 응용]

remain ~인 채로 남아 있다
surround ~을 둘러싸다

2 Everything else remained perfect / perfectly . She was happy, satisfied, and surrounded by people who talked about the subject that she was also talking about.

B 밑줄 친 단어를 어법에 맞게 배열하시오.

equipment 장비
manager 관리자

1 Because of his injury, Jim wasn't able to play on the basketball team during the rest of that year, (<u>him, the coach, but, made, equipment manager</u>) so that he could come and practice. [평가원]

⇨ _____

iceberg 빙산
parenting 육아
stamp 찍어내다
mold 틀
conformity 획일

2 Left-handedness is just the tip of the iceberg — in today's world, parenting is about (<u>develop, child, letting, your</u>) into his or her own person, not about trying to stamp him or her into a mold of conformity. [평가원]

⇨ _____

domesticate 길들이다
bargain 거래
maize 옥수수

1   Human farmers and their ①domesticated plants and animals made a grand bargain, though the farmers did not ②realize it at the time. Consider maize. Domestication made it ③dependently on man.

[평가원 응용]

_____ ⇨ _____

convince 확신시키다
fade away 사라지다

2   He became ①convinced that it was his destiny in life ②to make good beginnings and then watch them ③to fade away.   [평가원 응용]

_____ ⇨ _____

3   Adams said that he had the machine ①fix, after he put his foot on the chair. I saw him ②take his foot down from the chair. Then I heard him ③say to Lumsden "I have taken the machine to Mr. Archingall and he fixed it."

_____ ⇨ _____

D 다음 우리말 의미에 맞게 괄호 안의 말을 알맞게 배열하시오.

predator 포식자

1   이것은 포식자가 사냥할 한 마리의 동물에 집중하는 것을 더 어렵게 한다.
[to focus on, it, for a predator, harder, makes, this] one animal to catch.   [평가원]

⇨ _____

camouflage 위장술
conceal 숨기다

2   하지만 그들이 그렇게 오랫동안 숨겨진 채로 남아있는 것을 가능하게 했던 것은 그들의 놀라운 위장술이다.
Yet it is their amazing camouflage which really [to remain, them, allowed, for so long, concealed]

⇨ _____

1 글의 흐름으로 보아, 주어진 문장이 들어가기에 가장 적절한 곳은?

irrational 당치않은
superstition 미신
distort 왜곡하다
corruption 타락
shatter 파편
stab 찌르다
unsuspecting 의심하지 않는

> However, the fact that the Romans invented mirrors does not mean that they should spread irrational stories to make people use extra caution around the objects.

The superstition of 7 years of bad luck following the breaking of a mirror can be traced to ancient Rome, where glass mirrors were first created. (①) The Romans and Greeks believed that mirrors reflected the user's soul. (②) Therefore if the echoing image was destroyed or distorted, this could mean a corruption or breaking of the person. (③) The most logical explanation for why this myth is spread is that mirrors are expensive to replace. (④) In addition, the small shatters of glass may get into someone's eye when they bounce off of the floor. (⑤) The shattered pieces may even remain on the floor, waiting to stab an unsuspecting bare foot.

2 (A), (B), (C)의 각 네모 안에서 어법에 맞는 표현으로 가장 적절한 것은?

summon 불러내다
grant 이루어주다
poverty 가난
rub 문지르다
proclaim 선언하다
fulfill 완수하다
furiously 맹렬히

After watching the movie *Aladdin*, a five-year-old kid named Eric started using his mother's empty teakettle as a magic lamp (A) pretended / pretending he could summon the genie and grant wishes. "Make three wishes, Mom," he told his mother, "and I'll make the genie (B) grant / to grant them." His mom first asked to rescue all poor kids from poverty. Rubbing "the lamp," Eric pretended to talk to the invisible genie and then proclaimed his mom's wish (C) fulfilling / fulfilled . Next, his mom asked for a cure for all sick kids. Again, Eric rubbed the pretend lamp and spoke to the invisible genie, then said his mom's second wish was fulfilled. Eric's mother then made her third wish, "I wish to be thin again." At this Eric started rubbing his magic lamp furiously. When the magic obviously failed to work, Eric looked up at his mom and said, "Mom, I think I'm going to need a lot more powerful magic for this wish!"

	(A)		(B)		(C)
①	pretended	–	grant	–	fulfilling
②	pretending	–	grant	–	fulfilled
③	pretending	–	grant	–	fulfilling
④	pretending	–	to grant	–	fulfilled
⑤	pretended	–	to grant	–	fulfilling

3 다음 글의 밑줄 친 부분 중, 어법상 틀린 것은?

tangible 명백한, 유형의
restore 회복하다
dignity 존엄성
perspective 시각
mend 고치다
seemingly 겉보기에
irreparable 고칠 수 없는

An apology includes real repair work: not just saying "I'm sorry." Often there will be nothing tangible ①to repair; hearts and relationships are broken more often than physical objects. In such cases, your efforts should ②focus on restoring the other person's dignity. The question "What else do you want me ③do?" can start this process. If you ask it sincerely, really listen to the answer and ④act on the other party's suggestions, you'll be honoring their feelings, perspective and experience. This can mend even seemingly ⑤irreparable wounds.

1   (A), (B), (C)의 각 네모 안에서 어법에 맞는 표현으로 가장 적절한 것은?

I'm convinced there is a part of the brain that (A) release / releases endorphins every time you have an idea. The result is (B) what / that you get a buzz of pleasure identical to the one you experience when completing a jigsaw or answering a crossword clue. This Pavlovian response militates against human beings being good at writing ads. A jigsaw or crossword can be declared finished, but when writing ads it's up to you to say when you're finished and it is critical that you don't declare the job finished too early. The same applies to a press release or a speech. Just because it looks like the right length and (C) covers / to cover the right information, does that make it finished? For that you need to engage your judgment.

(A)		(B)		(C)
① release	—	what	—	covers
② release	—	that	—	to cover
③ releases	—	that	—	covers
④ releases	—	that	—	to cover
⑤ releases	—	what	—	covers

2 다음 글의 밑줄 친 부분 중, 어법상 틀린 것은?

There once was a young man who had a friend that had a heart for the land. This friend lived near a creek bank that had been ① threatening to overflow into the nearby houses along its path. The two young men decided to plant willow sprigs all along the bank that year. Willows had a good rooting system and would grow ② strong very quickly. They spent the better part of a day planting and ③ panting all up and down the creek banks. Many years later, as the boys returned to their hometown for a visit, they found ④ themselves once again at the creek bed. Where it took an afternoon, oh so long ago to plant a few willow sprigs, there now ⑤ standing a beautiful idyllic bend with a long curving row of large graceful willows bending out over the water.

3 (A), (B), (C)의 각 네모 안에서 어법에 맞는 표현으로 가장 적절한 것은?

Cartoons are fun, but making cartoons (A) is / are no fun matter. Every cartoon needs a lot of hard work by many talented people. The first step is to write the story, called a storyboard. Then the music and dialogue, or words, are recorded. Now (B) comes / coming the phase layout artists, background artists, and animators who draw the characters get to work. When all the drawings are completed, they're traced onto sheets of transparent celluloid called cels. After the cels are painted, each one is photographed (C) individual / individually with a special camera. Finally the sound-track is added. When everything is completed, there's your cartoon.

	(A)		(B)		(C)
①	is	–	comes	–	individual
②	is	–	comes	–	individually
③	is	–	coming	–	individual
④	are	–	coming	–	individually
⑤	are	–	coming	–	individual

4 다음 글의 밑줄 친 부분 중, 어법상 틀린 것은?

In some ways, the path of organizing is an inquiry into how to live well and fulfill your potential. Perhaps the most surprising benefit is that by getting ① organizing, you can learn valuable lessons that foster growth and character development. You'll start to see ② that organizing is a way to express self-love and self-care. Organizing is also a way to take on responsibility. You will learn that you can manage your own tendencies ③ to be distracted easily or forget what you meant to be doing. Living well is ultimately about loving yourself and others, ④ connecting with what really matters to you, and taking actions based on what you truly care about. Being organized actually can improve your chances of ⑤ doing so.

5 (A), (B), (C)의 각 네모 안에서 어법에 맞는 표현으로 가장 적절한 것은?

Millions of people are finding (A) them / themselves on the voyage to old age, perhaps extreme old age. Each year, the average age of the world's population increases. Life expectancy is climbing in most countries; in industrialized nations it has grown from 46 in 1900 to 77 in 1998. Older people are losing their minority status; in fact, they are becoming an (B) increasing / increasingly important force in politics, business, and culture. In a phenomenon known as "rectangularization," the U.S. population has transformed from a bottomheavy triangle, in which the majority of people were younger than 20, into one (C) which / in which almost all age groups from 0 to 80+ are roughly the same size. By the year 2020, one out of six Americans will be over the age of 65 — equaling the number of people under the age of 20.   *rectangularization: 직사각형화

	(A)		(B)		(C)
①	them	—	increasing	—	which
②	them	—	increasingly	—	in which
③	themselves	—	increasing	—	which
④	themselves	—	increasingly	—	in which
⑤	themselves	—	increasingly	—	which

6 다음 글의 밑줄 친 부분 중 어법상 틀린 것은?

　　You don't have to bake Alaska ① to make tasty baked Alaska. The name refers to the combination of something hot — baked meringue — with something cold — ice cream. You start with a brick of ice cream that is frozen very ② hard. Place it in the center of a sponge cake and cover the cake with meringue. Bake the cake in the oven for only five minutes at a very high temperature. Then comes the tricky part. You have to time it just ③ right — you want the meringue to turn golden brown, but you don't want the ice cream to melt. Then the dessert is served right away. In fact, desserts made of ice cream inside a hot crust of cake ④ having been around before baked Alaska was born. But the name Baked Alaska originated at Delmonico's Restaurant in New York City in 1876, and ⑤ was created in honor of the newly acquired territory of Alaska.

7 다음 글에서 전체 흐름과 관계 없는 문장은?

The positive value of regret is emblematic of a recent revolution in how scientists view emotions. ① It was once widely believed that emotions are the enemy of rational thought and that to be successful you must stifle your feelings. ② Many self-help books teach you to avoid negativity. ③ But it turns out that emotions in general, and negative emotions in particular, are a crucial component of rational thought. ④ It is nonsense that negative emotions can indeed be useful and even desirable. ⑤ They are essential to effective performance, whatever the task may be. Regret is an example of a negative emotion that spurs people to problem-solving and personal betterment.

8 다음 글의 목적으로 가장 적절한 것은?

Wealthy, intelligent, and isolated, Marshall is a house divided against himself. Denying important and life-giving facets of his self from an early age, he surrounds himself with shadows formed by his projected unacceptable imaginings. In this literary exploration of the divided self, Marshall struggles to resolve the four basic human conflicts — between freedom and security, right and wrong, masculinity and femininity, and between love and hate in the parent-child relationship. In daring to love with maturity and without reserve, he is finally able to deal with the boarders living in his house and to trade his mask for a real face. As an editor, are you interested in seeing this 85,000-word novel, *The Boarding House*? I can send the complete manuscript or, if you prefer, sample chapters and a detailed synopsis.

① 감춰진 인간의 이중성을 고발하려고
② 앞으로의 작품 활동 계획을 밝히려고
③ 편집자에게 자신의 소설을 소개하려고
④ 자신의 소설을 교정봐줄 것을 부탁하려고
⑤ 심사 중인 소설의 내용에 대해 비평하려고

9   다음 글의 요지로 가장 적절한 것은?

In one study, infant girls fed soy formula had significantly more breast tissue at 2 years of age than those who were fed breast milk or dairy-based formula. Another study showed that girls fed soy formula were much more likely to go through puberty at a younger age. Soy is also very high in manganese, much higher than breast milk, which may lead to neurological problems and ADHD. Soy infant formula is also high in aluminum, which can cause problems. There is no question about it. For women who cannot breastfeed, milk-based formula is a much better option than soy-based formula, which should only be used as a last resort.

* manganese: 망간

① 모유를 먹지 못한 아기는 다양한 질병을 앓기 쉽다.
② 두유의 성분과 그 영향이 더욱 자세히 밝혀져야 한다.
③ 모유 대체품으로 두유 성분의 분유가 인기를 끌고 있다.
④ 콩은 남자 아기와 여자 아기에게 각각 다른 영향을 준다.
⑤ 아기들에게 두유 성분의 분유를 먹이는 것은 건강에 좋지 않다.

SUMMA CUM LAUDE
SENTENCE STRUCTURE MANUAL

CHAPTER **2**
서술어

숨마쿰라우데®
[구문독해 매뉴얼]

UNIT 04 동사의 시제와 태

SUMMA CUM LAUDE

구문 유형 18 현재완료 / 현재완료진행

- 현재완료: **have(has) p.p.**
- 현재완료진행: **have(has) been v-ing**

>>> 현재의 시점까지 영향을 미치는 동작, 경험, 결과나 행동의 완료를 나타내기 위해 현재완료를 사용한다. 과거에 시작되어 현재에도 계속되는 일을 나타낼 때 현재완료와 현재완료진행을 모두 사용할 수 있지만, 현재의 시점에 진행되고 있다는 점을 분명히 표시하고자 할 때 또는 동작이 계속됨을 나타내기 위해서 현재완료진행을 사용한다.

162 She **has been** to Spain twice, // but she**'s never been** to Barcelona.

그녀는 스페인에 두 번 가봤지만, // 그러나 그녀는 바르셀로나에는 간 적이 없다. (경험)

163 Sujie **has been practicing** kung fu / for 13 years.

Sujie는 쿵푸를 연습해오고 있다 / 13년 동안. (계속)

164 He has left for Seoul already, so I can't meet him.

165 I have used this smartphone for three years.

166 Ben has been applying for football manager jobs.

167 However, after a great deal of thought, I have decided not to accept the position.

[평가원]

168 Welcome support has been energizing many African American girls to participate in sports.

[평가원 응용]

구문 유형 **19** 과거완료(진행) / 미래완료(진행)

- 과거완료: **had p.p.**
- 과거완료진행: **had been v-ing**
- 미래완료: **will have p.p.**
- 미래완료진행: **will have been v-ing**

▶▶▶ 과거의 시점까지 영향을 미친 동작, 경험, 결과나 행동의 완료 및 과거의 시점 이전에 일어났던 동작을 나타낼 때는 과거완료를 사용한다. 미래의 시점에서 완료될 동작을 나타낼 때는 미래완료를 사용한다.

169 We **had waited** for a table for 20 minutes / and did not get served.

우리는 20분 동안 자리가 나기를 기다렸고 / 그리고 서빙을 받지 못했다. (계속)

170 The lady was sitting by her / and **had been looking** at her for several minutes.

그 부인은 그녀 옆에 앉았고 / 그리고 그녀를 몇 분 동안 보고 있었다. (계속)

171 By next month, I **will have finished** my first novel.

다음 달이면, 나는 나의 첫 번째 소설을 끝낼 것이다. (완료)

172 We **will have been running** the store for one year this Friday!

우리는 이번 주 금요일이면 그 가게를 1년간 운영하고 있을 것이다! (계속)

173   The report had found that the building was about to collapse.

174   By this December, the new project will have been completed.

175   By age twenty-five, he had published ten major papers; by age thirty, nearly three dozen.
[평가원]

176   They had started eating dinner when I arrived at their castle.

177   Ms. Keller will have knitted the whole dress by then.

178   By next Monday, I will have been sailing for ten days.

구문 유형 **20** 주의해야 할 시제

- 시간 · 조건의 부사절: 현재시제
- 미래 대용 표현: 현재진행형(be동사+v-ing) / 현재시제
- 역사적 사건: 과거시제
- 불변의 진리: 현재시제

>>> 시간이나 조건의 부사절에서는 현재시제가 미래시제를 대신하여 사용된다. 또한 가까운 미래에 일어날 일이 명확할 경우 현재진행형이나 현재시제가 미래시제를 대신하여 사용될 수 있다. 역사적 사건은 항상 과거시제로 표현하며 불변하는 진리는 현재시제로 표현한다.

179 If it **rains** tomorrow, / we will postpone our match.

내일 비가 오면, / 경기를 우리는 미룰 것이다. (시간·조건의 부사절)

180 She **is getting** married this Sunday.

그녀는 이번 주 일요일에 결혼할 것이다. (정해진 미래)

181 They **are throwing** a birthday party / for John this afternoon.

그들은 생일 파티를 열 것이다 / 오늘 오후에 John을 위해. (정해진 미래)

182 The teacher says that Columbus arrived at the island of Jamaica in 1494.

183 Jack knew very well that the Earth revolves the Sun.

184 The parade is taking place tomorrow night.

185 The book says 'sultan' meant a lord in the 12th century.

186 If it is rainy on the day of the event, the program will be canceled. [평가원]

187 The suggested theory explained why laughter is so infectious. [평가원 응용]

188 The summer camp is coming soon, so don't miss this great opportunity!

[평가원 응용]

구문 유형 21 수동태

- 기본형: **be p.p.**
- 진행 수동태: **be being p.p.**
- 완료 수동태: **have(has) been p.p.**
- 조동사가 있는 수동태: **조동사+be p.p.**
- 지각동사 / 사역동사의 수동태: **be p.p.+to-v**

>>> 수동의 의미 즉, 행위의 영향을 받는 대상에 대해 말할 때는 수동태로 표현한다. 능동태 문장에서 목적보어였던 원형동사가 to부정사로 바뀌는 경우가 있다. 수동태에도 완료형과 진행형이 있다. 지각·사역동사의 목적격보어로 쓰인 원형동사는 수동태에서는 to부정사로 쓴다.

---

189   The artwork **was created** / by Pablo Picasso.
그 예술작품은 창작되었다 / Pablo Picasso에 의해.

190   Los Angeles **has been destroyed** by earthquakes / at least seven times.
Los Angeles는 지진에 의해 파괴되었다 / 최소한 일곱 번.

191   The new city hall **is being built** / faster than the original plan.
그 새로운 시청은 지어지고 있는 중이다 / 원래의 계획보다 빠르게.

---

192   All baggage must be checked at the airport at least 30 minutes prior to departure.

193   We were allowed to bring our own bags into the room.

194   An interesting study has been conducted by a team of scientists.

195   The residents were forced to live in the designated house.

196   The stadium has been renovated three times.

197   Penn Line Train 447 is being delayed due to heavy snow.

198 A dress may hang in the back of a closet even though it hasn't been worn in years.

[수능 응용]

199 Many kinds of coffee beans are being decaffeinated in various ways.

[수능 응용]

구문 유형 22 · 형태에 주의해야 할 수동태

- **구동사의 수동태: be동사 + 동사구**
  동사를 과거분사형으로 바꿈
- **say, believe, think, regard, consider 등이 있는 수동태**
  1. It is said(believed/thought) that S' + V'
  2. S(능동태 목적어) + is said (believed/thought) + to-v
- **수여동사의 수동태: 능동태의 직접/간접 목적어가 각각 수동태의 주어가 될 수 있다.**

▶▶▶ 동사구의 경우 수동태가 되면 동사구 전체가 한 단위로 묶여서 움직인다. 수여동사와 say, believe, think, regard, consider 등은 수동태의 형태가 두 가지이다.

참고 동사구의 명사에 good, some, much, little, no 등의 수식어가 붙을 때, 「수식어 + 명사」가 수동태의 주어가 될 수 있다.

200 The entire story **was made up** // and it's all false.
그 이야기 전체가 지어낸 것이다 // 그리고 모두 틀렸다.

201 **No attention was paid to** / the speaker's warning.
아무런 주의가 기울여지지 않았다 / 그 연사의 경고에.
= The speaker's warning **was paid no attention to**.
= The crowd **paid no attention to** the speaker's warning.

202 The man **was believed to be** from Nuneaton.
그 남자는 Nuneaton 출신이라고 믿어졌다.
= **It was believed that** the man was from Nuneaton.

203 Free notebooks were given to us at the meeting.

204 She was taken advantage of by her boss.

205 Your cabbages should be taken good care of.

206 The knight was thought to kill dragons.

207 Such practices are believed to put pressure on parents. [평가원 응용]

208 You may be made fun of by your peers, but don't be afraid of it.

209 But, imagine what would happen if a song was made up of only notes, and no rests. [평가원]

구문 유형 **23** 수동태의 관용적 표현

with	be associated with ~와 관련되다 be confronted with (어려움 등에) 직면하다 be impressed with ~에 감동받다	be covered with ~로 덮여 있다 be satisfied with ~에 만족하다
of	be ashamed of ~을 부끄러워하다 be made of(from) ~로 만들어지다	be convinced of ~을 확신하다 be possessed of ~을 소유하다
in	be absorbed in ~에 몰두하다 be interested in ~에 흥미가 있다	be stuck in ~에 갇히다 be involved in(with) ~와 관련되다
for	be named for(after) ~을 본따서 이름짓다 be known for ~로 유명하다	
to	be married to ~와 결혼하다 be related to ~와 관계가 있다	be known to ~에게 알려지다
at	be surprised at ~에 놀라다	

210 The table **was covered with** a white table cloth.
탁자는 흰 식탁보로 덮였다.

211 The poet **was known to** his countrymen.
그 시인은 고국의 사람들에게 알려졌다.

212 They were all impressed with the speech.

213 The butter is made from goat milk.

214 I am stuck in heavy traffic.

215 Wheat eating was unknown to these monkeys by this time. [평가원 응용]

216 I was born into a large, poor family in Chicago. [평가원]

217 They rely on the sense when they are confronted with dangerous approaching objects. [수능 응용]

218 The girl was absorbed in watching the movie.

219 The board was opposed to the bold suggestion.

- **to부정사의 완료형: to have+p.p.**
- **to부정사의 수동태: to be+p.p.**
- **동명사의 완료형: having+p.p.**
- **동명사의 수동태: being+p.p.**
- **분사구의 완료형: having+p.p.**

>>> to부정사구와 동명사구, 분사구에서 기준이 되는 시점보다 먼저 일어난 사건을 나타낼 때, 일어난 사실을 분명하게 하려고 할 때는 완료형을 쓴다. 또한 준동사에서 수동태를 나타내기 위해서는 「be동사+과거분사」를 기본으로 하는 수동태를 사용한다.

참고 동명사의 완료형은 명사구를 형성하며 주어, 목적어, 보어로 사용되고, 분사구의 완료형은 명사구를 수식하거나 분사구문을 만든다.

---

220 Luckily, nobody seemed **to have noticed** / anything.
<u>to부정사의 완료형</u>
운 좋게도, 아무도 알아차리지 못한 것 같았다 / 어느것도.

221 He doesn't like / **to be told** what to do.
<u>to부정사의 수동태</u>
그는 싫어한다 / 무엇을 해야 할지 명령받는 것을.

222 I am ashamed of / **having done** such a thing.
<u>동명사의 완료형</u>
나는 부끄럽다/ 그런 일을 한 것이.

---

223 The older students recalled being told that already.

224 Having traveled to a lot of countries, she can speak several languages.

225 She seems to have fixed upon becoming a pilot.

226 Having eaten up all the grass, the sheep start to eat roots.

227   Composers could fix their music exactly as they wished it to be
performed.   [평가원 응용]

228   Jim won the hearts of his teammates for having proved that with
determination, no obstacle is too great.   [평가원 응용]

229   Too often, we make judgements without being informed of proper facts.

구문 독해 PRACTICE

A 어법상 알맞은 것을 고르고, 밑줄 친 부분을 해석하시오.

worthwhile 가치 있는
emergency 긴급한

1 Swimming is believed being / to be the most worthwhile exercise. Most of your skills can be used in time of emergency. And it's good for your body. I've been swimming for twelve years since I graduated from college, and I've never suffered from a cold.

⇨ _____

reward mile 보상 마일리지

2 I contacted the airline in order to change my flight. However, I was told by a TA employee about your policy. I was not allowed making / to make changes because I had bought the ticket with reward miles.   [예비시행 응용]

⇨ _____

B 밑줄 친 단어를 어법에 맞게 배열하시오.

matter 중요하다

1 (believed, that, it, is) some baseball parks are better for hitting home runs than others. It is not just the size of the park that matters.

[수능 응용]

⇨ _____

opportunity 기회

2 And then one day, I finally understood what she had tried to show us, that reading was housework of the best kind. I (the opportunity, given, been, had) to read freely, and so had my daughter.   [평가원 응용]

⇨ _____

C 어법상 틀린 것을 찾아 바르게 고쳐 쓰시오.

flick 튕겨 날리다

1 The book says that the ancient Greek ① play an interesting game called kottabos at the party. After they ② had eaten, the guests played it. They held their wine cups by one handle, spun them round, and ③ flicked the last drops of wine at a target on the wall.

_____ ⇨ _____

have no choice but to
~외에 선택의 여지가 없다

2 James Murray Spangler ① is known as the developer of the first electric cleaner. ② Having spent almost all his money, he had no choice but to sell his rights to William Henry Hoover. Before this, vacuum cleaners ③ had powered by hand pumps.

_____ ⇨ _____

D 밑줄 친 우리말과 뜻이 통하도록 주어진 단어를 알맞게 배열하시오.

1 Traveling salespeople may say they want a smaller cell phone. But they may not have thought about how hard that tiny phone will be used. 그것의 좋은 이용이 이루어질 수 있다 if they are aware of that. [수능 응용]

[made, good, use, can, be, of, it]

⇨ _____

2 Very shortly the carton seemed too small. I offered him a nest. It was made of a covered box, bedded with straw and with a round doorway cut in the front. 그는 (~)을 느꼈던 것 같다 inconvenient about the carton. Dashing inside, he chirped happily. [수능 응용]

[seemed, felt, he, to, have]

⇨ _____

실전 독해 PRACTICE

1 다음 글의 밑줄 친 부분 중, 어법상 틀린 것은?

instrument 악기
note 음, 음정
revolutionize 혁명적으로 바꾸다
synthesizer 신시사이저(소리 합성기)
practical 실용적인
dominate 지배하다, 주도하다

There are two instruments that changed the history of music. One is the piano. Keyboard instruments such as the harpsichord ① have existed for many centuries, but they could not play notes at different volumes. The piano, or pianoforte, solved this problem. It is believed ② what the first piano was built by the Italian Bartolomeo Cristofori in about 1709. He was made ③ to build a new instrument by his sponsor. The other instrument that revolutionized music is the synthesizer. In 1964, Robert Moog invented the first practical synthesizer. It was not the first synthesizer ④ to be built, but earlier models were mainly for scientific experiments. Since that, electric sounds have been ⑤ dominating pop music.

*harpsichord: 하프시코드(피아노의 전신인 악기)

2 (A), (B), (C)의 각 네모 안에서 어법에 맞는 표현으로 가장 적절한 것은?

automated teller machine 현금 자동 입출금기
refer to A as B A를 B라 부르다
processor 프로세서, 처리기
magnetic 자성의
strip 띠
valid 유효한
identification 신원

An Automated Teller Machine is (A) as to referred / referred to as an ATM. When you were younger, you probably thought they were magic money machines. The ATM is connected to the bank's central processor(computer) by telephone lines. When a person puts her card in the machine, it reads the magnetic strip on the back. Then, the information (B) is sent / sends to the bank's computer to check the card is valid. Then, the person is asked to put in her "Personal Identification Number," known as a PIN. Your PIN is a secret number that only you know. This lets the machine know that the person at the machine is the owner of the account (C) accessing / being accessed .

	(A)		(B)		(C)
①	as to referred	–	is sent	–	accessing
②	as to referred	–	sends	–	accessing
③	referred to as	–	is sent	–	accessing
④	referred to as	–	is sent	–	being accessed
⑤	referred to as	–	sends	–	being accessed

3 글의 흐름으로 보아, 주어진 문장이 들어가기에 가장 적절한 곳은?

locust 메뚜기
terrifying 간담이 서늘한
swarm 떼
vegetation 식물
spray 살충제를 살포해 죽이다
keep an eye on ~를 면밀히
주시하다
dramatic 급격한

But by the time millions of them are flying together, they are difficult to stop.

When the rain comes, female locusts lay lots of eggs and thousands of new locusts are born. All the locusts join together, and soon thousands of them are moving forward. (①) By that time they may have eaten all the food in the area. (②) Having destroyed all the crops there, they fly off again and the terrifying swarm of locusts arrives somewhere else to strip the land of vegetation. (③) Usually, locust swarms can be sprayed from the air with poisons. (④) Nowadays, scientists keep an eye on locust numbers. (⑤) If scientists see a dramatic increase in locust numbers, the locusts will be destroyed before they get out of control.

UNIT 05 조동사

S U M M A   C U M   L A U D E

구문 유형 25 능력과 허가의 조동사

$$S + \begin{cases} \text{can / be able to} \\ \text{could} \\ \text{will be able to} \end{cases} + V(동사원형)$$

>>> 조동사 can은 동사 앞에 쓰여 능력(~할 수 있다), 허가(~해도 된다), 그리고 부정형으로 쓰여 강한 확신(~일리가 없다)의 의미를 나타낸다. 과거형은 could이고 미래형은 조동사 will과 함께 쓰여 will be able to의 형태이다. could는 can의 과거형으로 쓰이기도 하지만, 그 자체로 정중한 표현을 나타내거나 조건문에서 단독으로 쓰일 수 있다.

---

230   You **can grow** all the fruits and vegetables / from inside your own home.
조동사+V(능력)
여러분은 모든 과일과 채소를 기를 수 있다 / 여러분의 집 내부에서.

231   You **can go** shopping // whenever you want.
조동사+V(허가)
당신은 쇼핑하러 가도 좋다 // 당신이 원할 때마다.

---

232   I can speak a little Arabic.

233   When I was young, I could play the piano.

234   You'll be able to learn how to run fast.

235   Bees can remember human faces.

236   He could write about what he had experienced in prison.

237   You can visit the lost and found for your wallet.   [평가원]

238   The sea lions could have all the fish they wanted.   [평가원]

239   Mass media have been able to give us the feeling that humans are fragile creatures.

구문 유형 26   허가 · 가능성 · 추측의 조동사

$$S \: + \: \begin{cases} may \\ might \end{cases} + \: V(동사원형)$$

>>> 조동사 may는 동사 앞에 쓰여 동사의 의미를 보충해주는 표현으로 허가(~해도 된다) · 가능성 · 추측(~일 수 있다, ~일지도 모른다) 등의 의미를 나타낸다. might는 보통 may의 과거형으로 쓰이지 않으며, may와 might 모두 현재와 미래의 가능한 상황을 나타낸다. 단 might가 may보다 발생 가능성이 더 낮을 때 쓰인다.

240   Consumers **may feel** pressured / to buy something in a store.
                조동사+V(가능성)
       소비자들은 압박을 느낄 수도 있다 / 가게에서 무언가를 구입하라는.

241   I wonder // if I **might leave** work a bit earlier today.
               조동사+V(허가)
       나는 궁금하다 // 내가 오늘 조금 일찍 퇴근할 수 있을지.

242   May I try on the jacket?

243   We may go fishing next month.

244   My mom might come with me in that case.

245   Praise may encourage children to continue an activity.   [수능]

246   The woman may be at a loss as to what to do next.

247   If you take away the beaver, a wetland might dry out.   [평가원]

248   Even though you are the best, you might not win.

249   Sandals may not be the best option for a snowy day.   [평가원]

구문 유형 **27**   의무와 충고의 조동사

S + { must / should(ought to) / had better } + V(동사원형)

>>> 조동사 must는 의무(~해야만 한다), 강한 확신(~임에 틀림이 없다) 등의 의미로 쓰인다. should(ought to)는 의무(~해야 한다)의 뜻을 나타내지만, 권유나 권고 정도의 의미로 쓰인다. had better는 꼭 해야만 하는 일을 하는 게 좋겠다는 충고(~하는 편이 낫다)의 의미이며 부정 표현은 had better의 뒤, 동사의 앞에 not을 붙인다.

250 One **must behave** / according to one's beliefs.

조동사+V(의무)

사람은 행동해야 한다 / 자신의 신념에 따라서.

251 The mechanic **must feel** pleased / to have finished his work.

조동사+V(확신)

그 정비사는 기쁜 것임에 틀림이 없다 / 자신의 일을 끝마치게 되어서.

252 He must be upset about the false news.

253 A child should obey his parents and teachers.

254 I think that you ought to apologize to her.

255 You had better see the principal right now.

256 Valid experiments must have data that are measurable.　　　　[수능]

257 The driver must be irritated to be waiting for over one hour.

258 Individuals should act to preserve their own interests.　　　　[평가원]

259 They had better investigate the cause of so many people being ill.

260 Many fathers believe that their kids ought to be able to control themselves.

구문 유형 28 습관의 조동사

$$S + \left\{\begin{array}{l} \text{would} \\ \text{used to} \end{array}\right\} + V(동사원형)$$

>>> 조동사 would와 used to는 과거의 습관을 나타내는데, would는 보통 불규칙한 습관을, used to는 규칙적인 습관을 나타낸다. used to에는 이 외에 '예전에 ~이었다'는 뜻도 있다.

261 He **would go** to the cinema / when young.
조동사+V(과거의 습관)
그는 영화를 보러 가곤 했다 / 젊었을 때.

262 I **used to write** a letter to my friend / every three days.
조동사+V(과거의 습관)
나는 내 친구에게 편지를 쓰곤 했다 / 3일에 한 번씩.

263 We used to go cycling every Sunday.

264 When it was nice outside, I would take a walk for thirty minutes.

265 When his daughter needed anything, Kurtis would take care of her.

266 I used to expect my girlfriend to read my mind.

267 We used to go hiking a lot but now that we have kids, we seldom go.

268 Dr. Baker would bring a bunch of flowers whenever he visited a patient.

269 I used to train with a world-class runner. [평가원]

270 I would lose my job in March and have to try to get a new one.

271 I used to give a lot of money to beggars, feeling sorry for their misfortune.

구문 유형 29 「조동사+have p.p.」의 다양한 의미

cannot have p.p.	~했을 리가 없다 (과거의 일에 대한 부정의 확신)
may(might) have p.p.	~했을지도 모른다 (과거의 일에 대한 추측)
must have p.p.	~했음에 틀림없다 (과거의 일에 대한 확신)
should have p.p.	~했어야 했는데 안해서(못해서) 유감이다
ought to have p.p.	(과거의 일에 대한 유감, 후회)
need not have p.p.	~할 필요가 없었는데 했다 (과거에 했던 일에 대한 유감)

>>> 「조동사+완료형(have p.p.)」는 과거의 일에 대한 추측이나 유감 및 후회를 나타낼 때 쓰인다.

272 You **must have mistaken** someone else's bike / for mine.
must have p.p.: ~했음에 틀림이 없다
당신은 다른 누군가의 자전거와 착각했음에 틀림없다 / 내 자전거를.

273 I **should have given** a bigger tip / to the waiter.
should have p.p.: ~했어야만 했는데 안해서(못해서) 유감이다
나는 팁을 더 많이 주었어야 했다 / 그 웨이터에게.

274 They are not at home. They must have left early.

275 They should have informed his parents that he was rude.

276　She can't have found the money I had hidden.

277　Timmy cannot have been silent regarding his religious views.

278　He played for an hour, during which time about a thousand people must have passed by.

279　Yesterday I played in a soccer match. You should have come.

280　The man used old shoes which might have been dumped in landfills.

281　The city paid $8 million that it need not have paid had it negotiated a better contract.

구문 유형 **30** 조동사를 포함하는 관용적 표현

표현	의미
would like to ~	~하고 싶다
would rather A than B	B하느니 차라리 A하겠다
cannot but + 동사원형 (= cannot help + v-ing)	~하지 않을 수 없다
cannot ~ too	아무리 ~해도 지나치지 않는다
may well ~	~하는 것은 당연하다
may(might) as well ~	~하는 편이 낫다

>>> 조동사와 함께 쓰이는 관용 표현은 숙어처럼 뜻을 암기해야 한다.

282   **I would like to know** // if this sentence is correct.
would like to+동사원형: ~하고 싶다
나는 알고 싶다 // 이 문장이 정확한지를.

283   **I cannot but laugh** / to hear such a funny story.
cannot but+동사원형: ~하지 않을 수 없다
나는 웃지 않을 수 없다 / 그런 우스운 이야기를 듣고서.

284   I couldn't help remembering the things my grandmother told me about my father.

285   I would rather watch a movie than read a book.

286   Your sister may well get angry at your words and behavior.

287   You cannot be too careful when crossing a busy road.

288   Without careful intervention, matters may well get worse.

289   I'd like to talk about an effective way to open the lines of communication with the audience.   [수능]

290   You might as well invite all your relatives and friends to a meal.

291   I would rather leave than let others see my poverty.

구문 독해 PRACTICE

A 괄호 안에서 어법상 알맞은 것을 고르고, 밑줄 친 부분을 해석하시오.

refugee 난민

1 In the past, we used to / should visit Lebanon for vacation. But right now we are living here as refugees.

⇨ _____

evidence 증거
sophisticated 정교한

2 Recent evidence suggests that the common ancestor of Neanderthals and modern people, living about 400,000 years ago, may / can have already been using pretty sophisticated language. [수능]

⇨ _____

B 밑줄 친 단어를 어법에 맞게 배열하시오.

disadvantaged 장애를 가진
financial aid 재정 지원

1 Every high school (counselors, have, trained, should) and teachers who will help disadvantaged students select colleges and apply for financial aid.

⇨ _____

fresco 프레스코화
tempera 템페라화
Renaissance 르네상스

2 I (compare, the, like, would, to, shift) from analog to digital film-making to the shift from fresco and tempera to oil painting in the early Renaissance. [평가원]

⇨ _____

built-in 내장된
undo 되돌리다

3 The brain has a kind of built-in defense system that works to make us satisfied with (that, undone, choices, be, cannot). [평가원]

⇨ _____

C 어법상 틀린 것을 찾아 바르게 고쳐 쓰시오.

ecosystem 생태계
sea star 불가사리
prey 먹잇감
mussel 홍합

1 Some species ① can have a stronger influence than others on their ecosystem. Take away the sea stars along the northwest coast of the United States, for instance, and the ecosystem ② will change dramatically; in the absence of these sea stars, their favorite prey, mussels, takes over and makes it hard for other species that ③ are used to live there to survive.   [평가원]

_____ ⇨ _____

be faced with ~에 직면하다
expenditure 지출, 경비
amount to (합계가) ~에 이르다

2 The lower income families often cannot help ① delay their son's marriage when faced with the cost of the wedding celebration and the problem of ② feeding another "mouth." In some of the lower income families in Peking, the expenditures for a wedding might ③ amount to about a five-month income.

_____ ⇨ _____

D 다음 밑줄 친 우리말과 뜻이 통하도록 주어진 단어를 알맞게 배열하시오.

procrastination 지연
postpone 연기하다

1 There is a long and honorable history of procrastination to suggest that many ideas and decisions 연기되면(미루어지면) 당연히 향상된다.   [평가원]

[if, well, improve, postponed, may]

⇨ _____

lead to ~로 이어지다
eyestrain 눈의 피로

2 In the first few days after the surgery, 당신은 TV를 보지 않는 편이 낫다 because it could easily lead to eyestrain, thus influencing the effectiveness of the surgery.

[watch, had, not, TV, better, you]

⇨ _____

1 다음 글의 밑줄 친 부분 중, 어법상 틀린 것은?

psychoanalyst 정신분석학자
inferior 열등한
contrasting 대조적인
matter 중요하다
inadequate 부적절한
keep ~ at bay ~을 가까이
못 오게 하다
hierarchy 위계

The psychoanalyst Alfred Adler said 'To be human means to feel inferior.' Perhaps he ① must have said 'To be human means being highly sensitive about being regarded as inferior.' Our sensitivity to such feelings makes it easy ② to understand the contrasting effects of high and low social status on confidence. How people see you ③ matters. While it is of course possible to be upper-class and still feel totally inadequate, or to be lower-class and full of confidence, in general the further up the social ladder you are, the ④ more help the world seems to give you in keeping the self-doubts at bay. If the social hierarchy ⑤ is seen — as it often is — as if it were a ranking of the human race by ability, then the outward signs of success or failure all make a difference.

2 (A), (B), (C)의 각 네모 안에서 어법에 맞는 표현으로 가장 적절한 것은?

strategic 전략적인
intent 의도
directional 지향성의
intensity 강도
aspiration 열망
statement 진술
requirement 필요조건
immortalize 불멸화하다
plaque 명판(名板)
implications 결과, 영향

Whether it goes under the name of "vision," "mission," "strategic intent," or "directional intensity," the company's purpose must (A) reflect / have reflected clear and challenging aspirations that will benefit all of its key members. Too many vision statements are just a written attempt by top management to meet the accepted "vision requirement." They may be read by all, and may even be immortalized in plaques on the wall, but they have no real emotional meaning to people down the line

(B) whose / whom behaviors and values they are supposed to influence. The purpose, meaning, and performance implications of visions must communicate, to all who matter, (C) that / which they will benefit both rationally and emotionally from the company's success.

	(A)		(B)		(C)
①	reflect	—	whose	—	that
②	reflect	—	whom	—	which
③	reflect	—	whose	—	which
④	have reflected	—	whom	—	that
⑤	have reflected	—	whose	—	which

3 다음 글의 빈칸 (A), (B)에 들어갈 말로 가장 적절한 것은?

for the good of ~을 위해서
degree 정도
measure 척도
will 애쓰다
for the benefit of ~을 위해

　　Love is not about the wants of the one who loves, but about what is best for the beloved. True love is about the other, not the self. ___(A)___, love often demands sacrificing one's own desires for the good of the other. The degree to which one is able to sacrifice for others is the measure of his love. We may want to love, but if we are going to will to love, we must have the virtues.

　　___(B)___, the father who rises in the middle of the night to care for his new child is not acting out of a desire to get less sleep(hardly!), but out of love for his new daughter and tired wife. He acts for the benefit of others, not for himself.

	(A)		(B)
①	In addition	—	In contrast
②	In addition	—	For example
③	Otherwise	—	However
④	Consequently	—	For example
⑤	Consequently	—	However

UNIT 06 가정법

SUMMA CUM LAUDE

구문 유형 **31** 가정법 과거

If+S'+동사의 과거형 ~, S+조동사의 과거형+동사원형
= would, should, could, might

>>> 가정법 과거는 현재 사실과 반대되는 가정이다. if절에 사용된 시제가 과거이지만 현재 사실의 반대를 나타내므로 '만일 ~라면, …할 텐데'의 뜻을 갖는다. 과거형 동사가 쓰이고 있지만, 현재의 의미임에 유의해야 한다.

참고 가정법 과거에서 if절에 쓰이는 be동사는 인칭이나 수에 관계없이 were가 쓰이는 것이 원칙이지만, 구어체에서는 인칭이나 수에 일치시켜 was를 쓰는 경우도 있다.

---

292   If he **bought** the house, // he **might regret** it.
만일 그가 그 집을 산다면, // 그는 후회할 텐데.
= As he doesn't buy the house, he doesn't regret it.

293   If your parents **heard** the news, // they **would be** happy.
만일 당신의 부모님이 그 소식을 듣는다면, // 그들은 기뻐할 텐데.

294   If I **were** in your shoes, // I **couldn't accept** the proposal.
만일 내가 네 입장이라면, // 나는 그 제안을 받아들일 수 없을 텐데.
= As I am not in your shoes, I can accept the proposal.

---

295   If he spoke English more fluently, he could get a better job.

296   If I were a doctor, I would help the poor children in Africa.

297   If you were taller, you could reach the top shelf.

298   If the plants weren't in the ecosystem, they would not get essential nutrients.

299   If he did not tell Tony about it, he would definitely win the race.   [평가원]

300   If you were living life as me, you would be a lot better off.   [평가원]

구문 유형 **32** 가정법 과거완료

If+S'+had p.p. ~, S+조동사의 과거형+have p.p.
= would, should, could, might

▶▶▶ 과거의 사실과 반대되는 내용을 가정·소망할 때나, 과거에 실현하지 못한 일을 가정할 때 가정법 과거완료를 쓴다. if절의 시제가 과거완료이지만 과거 사실의 반대를 나타내므로 '만일 ~했더라면, …했을 텐데'의 뜻을 갖는다.

301   If she **hadn't broken** her promise, // he **would have trusted** her.
만일 그녀가 약속을 깨지 않았더라면, // 그는 그녀를 신뢰했을 텐데.
= As she broke her promise, he didn't trust her.

302   If you **had been** there, // you **could have seen** the singer.
만일 네가 거기에 있었더라면, 너는 그 가수를 볼 수 있었을 텐데.
= As you weren't there, you couldn't see the singer.

303   If he had had somebody to talk to, he wouldn't have been so lonely.

304   If we had had one more day, we could have visited the place.

305 If you had been there, you could have reported it better.

306 If you had visited the store three weeks earlier, you could have found the item.

307 If they hadn't been caught in traffic, they wouldn't have been late for the meeting.

308 If I hadn't come along, he would have eventually died of starvation. [수능]

309 If only he had managed to walk to the village, he would have been rescued.
[평가원]

구문 유형 33 were to / should 가정법

- If+S'+were to ~, S+조동사의 과거형
  = would, should, could, might

- If+S'+should ~,
  - S+조동사의 현재형
    = will, can, may
  - S+조동사의 과거형
    = would, should, could, might

>>> 현재나 미래에 대한 강한 의심이나 실현 가능성이 희박한 일에 대한 가정을 나타낸다. were to는 주로 실현 가능성이 없는 일에 쓰이고, should는 미래에 대한 강한 의심을 나타낼 때 쓰인다. should가 쓰인 가정법의 주절에는 조동사의 현재형이나 과거형이 모두 올 수 있다.

310 If I **were to be born** again, // I **would be** a world-famous actor.

만약 내가 다시 태어난다면, // 나는 세계적으로 유명한 배우가 될 텐데.

311 If it **should rain** tomorrow, // we'**ll put off** hiking.

만약 내일 비가 온다면, // 우리는 하이킹을 연기할 텐데.

312 If her son should succeed, she would be so happy.

313 If the problem should disappear, I would be so happy.

314 If the sun were to rise no more, everything in the world would die.

315 If the consumer were to withdraw from the deal, he might foster a rather undesirable impression. 　　　　　　　[수능]

316 If he should change his mind, we would be very happy.

구문 유형 **34** 혼합 가정법

If+S'+had p.p. ～, S+조동사의 과거형+동사원형
= would, should, could, might

>>> 조건절과 주절의 시제가 서로 다른 경우로, 조건절에 가정법 과거완료가 쓰이고 주절에 가정법 과거가 쓰인다. '(과거에) 만약 ～했더라면, (지금) …할 텐데'의 의미로 과거의 사실이 현재에도 영향을 미칠 때 사용한다. 혼합 가정법은 주절에 현재 시제를 나타내는 표현인 now, today, this year 등이 쓰인다는 점에 유의해야 한다.

317 If he **had not helped** them, // they **would be** greatly troubled.

만약 그가 그들을 돕지 않았더라면, // 지금 그들은 큰 곤란을 겪을 것이다.
= As he helped them, they are not greatly troubled.

318 If the telephone **hadn't been invented**, // what **would** the world **be** today?

만약 (과거에) 전화가 발명되지 않았더라면, // 오늘날 세상은 어떨까?

319　If I had met you earlier in my life, I would be more successful now.

320　If she hadn't met the doctor, she would suffer from the disease now.

321　If you hadn't watched the movie, we could watch it together now.

322　If he had accepted my apology, he would get along with me now.

323　If I had taken care of my health, I would be healthier now.

구문 유형 **35** if의 생략

- 조건절에서 if의 생략: (If 생략) V'+S'~, S+V

>>> 가정법의 if절에서 if가 생략되기도 하는데, 이때 주어와 동사의 위치가 「V'+S'」의 어순으로 바뀐다. if절 없이 주절만으로도 가정법 문장을 쓸 수 있다.

324　**Were** there **no trees** on the Earth, // we **could not exist** as we do.
　　　지구상에 나무가 없으면, // 우리는 현재의 우리처럼 존재할 수 없을 텐데.
　　　= If there were no trees on the Earth, we could not exist as we do.

325　**Should I find** your wallet, // I **will call** you right away.
　　　내가 네 지갑을 찾으면, // 네게 당장 전화해 줄 텐데.
　　　= If I should find your wallet, I will call you right away.

326　Had you come five minutes earlier, we wouldn't have missed the bus.

327　Were your feelings expressed, everyone would understand you.

328 Had we consulted an expert, we could have settled the problem easily.

329 Were his son treated as a charity case, the boy's father would be humiliated. [평가원]

330 Should I fail this time, I would give up the project.

구문 유형 36 S+wish / as if(as though) 가정법

- S+wish+ { 가정법 과거 / 가정법 과거완료 }

- S+V ~ +as if(as though)+ { 가정법 과거 / 가정법 과거완료 }

>>> S+wish 다음에 가정법 과거를 쓰면 주절의 시제와 같은 시제에 이루어질 수 없는 소망을 나타내어 '~라면 좋을 텐데'라고 해석하고, 가정법 과거완료를 쓰면 주절의 시제보다 한 시제 앞서는 과거에 이루어질 수 없는 소망을 나타내어 '~했더라면 좋을 텐데'로 해석한다. as if(as though) 다음의 가정법 과거는 주절의 시제와는 반대되는 가정, 가정법 과거완료는 주절의 시제보다 한 시제 앞서는 사실과 반대되는 가정을 나타낸다.

---

331 **I wish** / someone **told** me the truth.
좋을 텐데 / 누군가가 나에게 진실을 말해 주면.
= I'm sorry that someone doesn't tell me the truth.

332 He talks / **as if** he **owned** the company.
그는 말한다 / 마치 자신이 그 회사를 소유하고 있는 것처럼.
= In fact, he doesn't own the company.

333 She acted as though she had never met me before.

334 I wish he were satisfied with his new job.

335 He talks as if he had been waiting for me.

336 I wish you had finished the report before the deadline.

337 She talks as if she had never been on a diet.

338 Everyone was staring at her as if she were a monster. [평가원]

339 The species must compete just as if they were members of the same population.

구문 유형 **37** 가정과 조건이 내포된 어구

- **without, but for**: (지금) ~이 없다면
  (= If it were not for, were it not for)
  (그때) ~이 없었더라면
  (= If it had not been for, had it not been for)
- **otherwise**: 그렇지 않으면(= if ~ not)
- **to부정사(구)가 조건을 나타내는 경우**
- **suppose(supposing) (that)**: 만약 ~라면

▶▶▶ without과 but for는 가정의 의미를 포함하고 있는 어구로 '~이 없다면' 혹은 '~이 없었더라면'이라는 뜻을 갖는다. 또한 otherwise는 '그렇지 않으면'이라는 가정의 뜻을 포함하고 있으며, to부정사(구) 역시 가정이나 조건의 뜻을 포함하고 있다. if가 없더라도 과거형 조동사가 있으면 가정법인지 확인해야 한다.

340 **Without** your help, // we **could not accomplish** this much.

네 도움이 없다면, // 우리는 이렇게 많은 것을 이루어낼 수 없을 텐데.

= If it were not for your help, we could not accomplish this much.

341 **But for** our timely aid, // they **would have died** of hunger.

우리의 시기적절한 도움이 없었더라면, // 그들은 굶주림으로 죽었을 텐데.

= If it had not been for our timely aid, they would have died of hunger.

342 **To hear his funny jokes**, // you **couldn't help** laughing.

그의 재미있는 농담을 들으면, // 당신은 웃지 않을 수 없을 텐데.

= If you heard his funny jokes, you couldn't help laughing.

---

343 Without vitamin C, you would get the disease of scurvy.

344 But for the war, they could have had a happy life.

345 But for the ribbon on her head, she would be mistaken for a boy.

346 Without her advice, I would have made a big mistake.

347 To judge him by his records, he would win the race.

348 Without competition, we would never know how far we could push ourselves. [평가원 응용]

349 But for them, orchids and humans would not survive.

구문 독해 PRACTICE

A 어법상 알맞은 것을 고르고, 밑줄 친 부분을 해석하시오.

1 From the very beginning the fire was fanned by strong winds, but it would not have spread so far and so quickly, if our firefighters were / had been able to arrive at the scene in time.　　[수능]

⇨ _____

wagon 짐마차
path 길
draw breath 숨을 쉬다

2 As soon as the wagon stopped, Bebe jumped off and ran down the path that led to the river, feeling even though / as though she could draw a full, deep breath for the first time all day.　　[평가원]

⇨ _____

B 밑줄 친 부분을 if를 사용하여 같은 의미가 되도록 바꾸어 쓰시오.

1 They returned from the deerhunt. Had they been successful, they would have had heavy loads to bring back. If their luck had been very good, they would have had more than they could carry at once.

⇨ _____

appreciate 진가를 알다
taste 심미안

2 (A) But for ugliness, none would appreciate beauty, nor would there be any taste in beauty. (B) Without the defective, the perfect things would not be appreciated, nor would perfection be sweet.

(A) _____
(B) _____

C 밑줄 친 단어를 어법에 맞게 배열하고, 그 부분을 해석하시오.

1 If they worked in a well-organized environment for any length of time, (be, they, surprised, would, at) how much more productive they are.   [수능]

⇨ _____

2 My husband remarked that (I, do, if, something, didn't, soon), I would be chased around for the rest of my days by a 15-pound woodchuck begging for milk.   [수능]

⇨ _____

D 밑줄 친 우리말과 뜻이 통하도록 주어진 단어를 알맞게 배열하시오.

1 If they had been organised, or if one of their members had possessed any leadership skills, 우리는 결코 그들을 쉽게 이길 수 없었을 것이다 as easily as we did.

[we, could, never, beaten, them, have]

⇨ _____

2 I have been very lucky to have significant mentors in my career. 만약 (~)이 없었더라면, their advice and example, I wouldn't be where I am today.

[if, it, been, for, had, not]

⇨ _____

실전 독해 PRACTICE

1 밑줄 친 부분이 가리키는 대상이 나머지 넷과 다른 것은?

foothill 산기슭
range 산맥
load 짐
tin 양철통
hand (바나나) 송이
bunch 묶음, 다발
stilted 허풍을 떠는
unnaturally 부자연스럽게

Louisa walked slowly through the forest at the foothills of the northern range. She walked slowly because she was carrying the heavier load. On her head, ① she held an empty cooking oil tin with several bunches of green bananas, some sweet potatoes, spoons, banana leaves, a few precious bits of salted fish and a small bottle of cooking oil. Kayune only carried the fire sticks. ② She did this every time. ③ She would run ahead, drop the bunch of fire sticks, cool off in the stream and then try to light the fire before Louisa arrived. And Kayune was doing it again. When Louisa spoke, Kayune felt as though ④ she were in a dream. The words were difficult to say and ⑤ she felt as though she were forcing herself to speak. When the words came out, they were stilted and unnaturally loud. Then an idea came to her.

2 다음 글의 밑줄 친 부분 중 어법상 틀린 것은?

gravity 중력
equator 적도
centrifugal force 원심력
square 제곱
revolve 회전하다
revolution 회전, 자전
neutralize 상쇄
be equal to ~와 동일하다

The force of gravity at the equator is known to be 289 times greater than the centrifugal force; and as 289 is the square of 17, it follows that if the Earth ① were to revolve 17 times faster than she now does — that is, ② to complete her revolution in 85 minutes instead of twenty-four hours — the centrifugal force would be entirely neutralized. In this case, the centrifugal force

body 물체
substance 물질
velocity 속도
massive 큰, 무거운
rotate 돌다

would be equal to ③ that of gravity, and bodies at the equator would have no weight. But ④ to suppose the Earth were to complete a revolution in a still less time than 85 minutes, all small and light substances would fly off from the surface; and if the velocity were greatly increased, the more massive portions of the Earth's surface ⑤ would fly off and rotate around it.

3 (A), (B), (C)의 각 네모 안에서 어법에 맞는 표현으로 가장 적절한 것은?

grief 슬픔
torment 괴롭히다
utterly 몹시
exhausted 지친
devastating 비참한

"If only I had known, I would have held him/her to the end." I often hear this comment (A) speaking / spoken by those in grief. Very often, our loved ones die just after we leave the room even if we're only gone for a moment. Then we torment ourselves with "if onlys." We feel that we've let them down in some way by not being there. Very often, we're not there because we've left the room to get something that we hope will make a dying animal more (B) comfortable / comfortably ; or we have to go to work; or we've gone to take a twenty-minute nap because we're utterly exhausted after sitting up with them day and night, and that's when they leave. This can be devastating. It's important to remind ourselves that we had no negative intention in not being there at the moment of death. Truly, (C) if / though we had known — and could have been there — we would have been there.

	(A)		(B)		(C)
①	speaking	—	comfortable	—	if
②	speaking	—	comfortably	—	though
③	spoken	—	comfortable	—	though
④	spoken	—	comfortably	—	though
⑤	spoken	—	comfortable	—	if

1 (A), (B), (C)의 각 네모 안에서 어법에 맞는 표현으로 가장 적절한 것은?

   You have probably been out in storms when it is hard to walk against the wind. When the wind is blowing at about 60 kilometers per hour — the speed that people drive cars in the city — everyone finds (A) it / that hard to keep moving. When the wind reaches speeds of over 100 kilometers per hour, people can be blown over and trees (B) uprooting / uprooted . In stronger winds, a person may even be carried up into the air, and that is very dangerous. Hurricanes and tornadoes often have winds this strong. The history textbooks say that the strongest winds ever recorded (C) are / were at Mount Washington in New Hampshire on April 12, 1934. One gust blew at 372 kilometers per hour — the speed at which some aircraft fly.

(A)		(B)		(C)
① it	—	uprooting	—	were
② it	—	uprooted	—	are
③ it	—	uprooted	—	were
④ that	—	uprooted	—	are
⑤ that	—	uprooting	—	are

2 다음 글의 밑줄 친 부분 중 어법상 틀린 것은?

   Dinosaurs lived on the Earth for so long (about 160 million years) and so successfully that scientists aren't sure why they died out. There are plenty of theories that they ① have thought of so far.

• A heat wave: Changes in the Earth's climate ② may have made it too hot for plants and animals.

- A cold front: There were a lot of meteorite crashes during the periods, so the dust blocked out the sun.
- Sunburn: Volcanoes burnt through the Earth's protective ozone layer, ③letting through deadly ultraviolet radiation.

Other theories say the extinction was due to disease, sea-level changes, shifting continents, and mammals ④which ate dinosaur eggs. So far, it is not clear which answer is right, but we may know it someday when the geological studies ⑤will develop.

---

3 다음 글에 드러난 I의 심경으로 가장 적절한 것은?

Rain streaks the windows of the train as the white-gloved waiter sets a cup of coffee on the table. As he clears the remains of the meal I add cream and sugar to the coffee. The coffee is hot and strong, even better than I had expected. Outside, sheep dot the countryside, humps of grey in the steady downpour. We cross a bridge over a deep valley, and then sunlight breaks through the clouds, casting pools of light and shadow on the emerald slopes far beneath. It is impossibly beautiful scene. I haven't slept in more than 15 hours. But I start to relax, sipping the hot coffee and letting my eyes soften into the mist rising from the valleys.

---

① guilty and sorry
② tired and nervous
③ curious and grateful
④ tense and anticipating
⑤ satisfied and refreshed

4 (A), (B), (C)의 각 네모 안에서 어법에 맞는 표현으로 가장 적절한 것은?

Today's technology lets us look at everything from the eyes of flies to the birth of stars, from the bottom of the ocean to the everyday flutter of the human heart. Unseen worlds are daily becoming (A) visible / visibly . These stories have special appeal, not only because of their novelty but also (B) because / because of , for most human beings, vision is the primary sense, our dominant way to take in the world. In many other species, however, vision matters less. Dogs, for example, lack full-color vision but can smell well. A human has 5 million olfactory receptors, while a sheepdog has 220 million. If you were a dog journalist, you'd (C) go / have gone around sniffing out the most exotic, rare, and complex smells to share.

	(A)		(B)		(C)
①	visible	—	because	—	go
②	visible	—	because of	—	have gone
③	visibly	—	because	—	go
④	visibly	—	because	—	have gone
⑤	visibly	—	because of	—	have gone

5 다음 글의 밑줄 친 부분 중, 어법상 틀린 것은?

I was talking to a woman, ① whom I knew had lived in harmony with the forces of nature. "Would you like to touch a seagull?" she asked, looking at the birds that perched along the sea wall. Of course I would. I tried several times, but whenever I got close, they ② would fly away. "Try to feel love for the bird, then allow that love ③ to pour out of your breast like a ray of light and touch the bird's breast. Then very quietly go over to it." I did as she suggested. The first two times I failed, but the third time, ④ as if I had entered a kind of trance, I did touch the seagull. "Love creates bridges ⑤ where it would seem they were impossible," she said.

6   다음 글에서 전체 흐름과 관계 <u>없는</u> 문장은?

Patricia Kuhl of the University of Washington in Seattle has done brain wave studies that show that human infants are capable of hearing any sound distinction in all the thousands of languages of our species. ① But once the critical period of auditory cortex development closes, an infant reared in a single culture loses the capacity to hear many of those sounds. ② Then unused neurons are pruned away until the brain map is dominated by the language of its culture. ③ Nevertheless, many linguists generally acknowledge that the brain has innate structures that aid the acquisition of language. ④ For example, a Japanese six-month-old can hear the English r-l distinction as well as an American infant, but at one year she no longer can. ⑤ Should the child later immigrate, she will have difficulty hearing and speaking new sounds properly.   * cortex 대뇌 피질

(A), (B), (C)의 각 네모 안에서 어법에 맞는 표현으로 가장 적절한 것은?

If you've used your eyes correctly in front of an audience, even as large as a thousand people, most listeners should leave the room feeling (A) even if / as if you took the time to speak directly to them. The other thing you do with your eyes (B) is / are to direct the audience's focus. The audience looks (C) that / where you look. If you want to direct their attention to media, slides, or another person, you must turn your body and look at the object in question yourself. When it's time to reconnect, step forward and draw their attention back to you again.

	(A)		(B)		(C)
①	even if	–	is	–	that
②	even if	–	are	–	where
③	as if	–	are	–	that
④	as if	–	is	–	where
⑤	as if	–	are	–	where

8 다음 글의 밑줄 친 부분 중, 어법상 틀린 것은?

When Narbuc had unwillingly reached the top of the second stair, he understood. This was no solid cliff as he had thought, but an open bowl ① filled with molten rock. Never ② he had thought to see such, nor did he wish to see it now, for the wind of it blew toward his face, ③ causing his skin to tighten and ache with heat. Far below — perhaps nearly level with the desert floor — rock glowed orange and yellow with heat, and flames of fire danced over it as if it ④ were burning charcoal. To touch it ⑤ would be a death more horrible than death by burning.

9 다음 글의 밑줄 친 부분 중, 문맥상 낱말의 쓰임이 적절하지 <u>않은</u> 것은?

Notes are actually ① <u>desirable</u> for a number of reasons. First, they ② <u>dispel</u> anxiety and allow you to relax and focus on your presentation. Second, notes ③ <u>increase</u> the "memorization effect." This is when the speaker is putting so much time and energy into memory retrieval that he fails to connect with the audience. Under this heavy and unnecessary burden, his voice flattens, his eyes droop, his body goes limp, and he becomes ④ <u>difficult</u> to hear. Sometimes you can even see the speaker's eyes move to the upper left or upper right, as if he were reading his words from the inside of his forehead. An effect best ⑤ <u>avoided</u>!

SUMMA CUM LAUDE
SENTENCE STRUCTURE MANUAL

숨마쿰라우데®

[구문독해 매뉴얼]

CHAPTER **3**

수식어

UNIT 07 형용사적 수식어구

SUB NOTE 56쪽

S U M M A   C U M   L A U D E

구문 유형 38 · 형용사(구)의 수식

- 형용사+(형용사)+(형용사) + 명사
- -thing, -body, -one, -where + 형용사
- 명사 + [형용사+부사구]
- 명사 + [형용사+enough+to부정사]

>>> • 형용사로만 이루어진 구는 일반적으로 명사의 앞에서 수식한다.
- -thing, -body, -one, -where로 끝나는 명사는 뒤에서 수식한다.
- 「형용사+부사구」로 이루어진 형용사구는 명사의 뒤에서만 수식한다.

참고 기본적으로 정해진 순서는 '관사−서수−기수−성질−크기−신구−색깔−국적−재료'이다. 이론적으로는 수많은 형용사가 명사를 수식할 수도 있지만 네 개 이상의 형용사가 명사를 수식하는 경우는 드물다.

---

350 The mysterious slow-moving black dots / disappeared soon.
특징−속도−모양
그 수수께끼 같고 천천히 움직이는 검은 점들은 / 곧 사라졌다.

351 We need to teach students / unable to pass the course.
뒤에서 수식하는 형용사구
우리는 학생들을 가르쳐야 한다 / 과정을 통과할 수 없는.

352 There is nobody / tall enough to reach the shelf.
형용사+enough+to부정사
아무 사람도 없다 / 선반에 닿을 수 있을 만큼 큰.

---

353 I bought a beautiful round metal wristwatch.

354 She drew two ugly old red-haired giants under the tree.

355 Let's serve something cold to the guests.

356 We chose a hotel close to the station.

357 You need a program that will give you a more positive and energetic life.

[평가원 응용]

358 Today, more and more parents shrug their shoulders, saying it's okay, maybe even something special.

[평가원]

359 We are looking for a student smart enough to solve the question.

구문 유형 **39** 부사의 수식

수식하는 대상	부사의 위치	예
형용사, 부사, 부사구(절)	바로 앞	quite true
자동사	자동사 뒤	walk quickly
타동사	동사 앞이나 목적어 뒤	drink water often
문장 전체	문장 맨 앞	Surprisingly,

››› 부사는 동사, 형용사, 부사를 수식하며 문장 전체를 수식하기도 한다. 여러 개의 부사가 수식할 때는 대체로 '장소-방법-시간'의 순서로 쓴다. 빈도부사는 일반 동사 앞에서 수식한다.

참고 긴 부사구와 한 단어로 된 부사를 같이 쓸 때는 한 단어로 된 부사를 먼저 쓴 다음 긴 부사구를 쓴다.

360 He smiles <u>very happily</u>.
　　　　　　　└──┘↑부사 수식
그는 매우 행복하게 웃는다

361 She <u>reads</u> the book / aloud.
　　　　　↑──────────────┘동사 수식
그녀는 그 책을 읽는다 / 큰 소리로.

362 Unfortunately, / we had to lay off some employees.
　　　　문장 전체 수식
유감스럽게도 / 우리는 일부 직원들을 일시적으로 해고해야 했다.

363 They would sometimes play soccer / here after class.
　　　　　　　　조동사 뒤, 일반동사 앞
그들은 가끔 축구를 하곤 했다 / 방과 후에 여기에서.

364 They gladly accepted the offer.

365 Surprisingly, the two men turned out to be twins.

366 My cousin speaks fluently in Spanish.

367 We hope you would consider contributing generously to our fund. [평가원]

368 My mother would seldom scold me, but this time was different.

369 Their writing is usually embedded in a context of others' ideas and opinions. [수능]

370 Ironically, the stuff that gives us life eventually kills it. [수능]

$$\left\{ \begin{array}{c} \text{전치사} + \underline{\text{목적어}} \end{array} \right\} \rightarrow \left\{ \begin{array}{c} \text{부사구} \\ \text{형용사구} \\ \text{보어} \end{array} \right\} \text{역할}$$

└── 명사 상당어구

>>> 전치사구는 부사구, 형용사구의 역할을 할 수 있고, 문장의 보어로 사용될 수도 있다.

---

371 He left / without notice, // so we were shocked.

그는 떠났다 / 알리지 않고 // 그래서 우리는 놀랐다.

372 A man / with snow-white hair / started to talk.

한 남자가 / 눈처럼 흰 머리를 한 / 말을 하기 시작했다.

373 An old gray building was / beside the store.
be동사의 보어

오래된 회색 건물이 있었다 / 그 가게 옆에.

---

374 He worked in his office until 9 p.m. last night.

375 The woman in the waiting room looked calm and confident.

376 The documentary film was in the storage room.

377 Ahead of us lay a lot of obstacles, but we were positive.

378 The soldiers moved at an alarming speed, so they could arrive before dawn.

379 Once a song was in heavy rotation on the radio, it had a high probability of selling.

[수능 응용]

41 to부정사의 형용사적 수식

명사(구) + to부정사(to+동사원형)

>>> to+V(동사원형)이 형용사와 같은 역할을 하는 경우로 to부정사는 명사(구)를 뒤에서 수식한다. 이때 to부정사는 '~할'의 의미로 해석한다.

참고 •명사(구)가 to부정사(구)의 의미상 목적어가 아닌 경우, 전치사를 써야 한다.
– I have food to eat. (food는 eat의 목적어)
– I have a spoon to eat with. (spoon은 전치사 with의 목적어)

---

380 I have tons of work / to finish by six.

나에게는 많은 일이 있다 / 여섯 시까지 끝내야 할.

381 The student needs a counselor / to talk with.
to부정사+전치사
그 학생은 상담사를 필요로 한다 / 함께 이야기할.

---

382 I'm working on the report to present at tomorrow's meeting.

383 He became the first person to understand the idea.

384 The tribe was looking for a shelter to live in.

385 The man raised an issue to take into account.

386 There are some things to be made clear.

387 There are hundreds of great people to imitate and copy.　[수능]

388 In our efforts to be the good child, many of us fall into the trap of trying to please others.

[수능 응용]

389 There is an important distinction to be made between denial and restraint.

[수능]

구문 유형 **42** 현재분사의 형용사적 수식

· 현재분사(v-ing) + 명사

· 명사 + 현재분사구(진행·능동 의미)

>>> 하나의 분사만 있을 경우에는 명사(구) 앞에서 수식하고, 목적어, 보어, 부사(구)를 동반하여 분사구를 이룰 경우에는 명사(구) 뒤에서 수식한다. 현재분사는 진행·능동의 의미를 나타낸다.

[참고] 명사의 뒤에서 수식하는 분사구는 명사 뒤에 「주격 관계대명사+be동사」가 생략된 것으로 볼 수도 있다.

390 Sometimes we don't notice / moving objects.

가끔 우리는 알아차리지 못한다 / 움직이는 물체들을.

391 I stared at the people / moving behind him.

나는 사람들을 응시했다 / 그의 뒤에서 움직이는.

392 The roaring lions made my blood chill.

393 I heard the sleeping man saying something in his sleep.

394 The boat moving fast was called a "Wig Ship."

395 I saw dots moving slowly on the wall of my bedroom.

396 A company has to try to serve the public efficiently and in a pleasing
manner. [평가원 응용]

397 A man selling "nonbreakable" pens suddenly finds that the one he is
demonstrating with breaks in half. [평가원 응용]

구문 유형 **43** 과거분사의 형용사적 수식

· 과거분사(p.p.) + 명사

· 명사 + 과거분사구(수동·완료 의미)

>>> 과거분사도 현재분사와 마찬가지로 명사(구)의 앞과 뒤에서 수식하는데, 과거분사는 수동과 완료의 의미를
나타낸다.

398 The damaged road needs / repairing urgently.
그 손상된 도로는 필요로 한다 / 긴급히 수리하는 것을.

399 We had to repair the houses / damaged by the earthquake.
우리는 집들을 정비해야 했다 / 지진으로 손상된.

400 The stunned audience remained calm, waiting for the next remark.

401 There is a theory that a broken window in the street leads to other
crimes.

402　He pointed at a window broken by the wind during the night.

403　She could buy half a loaf of oversweetened white bread.　　[평가원 응용]

404　Rumors published on the Internet now have a way of immediately becoming facts.　　[수능]

405　The actual time spent with the dolphins is about forty minutes.　[평가원 응용]

A 네모 안에서 어법상 알맞은 것을 고르고, (A)와 (B)를 해석하시오.

spell checker 철자법 검사 프로그램
hand in 제출하다

1 So, get in (A)the habit of rereading your work and looking up words that the spell checker does not pick up. You need to develop (B)the skill ⃞knows / to know⃞ when words look wrong. Never hand something in until you have checked it. [평가원 응용]

(A) _____

(B) _____

primary 주요한
muscle fiber 근섬유

2 Why is it difficult to find a runner who (A)competes equally well in both 100-m and 10,000-m races? The primary reason is that our muscles (B)contain two main types of muscle fibers, ⃞calling / called⃞ slow and fast muscle fibers. [수능]

(A) _____

(B) _____

B 밑줄 친 단어를 어법에 맞게 배열하시오.

color vision 색각
detect 탐지하다, 감지하다
color-blind 색맹의

1 Consider a monkey searching for fruit in the forest. (monkey, color vision, with, good, a) easily detects red fruit against a green background, but a color-blind monkey would find it more difficult to find the fruit. [평가원 응용]

⇨ _____

multiple 다수의
process 처리하다
at most 고작해야

2 We switch from one task to the other, and then go back. Our brains don't have (to, the, do, things, multiple, capability) at once. Our brains can process only three or four pieces of information at most.

⇨ _____

**squeeze one's eyes
closed** 눈을 꼭 감다

1 Cats believe it's rude to stare. ① <u>Polite, well-educated</u> cats squeeze their eyes closed and glance away as a friendly greeting. This is why people who dislike cats (and so don't look at them) ② <u>are often approached</u> by a cat — they're not staring ③ <u>rude</u>.

_____ ⇨ _____

mugger 악어(인도, 말레이 산)
hatch 부화하다

2 The male mugger, an Indian crocodile, sometimes crushes the eggs that are about to hatch, ① <u>very gently</u> in his mouth, to help his babies into the world. With the female, he escorts them ② <u>down to the water</u>. This ③ <u>loves</u> father then helps to guard them.　　[평가원 응용]

_____ ⇨ _____

threatened 위협당한
literally 문자 그대로
figuratively 비유적으로

1 Whenever he feels threatened, he turns back toward the safety of his parents' love and authority. In other words, it is impossible for a child <u>성공적으로 자신을 해방시키는 것은</u> unless he knows exactly where his parents stand both literally and figuratively.　　[수능]

[successfully, himself, release, to]

⇨ _____

in the long run 결국에는

2 You're not after "good swing" rewards; you're after a better tennis game. So feedback that <u>단순히 여러분을 기쁘게 만들어 주는</u> will not help you develop tennis skills in the long run.　　[평가원]

[makes, you, great, feel, simply]

⇨ _____

실전 독해 PRACTICE

1 다음 글의 밑줄 친 부분 중, 어법상 틀린 것은?

lure 유인하다, 유혹하다
infuriate 격노하게 하다
legendary 전설적인
break through 돌파하다
hollow 속이 빈
capture 함락하다

Poets tell ① how Helen, the beautiful wife of the Greek king Menelaus, was lured away by Paris, the son of the king of Troy. To win Helen back, ② the Greeks infuriated attacked Troy. This started the legendary Trojan War around 1100 BC. During the Trojan War, the Greeks surrounded the city of Troy. They camped outside its walls for ten years, but could not break through. So, they built a ③ huge, hollow horse out of wood, hid some soldiers inside it, and pretended to sail away. ④ Full of curiosity, the Trojans pulled the horse into their city. At night, the Greek soldiers ⑤ hiding inside the horse went out and opened the gates to let in the rest of their army. Troy was captured and destroyed.

2 (A), (B), (C)의 각 네모 안에서 어법에 맞는 표현으로 가장 적절한 것은?

offend 화나게 하다
lose one's temper (버럭) 화를 내다
stash 간수하다
be loaded down (무거운 짐으로) 허리가 굽은

Many people wonder why they're not happy. Often, it's because they are dragging around all sorts of baggage from the past. Imagine they have a bag (A) carries / to carry their emotional experiences. Somebody offended them last week, so they have packed that pain in their bag. A month ago they lost their temper, said (B) rude something / something rude , and they have that stuffed in that bag, too. They keep that anger and doubt stashed all the time. Growing up, they weren't treated right. They've put that into the suitcase (C) full / fulling of junk, too. They are loaded down by their collection of burdens, and then they wonder why they can't live a rich, full life!

112 • Ⅲ. 수식어

	(A)		(B)		(C)
①	carries	—	rude something	—	full
②	to carry	—	something rude	—	full
③	to carry	—	rude something	—	fulling
④	to carry	—	something rude	—	fulling
⑤	carries	—	rude something	—	fulling

3 Roundtable Olympics에 관한 다음 글의 내용과 일치하지 <u>않는</u> 것은?

make up of ~로 구성하다
festive 축제와 같은
alternate 번갈아가면서 하다

    According to Jim Paluch, one of J.P. Horizon's most popular seminars is the "Roundtable Olympics." The event, based on teams of people discussing important company issues, can be designed for groups as small as twenty or as large as three hundred. Each team is made up of individuals sharing ideas together and brainstorming plans of action. Tables are decorated with balloons, candy, bubble gum, and giant bowls of popcorn to add the festive mood. After each topic is discussed, the teams get up from their seats and compete in a short sport event(basketball, football, or pie throwing). Alternating the sport events with discussions of company topics helps everyone to wake up the right side of their brains. Also, they can develop a true camaraderie!

* camaraderie: 동지애, 우정

① 20명에서 300명까지의 집단을 위해서 고안될 수 있다.
② 탁자는 풍선, 사탕, 풍선껌과 팝콘으로 장식된다.
③ 각각의 주제가 토론되고 나면 자리에서 일어난다.
④ 팀들은 짧은 운동 행사를 완료한다.
⑤ 졸음에서 깨어나게 하는 데 도움이 된다.

구문 유형 **44** to부정사의 부사적 수식 (목적)

- **so as to**+동사원형
- **in order to**+동사원형

>>> to부정사의 부사적 용법 중에 '~하기 위해서'라는 뜻의 목적으로 쓰이는 경우가 있는데, 이때 본동사는 주로 주어의 의지가 작용하는 동사가 온다. 「so as to+동사원형」 또는 「in order to+동사원형」도 같은 목적의 뜻을 나타낸다.

406   We stood up / **to show respect to him**.

우리는 일어났다 / 그에게 존경을 표하기 위해서.

407   I called you / **to ask** / **if you loved me**.

나는 너에게 전화했다 / 물어보기 위해서 / 네가 나를 사랑했는지를.

408   He went abroad / **in order to get a doctor's degree**.

그는 해외에 나갔다 / 박사 학위를 따기 위해서.

409   He went to the National Library to collect some data.

410   You need to think positively so as to succeed.

411   I'm doing my best to make ends meet.

412   Always pray so as not to fall into temptations.

413   Lone animals rely on their own senses to defend themselves.   [평가원]

414   I settled in to watch the film labeled HATTIE-1951.   [평가원 응용]

415   He did not have to keep his sea lions hungry in order to make them perform.   [평가원]

구문 유형 **45** to부정사의 부사적 수식 (원인·판단의 근거)

$$
\left.\begin{array}{l}
\text{glad} \\
\text{happy} \\
\text{surprised} \\
\text{relieved} \\
\text{sorry}
\end{array}\right\} + \text{to부정사} \rightarrow \text{원인(감정)을 나타냄}
$$

$$
\left.\begin{array}{l}
\text{must be} \\
\text{cannot be} \\
\text{what(how) 감탄문}
\end{array}\right\} + \text{to부정사} \rightarrow \text{판단의 근거(이유)를 나타냄}
$$

➤➤➤ to부정사의 부사적 용법 중에 원인(감정) 또는 판단의 근거(이유)를 나타내는 경우가 있는데, 원인의 경우 주로 감정을 나타내는 형용사(glad, happy, surprised, relieved, sorry), 동사(weep, rejoice)와 함께 쓰이고, 판단의 근거(이유)의 경우에는 must be(~임에 틀림이 없다), cannot be(~일리가 없다), 또는 감탄 문과 함께 쓰인다.

416   I am **happy / to hear good news from you**.
             감정형용사   원인
             나는 기쁘다 / 너에게서 좋은 소식을 들어서.

417   She was **relieved / to know / that she might soon have a house**.
                감정형용사   원인
             그녀는 안도했다 / 알고서 / 그녀가 곧 집을 가질 수도 있다는 것을.

418   He **must be** a gentleman / **to say such a nice thing**.
             ~임에 틀림   판단의 근거
             그는 신사임에 틀림이 없다 / 그런 멋있는 것을 말하는 것으로 보아.

419   He was very happy to hear of his daughter's birth.

420   What a fool I am to refuse the request!

421   You'd be shocked to learn what a bloody history it has.

422   I am glad to see that your children are doing well at school.   [평가원 응용]

423   He felt relieved to leave this hospital completely.

424   The woman cannot be a teacher to say such a rude thing.

425   I was surprised to see trainers on their lunch hour sunbathing with their sea lions.   [평가원]

구문 유형 **46** to부정사의 부사적 수식 (결과·조건)

$$\left\{\begin{array}{l} \text{awake} \\ \text{live} \\ \text{grow up} \end{array}\right\} + \text{to부정사}$$

$$\left\{\begin{array}{l} \text{only} \\ \text{never} \end{array}\right\} + \text{to부정사}$$

≫≫ to부정사의 부사적 용법 중에 결과와 조건을 나타내는 경우가 있다. 결과는 목적과 달리 무의지 동사 (awake, live, grow up 등) 다음에 올 때와 only, never 다음에 to부정사가 올 때 쓰인다. 조건은 가정법 동사(would, should 등) 다음에 올 때 쓰이기도 한다.

426 She awoke / **to find herself famous** / overnight.

무의지 동사   결과

그녀는 깨어났다 / 자기 자신이 유명해졌음을 알았다 / 하룻밤 사이에.

427 I went there / **only to find** / **all the tickets were sold out**.

to부정사(결과)

나는 거기에 갔다 / 그러나 결국 알았을 뿐이었다 / 모든 표가 팔렸다는 것을.

428 You would be foolish to set the man free.

429 To hear him talk, you would think him to be a great teacher.

430 The boy grew up to be a famous composer.

431 You would be punished to deceive others.

432 Statistics show that very few people live to be a hundred.

433 I went to the left, only to find myself facing a blocked passage.

434 To use Poe's own phrase, the process of writing contributes to "the logicalization of thought." [수능]

435 To oversimplify, basic ideas bubble out of universities and laboratories in which a group of researchers work together. [평가원]

형용사+to부정사 → ~하기에

>>> to부정사의 부사적 용법 중에 형용사를 수식하는 경우가 있는데, '~하기에'라고 해석한다. 가주어(it)와 진주어(to-v) 구문에서 to부정사의 목적어를 본동사(be동사) 앞으로 도치하는 경우가 대개 이 경우에 속한다.

436　This tap water is safe / **to drink**.

이 수돗물은 안전하다 / 마시기에.
= **It** is safe **to drink** this tap water.

437　This conflict is hard / **to resolve**.

이 갈등은 어렵다 / 해결하기에.
= **It** is hard **to resolve** this conflict.

438　The man is comfortable to work with.

439　This equation is difficult to solve.

440　This river is very dangerous to swim in.

441　The president is not difficult to please.

442　You're too exhausted to deal with your kids.

443　The scientist was too subjective to reduce bias in his experiment.

444　One is never too old to learn new tricks.

445 It is an emotion we find hard to resist or control.

[평가원]

구문 유형 48 to부정사의 부사적 수식 (부사 수식)

형용사+enough+to부정사 = ～할 만큼 (충분히) …한

>>> to부정사의 부사적 용법 중에 부사를 수식하는 대표적인 표현은 「형용사+enough+to부정사」이고 '～할 만큼 (충분히) …한'으로 해석한다. 「so ～ that ...」으로 바꾸어 쓸 수 있다.

446 My youngest sister is not old **enough / to go** to school.

내 막내 여동생은 충분히 나이가 많지 않다 / 학교에 가기에.
= My youngest sister is **so** young **that** she can't go to school.

447 She was wise **enough / to consider** the difference.

그녀는 충분히 현명했다 / 그 차이를 고려하기에.

448 No man is rich enough to buy back his past.

449 He was foolish enough to ignore her advice.

450 My kid is old enough to read *Harry Potter*.

451 His judgment was good enough to keep me out of trouble.

452 Dave is intelligent enough to solve difficult mathematical problems.

453 It takes the tree about four years before it is mature enough to produce good fruit.

구문 유형 **49** 문장 전체를 수식하는 to부정사의 관용적 표현

to tell the truth	사실대로 말하면	to make matters better	금상첨화로
to be frank with you	솔직히 말하면	to make matters worse	설상가상으로
to begin with	우선	strange to say	이상한 얘기지만
so to speak	말하자면	needless to say	말할 필요도 없이
to be brief	간단히 말하면	to be sure	확실히

>>> 문장 전체를 수식하는 to부정사의 관용적인 표현은 숙어처럼 암기하는 것이 좋다.

454 **To tell the truth**, / I don't like playing.

사실대로 말하면, / 나는 노는 것을 안 좋아해.

455 The man is, / **so to speak**, / a bookworm.

그 남자는 / 말하자면 / 책 벌레이다.

456 **To make matters worse**, he had a car accident.

설상가상으로, / 그는 자동차 사고를 당했다.

457 **Needless to say**, / family is above all.

말할 필요도 없이, / 가족이 무엇보다 위다.

458 To be frank with you, I cannot accept your suggestion.

459 To make a long story short, it's a waste of time.

460 To begin with, let's investigate the cause of the accident.

461 A great writer is, so to speak, a second government in his country.

462 Needless to say, the bathroom has a spacious bathtub.

463 To tell the truth, the liar is among us.

464 To be sure, he's the perfect man for the position.

465 To make matters better, their sandwiches are delicious.

구문 독해 PRACTICE

(A) 어법상 알맞은 것을 고르고, 밑줄 친 부분을 해석하시오.

1 Artists create artistic works | gets / to get | viewers to have certain
<u>kinds of experiences.</u>

⇨ _____

2 Every year they went to Africa to treat people who were <u>too poor</u>
<u>| going / to go | to a hospital.</u>

⇨ _____

(B) 밑줄 친 단어를 어법에 맞게 배열하시오.

disinterest 무관심

1 He overcame all technical challenges, <u>(in the face of, customer,</u>
<u>disinterest, fail, only to).</u>

⇨ _____

2 Good writers know how to communicate. They <u>(easy, things, to</u>
<u>understand, make).</u>   [평가원]

⇨ _____

C 어법상 틀린 것을 찾아 바르게 고쳐 쓰시오.

in a flash 순식간에
expectantly 기대하며
adventure 모험

1 I notice that even when it's pouring rain outside, my dogs, Blue and Celeste, are still excited ① to go for a walk. As soon as I open the front door ② to look outside, they're beside me in a flash, ③ to stand expectantly, ready for an adventure.　　[수능]

_____ ⇨ _____

mass 질량
exert 가하다
gravity 중력
employ 이용하다
accuracy 정확함

2 Newton imagined that masses ① affect each other by exerting a force, while in Einstein's theory the effects occur through a bending of space and time and there is no concept of gravity as a force. Either theory could be employed ② to describe, with great accuracy, the falling of an apple, but Newton's would be much easier ③ using.　　[수능]

_____ ⇨ _____

D 밑줄 친 우리말과 뜻이 통하도록 주어진 단어를 알맞게 배열하시오.

satisfactorily 만족스럽게
insure 보장하다

1 In order, therefore, 큰 회사가 만족스럽게 대중에게 서비스를 제공하기 위해서는, it must have a philosophy and a method of doing business which will allow and insure that its people serve the public efficiently and in a pleasing manner.　　[평가원]

[satisfactorily, to, for a great, company, serve, the public]

⇨ _____

2 Eli Canaan had always been told that 무엇인가가 사실이기에 너무 좋다면, chances were it wasn't going to be good or true.

[was, true, something, to be, if, good, too]

⇨ _____

실전 독해 PRACTICE

1 다음 글의 밑줄 친 부분 중, 어법상 <u>틀린</u> 것은?

diagnose 진단하다
borderline 경계선
computation 계산, 연산
session 수업
start from scratch 무(無)에
서 다시 시작하다
comprehend 이해하다

Becky was diagnosed as "borderline." She was intelligent enough to comprehend ① <u>what</u> happened to her when she was born. She was not intelligent ② <u>enough to</u> do mathematical computation. A tutor my parents hired when Becky was about ten years old ③ <u>telling</u> us that Becky could grasp a concept long enough to work out several problems in the course of an hour-long session, but that by the next week she'd have forgotten what she'd learned and have to start from scratch. Her elementary schools were just passing her along; there were no "special" programs then, and no one knew what ④ <u>to do</u> with her, where she belonged. Becky's life has been lonely in ways ⑤ <u>that</u> most of us could not comprehend.

2 (A), (B), (C)의 각 네모 안에서 어법에 맞는 표현으로 가장 적절한 것은?

a variety of 다양한
underscore 강조하다
environment 환경
vital 매우 중요한
involve 포함하다
transportation 수송

For quite a few years, I've tried in a variety of ways to underscore the idea (A) that / which one person's actions can make a positive difference for our environment. Individuals play a vital role in the health of our planet's overall ecosystem, and there are many things all of us can do (B) make / to make our common home a better place to live in. In choices I and many others have made involving home energy use, food, waste, and transportation, I've learned that nothing is (C) too / enough small to make a difference, that any positive step, large or small, is helpful. It's important to remember that among those thousands of things each of us can do, you don't have to do all of them. Anything helps!

	(A)		(B)		(C)
①	that	—	make	—	too
②	that	—	to make	—	too
③	that	—	to make	—	enough
④	which	—	to make	—	enough
⑤	which	—	make	—	too

3 다음 글의 밑줄 친 부분 중, 문맥상 낱말의 쓰임이 적절하지 <u>않은</u> 것은?

think of A as B A를 B로 생각하다
nonverbal 비언어의
component 구성요소
process 과정
frustration 좌절
leak out 새어 나오다
conceal 감추다
distrust 불신
leakage 유출

We often think of communication as spoken or written language, but nonverbal communication, the physical component of the process is just as important. For example, a guest comes to the front desk to ① <u>report</u> his second missing key of the day. The desk clerk says, "I'll be happy to make a new key, Mr. Smith." At the same time he frowns and shakes his head. His ② <u>frustration</u> is not expressed verbally, but leaks out nonverbally. The guest is sure to ③ <u>overlook</u> these negative feelings. We may try to conceal our anger or distrust by not expressing them verbally, only to find that these feelings are ④ <u>revealed</u> physically. This nonverbal ⑤ <u>leakage</u> occurs when our true feelings are expressed physically while we say something else verbally.

UNIT **09** 분사구문

S U M M A   C U M   L A U D E

구문 유형 50 시간·이유의 분사구문

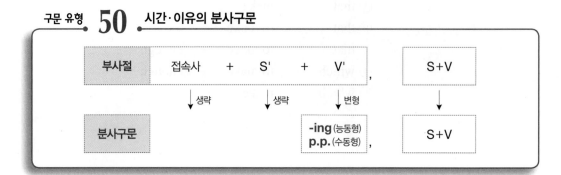

>>> 분사구문은 보통 부사절의 접속사와 주어를 생략하고 쓰인 구문이기 때문에, 분사구문이 어떻게 구성되어 있는지를 이해해야만 문장의 의미를 정확하게 파악할 수 있다. 시간(when, while, after, as, before, as soon as 등)이나 이유(because, as, since, not that 등)의 접속사가 이끄는 부사절은 주절과 종속절의 주어가 같을 경우 접속사와 주어를 생략하고 동사를 분사형태(현재분사·과거분사)로 바꾸어 분사구문으로 만들 수 있다.

참고 분사구문에서 being이나 having been은 생략 가능하고, 접속사가 필요한 경우 생략하지 않아도 된다.

---

466 Answering the phone, / he was drinking coffee.
While he was answering the phone
전화를 받으면서 / 그는 커피를 마시고 있었다.

467 Seeing the police officer, / the thief ran away.
As soon as the thief saw the police officer
그 경찰관을 보자마자 / 그 도둑은 도망갔다.

---

468 Having some money, I could take a taxi.

469 Becoming responsible for your life, you can become fully human.

470 You can do exercises while watching your favorite TV show.

471 Public libraries are important, promoting literacy and a love of reading.

472 Focusing on how far they have to go instead of how far they've come, people give up.

473 The satellite-based global positioning system (GPS) helps you navigate while driving. [수능 응용]

474 Making better decisions when picking out jams or bottles of wine is best done with the emotional brain. [수능 응용]

구문 유형 **51** 조건·양보의 분사구문

조건, 양보의 접속사 { if / though / although / even if 등 } 가 이끄는 부사절 → 분사구문

>>> 조건의 접속사(if)나 양보의 접속사(though, although, even if)가 이끄는 부사절 역시 접속사와 주어를 생략하고 동사를 분사형태(현재분사·과거분사)로 바꾸어 분사구문으로 만들 수 있다. 만드는 방법은 '시간·이유의 분사구문'과 동일하다.

참고 부정문을 분사구문으로 만들면 「not+분사」가 된다.

475 Grown mainly for its root, / sweet potato has other uses as well.
Though sweet potato is grown mainly for ~
주로 뿌리용으로 재배되지만 / 고구마는 또한 여러 다른 용도를 갖고 있다.

476 Not able to sleep well over a long period of time, / you have to consult your doctor. If you are not able to sleep well ~

오랜 기간 동안 숙면을 취할 수가 없으면 / 당신은 의사의 진찰을 받아야 한다.

477 Not satisfied with the job, he worked very hard.

478 Living near her house, he has rarely seen her.

479 Recovering from the surgery, you can eat anything you want.

480 Loving her so much, he couldn't help leaving her.

481 Given the choice between working hard and not doing so people may prefer the former.

482 Yams must be cooked, as they are poisonous if eaten raw.

483 Keeping up with the rest of your peers, you'll feel well adjusted, competent, and a part of the group.   [평가원 응용]

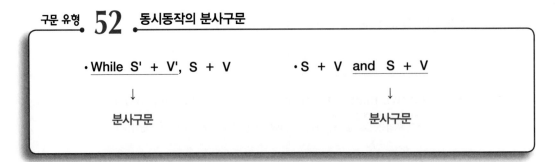

구문 유형 **52** 동시동작의 분사구문

· While S' + V', S + V   · S + V and S + V

↓   ↓

분사구문   분사구문

▶▶▶ 두 가지 상황이 동시에 일어나거나(동시동작), 연속해서 일어날 때(연속동작) 그 상황 중 하나를 분사구문
으로 고칠 수 있다. 경우에 따라 분사구문이 문장의 중간이나 끝에 오기도 한다.

참고 분사구문을 접했을 때, 분사구문과 주절과의 관계를 파악하여 자연스러운 의미를 파악하는 것이 중요하다.

484 He was kneeling on one knee, / looking down from a higher rock.
     while he was looking down from a higher rock
그는 한쪽 무릎을 꿇고 있었다 / 더 높은 바위에서 내려다 보면서.

485 The boy started running up the aisles, / shouting loudly.
     and he shouted loudly
그 소년은 복도를 뛰어가기 시작했다 / 크게 소리를 지르면서.

486 Looking at his mom, he asked what he should do next.

487 Standing on the deck, they watched the sun rising.

488 Some boys emerge from the woods, running toward the horse.

489 The referee ran to the player, blowing a whistle.

490 I watched her come into my house, calling my name.

491 She stopped several times, standing alone in the darkness.

492 During droughts the root shrinks, dragging the stem underground.
[평가원 응용]

493 The associated energy costs are high, causing a negative impact on the environment.
[평가원 응용]

- 완료 분사구문: having p.p.   ← 분사구문의 시제가 주절보다 앞설 때
- 수동 분사구문: (being) p.p.   ← 분사구문의 의미가 수동일 때

>>> 분사구문이 나타내는 시제가 주절의 시제보다 앞설 때 완료 분사구문(having p.p.)으로 쓴다. 분사구문의 의미가 수동일 때는 being을 생략하고 과거분사(p.p.)를 써서 표현한다.

---

494   <u>Having finished his internship,</u> / he got a job.
<small>After he had finished his internship</small>
그의 실습을 끝내고 나서 / 그는 일자리를 얻었다.

495   <u>Designed by a famous architect,</u> / the museum attracts architecture
<small>As the museum was designed by a famous architect</small>
lovers from around the world.

유명한 건축가에 의해 디자인되었기 때문에 / 그 박물관은 전 세계의 건축 애호가들을 끌어 들인다.

---

496   Having visited you last month, I'm sure I can find your house easily.

497   Invited to Kate's wedding ceremony, I was very happy.

498   Not having heard about him, you may not know how famous he is.

499   Having read the book, I know what the book is about.

500   Not having had much experience in the kitchen, I depended on cookbooks.

501   Caught in a shower, we ran into a nearby building.

502 Having returned to France, Fourier began his research on heat
conduction.   [수능 응용]

503 If the coin is tossed and the outcome is concealed, people will offer
lower amounts when asked for bets.   [수능 응용]

구문 유형 **54** 독립분사구문과 접속사 유지

$$\left\{ \text{의미상의 주어+분사} \right\} + [\text{S+V}]$$

≠ (일치하지 않음)

>>> 분사구문의 의미상의 주어와 주절의 주어가 일치하지 않을 때는 분사구문의 의미상의 주어를 써 주어야
하는데, 이것을 독립분사구문이라고 한다. 또한 분사구문의 접속사를 생략했을 때 의미상 혼란을 초래하는 경
우에는 접속사를 생략하지 않고 남겨둔다.

504 The weather permitting, / I'll act as a guide for your expeditions.
      If the weather permits,
날씨가 좋으면 / 나는 당신의 탐험을 위한 가이드 역할을 하겠다.

505 The matter settled peacefully / he went to his office.
      After the matter was settled peacefully
그 문제가 평화롭게 해결되고 나서 / 그는 자신의 사무실로 돌아갔다.

506 Nothing seen in the darkness, they felt more and more terrified.

507 Though not having visited the place myself, I know it very well.

508 The dog having died at sea, I presumed it had been buried there.

509   Good ideas are good ideas, even if invented by a tyrant.

510   These squirrels developed a social resource while playing.   [평가원 응용]

511   We can even use science when painting pictures.   [평가원 응용]

구문 유형 **55** with 분사구문과 관용적 표현

- with + 목적어 + { -ing(능동) / p.p.(수동) / 형용사 }

- 분사구문의 관용적 표현

표현	의미
generally(roughly, strictly, frankly) speaking	일반적으로(대략, 엄밀히, 솔직히) 말해서
judging from(by) ~	~로 판단하건대(미루어 보아)
talking(speaking) of ~	~에 대해 말하자면
considering ~	~을 고려해 보면
granting (that) ~	비록 ~라고 인정하지만
seeing (that) ~	~인 것으로 보아

≫≫ 「with+목적어+-ing/p.p./형용사」 형태의 분사구문을 쓸 수 있다. 분사구문의 주어가 일반적인 사람들을 나타낼 경우, 주절의 주어와 일치하지 않더라도 의미상의 주어를 생략할 수 있다.

512   Strictly speaking, / many useful theories are false.
When we speak strictly
엄밀히 말해서 / 많은 유용한 이론들은 거짓이다.

513   I sat on the bench / with my heart broken.
with   수동 관계(p.p.)
나는 벤치에 앉았다 / 슬픔에 잠겨서.

514　Generally speaking, traveling is all about visiting new and exciting places.

515　Frankly speaking, education helps bring out the best in a person.

516　Judging from his appearance, he appeared to be from a middle-class background.

517　He leaned against the fence with his arms folded.

518　Generally speaking, a kingdom is the area and people over which a king reigns.

519　She was looking at him with her eyes full of tears.

520　Seeing that his voice is shaking, he must be lying.

구문 독해 PRACTICE

A 네모 안에서 어법상 알맞은 것을 고르고, 밑줄 친 부분을 해석하시오.

innovative 혁신적인

1 $\boxed{\text{Giving / Given}}$ the choice between the more innovative and traditional approaches to Korean cooking, I'll take the traditional versions of Korean dishes almost every time.

⇨ _____

regard 고려
style 문체

2 One of the best ways to write a book is to write it as quickly as possible, $\boxed{\text{getting / gotten}}$ your thoughts onto paper without regard to style.   [평가원]

⇨ _____

B 어법상 틀린 것을 찾아 바르게 고쳐 쓰시오.

chronic 만성적인
obesity 비만
Alzheimer's 알츠하이머병

1 Though ① live longer than previous generations, 80% of America's seniors ② suffer from chronic illnesses ③ such as heart disease, obesity, or Alzheimer's.

_____ ⇨ _____

make an impression on
~에게 인상을 주다

2 The speech he made, ① did make an impression ② on the audience, ③ considered his age and experience.   [평가원]

_____ ⇨ _____

orchard 과수원
simulated 가상의

3 Audiences ① smell orange orchards and pine forests while ② enjoy a ③ simulated hang-gliding experience across the countryside.

_____ ⇨ _____

C 밑줄 친 부분을 분사구문으로 바꾸어 쓰시오.

sociable 사교적인, 친목적인
digitized 디지털화된

1 These days, <u>if one looks at sociable robots and digitized friends,</u> one might assume that what we want is to be always in touch and never alone, no matter who or what we are in touch with.　　[수능]

⇨ _____

awaken(=awake) 깨닫다

2 <u>As I had begun to awaken the health within,</u> thanks to my discovery of rock climbing, I decided to explore my options in the outdoor adventure world.

⇨ _____

D 밑줄 친 우리말과 뜻이 통하도록 주어진 단어를 분사구문으로 완성하시오.

hemisphere 뇌반구
in light of ~에 비추어

1 The research found that reading the more challenging version of poetry, in particular, increases activity in the right hemisphere of the brain, 독자들이 되돌아보고 재평가하도록 도우며 their own experience in light of what they have read.　　[평가원]

[to, help, and, readers, the, reflect on, reevaluate]

⇨ _____

rationally 이성적으로

2 Hoping to discuss the situation more rationally, Martin got out of the bed and sat in a chair, 팔짱을 낀 채로 뒤로 기대면서 in front of his wife.

[back, his, lean, arms, with, cross]

⇨ _____

1 (A), (B), (C)의 각 네모 안에서 어법에 맞는 표현으로 가장 적절한 것은?

befriend 친구가 되다
stereotype 고정관념
baboon 비비원숭이
flee 도망가다
curry favor 비위를 맞추다
submission 복종
bonding 유대
primate 영장류

Do women in fact tend and befriend more than men? Gender stereotypes suggest they do, but who says males don't tend and befriend? Male baboons regularly care for infants not their own, and there is a wide range of male fathering behavior across many species—including our own. Many males, (A) facing / faced with other powerful males, neither flee nor fight—they curry favor with displays of submission. And the "male bonding" that is easily recognizable among sports teams (B) is / are sometimes seen in primates. For example, males (C) isolate / isolated from their social group tend to suffer from a range of physical and emotional problems.

	(A)		(B)		(C)
①	facing	—	is	—	isolate
②	facing	—	are	—	isolated
③	faced	—	is	—	isolated
④	faced	—	is	—	isolate
⑤	faced	—	are	—	isolate

2 글의 흐름으로 보아, 주어진 문장이 들어가기에 가장 적절한 곳은?

fulfill 완수하다
element 요소
maintain 유지하다

> It is important to fulfill a few elements when practicing kicking a soccer ball for your soccer training.

There are many ways that you can practice kicking by yourself. Many players practice kicking a ball against a wall or other surface and then practice various kicks as it comes back to them. (①) There are many who will place a target on a wall to kick the ball too. (②) This is a great method to use when you wish to gain better control over the soccer ball through soccer training. (③) The first is understanding the basic kicks in the game. (④) The second is being able to maintain your balance while practicing your kicks. (⑤) The third is being able to effectively control the ball while practicing your kicks for soccer training.

3 다음 글의 밑줄 친 부분 중, 어법상 틀린 것은?

determined 결연한
bounce 튀듯이 움직이다
skip 깡충깡충 뛰다
artificial 인공적인
progress 진행 상황
mourn 애도하다

People were cheering on Terry. His father was following him in a van. His beautiful face was so ① determined to succeed with his curly hair ② bouncing around when he ran. He had a skipping way of running on only one leg. He had much trouble with his artificial leg. Every day the whole country listened to the radio for his progress. When his cancer came back and he died ③ had not finished his race, the whole country mourned. Today, all across Canada every town and city ④ has a Terry Fox walk every year in the spring ⑤ to raise money for cancer. In his honor, it is called "The Marathon of Hope."

1 (A), (B), (C)의 각 네모 안에서 어법에 맞는 표현으로 가장 적절한 것은?

I went to the desk, took a seat and (A) to start / started reading *The New York Times*. Terri took a seat at the other desk and started working on the computer. About the time I was into the sports section, the stuff from Central Stores arrived and Terri had him (B) bring / brought the groceries into the kitchen. After she had put those items away, she returned to her desk and printed out a copy of a document. When I had finished skimming the classified ads, she printed out another document. (C) Finished / Having finished with the paper I asked, "What's the news from EMON this morning?"

	(A)		(B)		(C)
①	to start	–	bring	–	Having finished
②	to start	–	brought	–	Having finished
③	started	–	bring	–	Finished
④	started	–	brought	–	Finished
⑤	started	–	bring	–	Having finished

2 다음 글의 밑줄 친 부분 중, 어법상 틀린 것은?

Almost all learning is accomplished through trial and error. If error is prevented, ① nor is learning. By making mistakes, one learns what works and what doesn't. Eventually, after some initial failure, the learner fine-tunes his or her skills and ② masters the task at hand. Standing back and letting that failure occur, in a supportive but non-interfering way, gives a child room ③ to develop initiative, resourcefulness, and effective problemsolving skills. It also lets the child come to grips with the frustration ④ inherent to the learning of any skill — social, academic, emotional, and so on. That's ⑤ how children learn to persevere, and perseverance — as we all know from experience — is the main ingredient in every success story.

3 (A), (B), (C)의 각 네모 안에서 어법에 맞는 표현으로 가장 적절한 것은?

Your skin has the ability to heal itself when you get sunburn. The freshly-boiled lobster look of sunburn is caused by blood (A) rushing / rushes to the aid of your damaged skin. After the redness goes away, you get to discover the joys of peeling off whole sheets of the top layer of your epidermis, since the ultraviolet rays of the sun (B) has / have pretty much destroyed it. Sunburn is no laughing matter. In the long run it makes you leathery and wrinkly, and it can even kill you by giving you skin cancer. So never mind the tanning lotion ads. Have fun in the sun but protect your skin while you're at (C) it / itself — cover up or wear strong sunscreen. You'll live longer, and look better, too.

* epidermis 표피

(A)		(B)		(C)
① rushing	–	has	–	it
② rushing	–	have	–	it
③ rushing	–	have	–	itself
④ rushes	–	have	–	itself
⑤ rushes	–	has	–	itself

4 다음 글의 밑줄 친 부분 중, 어법상 틀린 것은?

Although efforts ① to maintain or enhance one's image can be observed in the very young, this tendency is not confined to the early years. Quite the opposite, the tendency typically is a feature of almost every person's ② character pattern well into adulthood and even old age. Although the manner and intensity of the motive to project a favorable appearance ③ may vary at different developmental stages, you can count on it ④ being there. ⑤ Recognizing or unrecognizing, the program indeed is always running.

5 (A), (B), (C)의 각 네모 안에서 어법에 맞는 표현으로 가장 적절한 것은?

In 1909, the American psychologist E. B. Titchener translated the German word Einfühlung into a new word, "empathy." Titchener had studied with Wilhelm Wundt, the father of modern psychology, (A) while / during in Europe. Like many young psychologists in the field, Titchener was primarily interested in the key concept of introspection. The "pathy" in empathy suggests that we enter into the emotional state of another's suffering and feel his or her pain as if it were our own. Variations of empathy soon emerged, including "empathic" and "to empathize," as the term became part of the popular psychological culture (B) emerging / emerged in cosmopolitan centers in Vienna, London, New York, and elsewhere. Unlike sympathy, which is more passive, empathy conjures up active engagement — the willingness of an observer (C) becoming / to become part of another's experience and share the feeling of that experience.

	(A)		(B)		(C)
①	while	–	emerging	–	becoming
②	while	–	emerging	–	to become
③	during	–	emerging	–	to become
④	during	–	emerged	–	to become
⑤	during	–	emerged	–	becoming

6 주어진 글 다음에 이어질 글의 순서로 가장 적절한 것은?

> Your ability to notice how someone is reacting is essential to your effectiveness. When you begin to see the subtle flush of the cheek, for example, it's a sign that something is happening.

(A) It would be equally wrong to read too much into it. Don't fall prey to "mind reading," where you make assumptions about what people think. It could be completely untrue. In the late 1960s came so many books on body language that proclaimed that someone sitting with crossed arms and legs is closed to learning.

(B) You may not know immediately what the person is feeling — it could be anger, embarrassment, or simply a hot flash. It could be good or bad. All you know is that something is happening! To ignore it, as most do, would be a fatal flaw in getting what you want.

(C) These were the best books at the time, but many people have proved these simplistic statements wrong. Anyone can sit with their arms and legs crossed and still learn. Try it for yourself.

① (A) – (C) – (B) ② (B) – (A) – (C) ③ (B) – (C) – (A)
④ (C) – (A) – (B) ⑤ (C) – (B) – (A)

다음 글의 밑줄 친 부분 중 어법상 틀린 것은?

　Fungi basically fall into these two categories: Those eating dead things and those eating living ones. Saprobes are the fungi ① that eat dead stuff — plants, trees, insects, and animals. Many mushrooms fall into this category, and you can find them happily ② sprouting from the trunks of rotting trees. The fungi that move in on living things fall into two types: Parasitic fungi live with the living things and ③ absorb nutrition from them. For example, they don't really care for the taste of man, but from time to time they will come along for the ride. It is the multiple parasitic fungi ④ what cause athlete's foot and ringworm. Predatory fungi are meaner. They go after really tiny worms and single-cell creatures ⑤ to trap and eat alive.

*fungi 균류(fungus)의 복수형　*saprobe 부생균

8　다음 글의 빈칸에 들어갈 말로 가장 적절한 것은?

　"You can dream, create, and build the most beautiful place in the world, but it requires people to make it a reality." Walt Disney, perhaps one of the greatest innovators of all times, spoke these words shortly before his death; they are illustrative of his realization that _____. Even Walt Disney, skilled at making dreams a reality, understood that the driving force behind his success was his employees. The most elaborate hotel and the most exquisite restaurant are simply cold structures without the warmth brought by the people who work there. Success comes to companies that have the best people, not just the best facilities or location. The hard assets of a service business contribute far less to the value of its ultimate product than do the abilities of its people.

① it takes patience to make dreams come true
② you cannot be too careful in choosing friends
③ infinite investment in facilities leads to innovation
④ success lies in seeing childlike innocence in adults
⑤ a genius alone does not make a successful company

9   stick insect에 관한 다음 글의 내용과 일치하지 <u>않는</u> 것은?

   Stick insects, or walking sticks, are a group of insects. They escape predation by blending into plants. As their name implies, they look just like sticks with legs, and even sway back and forth to more closely resemble a twig moving in the wind. When camouflage isn't enough, some species have evolved the ability to release foul-smelling chemicals to deter predators. Others drop their legs when a predator attacks but can re-grow them. Some species are winged and flash bright color patches under the wings to confuse predators. Depending on the species, stick insects can grow from 1 to 12 inches long, with males usually bigger than the females. Stick insects don't eat other insects. They are herbivores that eat leaves.

① 바람에 흔들리는 나뭇가지처럼 몸을 앞뒤로 움직인다.
② 일부 종은 고약한 냄새가 나는 화학물질을 분비한다.
③ 일부 종은 포식자가 공격하면 자신의 다리를 떨어뜨린다.
④ 1~12인치 길이까지 자라며 보통 암컷이 수컷보다 크다.
⑤ 동물성 먹이를 먹지 않고 잎을 먹고 산다.

SUMMA CUM LAUDE
SENTENCE STRUCTURE MANUAL

숨마쿰라우데®
[구문독해 매뉴얼]

CHAPTER **4**
절

구문 유형 **56** 등위접속사

- $\left\{\begin{array}{l}\text{명사(구)}\\\text{형용사(구)}\\\text{부사(구)}\\\text{동사(구)}\\\text{절}\end{array}\right\}$ + and / but / or + $\left\{\begin{array}{l}\text{명사(구)}\\\text{형용사(구)}\\\text{부사(구)}\\\text{동사(구)}\\\text{절}\end{array}\right\}$

- [절] + for / so + [절]

>>> and, but, or는 등위접속사로, 앞과 뒤에 오는 동사, to부정사나 동명사, 형용사나 부사가 모두 같은 형태를 취하며 병렬구조를 이룬다. for와 so는 절과 절을 연결한다.

참고 • nor도 등위접속사로 쓰이는데 절 앞으로 오면 보통 그 뒤에 「조동사+주어+동사」의 어순으로 도치가 일어난다.
- 병렬구조를 이룰 때, 뒤에 오는 to부정사의 to는 자주 생략된다.

521 Jane **and** Bill went home together.

Jane과 Bill은 함께 집에 갔다.

522 The trucks were / colorfully painted **or** decorated with flowers.

트럭들은 (~)였다 / 화려한 색으로 칠해지거나 꽃으로 장식된.

523 He was looking for a car / to drive to work / **and** (to) take his family on a trip.

그는 차를 찾고 있었다 / 운전해서 일하러 갈 / 그리고 가족을 여행에 데려갈.

524 The professor said that humans were evolved in Africa but that they moved north.

525 I couldn't move for a while, for I had a cramp in my leg.

526 It snowed a lot, so we made a snowman.

527 They opened the box, removed the spiderwebs, and found the treasure.

528 To lose weight, reduce the size of the meal or do more exercise.

529 I felt confident, for this was my favorite subject.

530 The people living on the plain didn't grow crops nor did they raise animals.

531 We should calculate the CO_2 emissions and use those figures to decide the policy. [수능 응용]

532 You can submit your photographs in person or via email at submit@ phg.com. [예비시행]

533 I couldn't get that process out of my head so I looked forward to our return trip several months later. [평가원 응용]

534 The fans must have been disappointed, for they had expected to meet the singer.

535 I don't like comedy shows; nor does my brother Bill.

형태	의미	수의 일치
both A and B	A와 B 둘 다	복수 취급
either A or B	A 또는 B 둘 중의 하나	(조)동사에 가까운 것, B에 일치
neither A nor B	A와 B 둘 다 아닌	

>>> 상관접속사는 접속사와 한 개 이상의 부사가 함께 쓰여서 하나의 뜻을 이룬다.

536 **Both** Jack **and** Harry were excited to meet their favorite movie star.

Jack과 Harry 둘 다 신이 났다 / 자신들이 좋아하는 영화 스타를 만나서.

537 We can **either** take the subway **or** walk to the museum.

우리는 전철을 타거나 걸어서 갈 할 수 있다 / 그 박물관에.

538 **Neither** the taxi driver **nor** the passengers know / where the wallet is.

그 택시 운전사도 승객도 모른다 / 그 지갑이 어디에 있는지.

539 Both the researcher and the participants were surprised.

540 To sweeten the cake, you can use either honey or sugar.

541 Neither you nor I can attend tonight's family gathering.

542 World historians studied both developments within societies and the way in which societies relate to each other.　　[평가원 응용]

543 We have neither time nor money to spare for hiring helpers.

58 상관접속사 2

형태	의미	수의 일치
not A but B	A가 아니라 B인	B에 일치
not only A but (also) B = B as well as A	A뿐 아니라 B도	

>>> 「not A but B」와 「not only A but (also) B」는 중점을 두는 것(B)에 수를 일치시킨다. but으로 연결되므로 A와 B는 병렬구조를 이룬다.

참고 현대 영어에서는 「not only A but (also) B」에서 but도 생략하는 경우가 자주 있다.

---

544 The traffic light was **not** red **but** green.

신호등은 빨간색이 아니고 초록색이었다.

545 The slaves were **not only** given new clothes **but also** set free.

노예들은 새 옷을 받았을 뿐 아니라 자유롭게 해방되었다.

546 This rule applies / to children **as well as** to adults.

<u>B as well as A: A뿐 아니라 B도</u>

이 규칙은 적용된다 / 어른뿐 아니라 어린이에게도.

---

547 Art is not a luxury but a necessity of life.

548 She felt not only grateful for the man but also curious about him.

549 Jim never became a starter but he was always the first substitute to go in the game. [평가원]

550 The quality of the soil is important, not only as a source of water and minerals for plants but for their very survival. [예비시행 응용]

551 It is the greatest tool we have not only for making people smarter quicker, but also for making people dumber faster. [수능]

구문 유형 59 명사절을 이끄는 접속사 1

- 접속사 + [S'+V']
- 의문사 + [S'+V']
- 의문형용사+명사 + [S'+V']
- 의문사+to부정사(구)

>>> 명사절은 접속사 that, whether(if), 의문사에 의해 유도된다. 「의문사+to부정사」도 명사절처럼 사용되기도 한다. 명사절은 주어, 목적어, 보어의 역할을 할 수 있다.

---

552 Tom confirmed / [**that** he wanted to join the army].
목적절 S' V'
Tom은 확정했다 / 그가 군에 입대하기를 원한다고.

553 I'm not sure [**if** the Internet connection is available right now].
목적절 S' V'
나는 잘 모르겠다 / 지금 인터넷 연결이 사용 가능한지.

554 The formula should give us the answer / about [**how** the universe started].
about의 목적절
그 공식은 우리에게 답을 줄 것이다 / 우주가 어떻게 시작되었는지에 관한.

---

555 Which person the queen will choose for her husband should be kept secret.

556 Writing down what to do during the day helps you save time.

557 The king hoped that the two countries would become friends.

558   I doubt if I could participate in the project.

559   They wanted to study why children love running.

560   Can you tell me where to put these bags?

561   When it's over, you'll see that it was really cool.   [수능 응용]

562   It's impossible to know for sure if cats dream just like we do.   [예비시행]

구문 유형 60 명사절을 이끄는 접속사 2

> **1. what(관계대명사)+(S')+V'**
> • what은 선행사를 포함
> • what이 의문사인지 관계사인지 모호한 경우 문맥에 따라 결정
>
> **2. wh-ever(복합관계대명사)의 관계사+(S')+V'**
> • -ever의 관계사로 유도되는 절은 명사절로 쓰이는 것 외에 양보·시간·장소·방법 등의
>   의미를 갖는 부사절로 쓰이는 경우도 많음

>>> 관계대명사 what과 whatever, whoever 등의 −ever로 끝나는 관계사로 유도되는 관계절은 명사절
이 될 수 있다.

563   I don't understand [**what** the note is about].
      S   V   O(의문사절)
      나는 모르겠다 / 그 쪽지가 무엇에 관한 것인지.

564   The runners can choose / [**whichever** route they want to run].
      S   V   O(관계절)
      주자들은 고를 수 있다 / 그들이 달리기를 원하는 어떤 경로이든.

565 I will take you to wherever you want to go.

566 Whenever you feel thirsty, drink water.

567 Wherever the knight went, his faithful horse was with him.

568 These are what our rivals are developing.

569 The app will help you to arrive at wherever you want to go.

570 Whoever is interested in the project can contact us.

571 Today, the world of innovation is far different from what it was a century ago.　　　　　　　　　　　　　　　　　　　　　　　　[수능]

572 Whatever they chose, they could not change their minds later.　　[평가원]

구문 유형 **61** 접속사 vs 전치사의 구별

의미	접속사	전치사(구)
~에도 불구하고	though, although, even if	despite, in spite of
~할 때(~ 동안에)	while, when, as	during, for
~때문에	because, since, as	because of, due to, owing to
~를 제외하고	except that	except (for)
~않는다면(~없다면)	unless	without

접속사는 뒤에 주어와 동사가 오며, 전치사는 뒤에 명사(구)가 와야 한다.

---

573 **Though** the climbers felt tired, // they were energetic.
　　　접속사　　　　 S'　　　 V'　 C'
비록 등반가들은 지쳤지만, // 그들은 원기 왕성했다.
= **In spite of** the tiredness, the climbers were energetic.

574 **While** she was sleeping, // her mother cooked dinner.
　　　접속사　 S'　　　 V'
그녀가 자는 동안에, // 그녀의 어머니는 저녁을 요리했다.
= **During** her sleep, her mother cooked dinner.

---

575 The park is kept closed because it is under construction.

576 He's a perfect worker, except that he is often late for work.

577 It's hard to build a computer unless you're a technician.

578 In spite of our efforts, we failed to win the prize.

579 Despite its accuracy, there was no clear use for the device. [평가원 응용]

580 Because of his injury, Jim wasn't able to play on the basketball team during the rest of that year. [평가원 응용]

581 Instead of trapping warm air in the atmosphere, fine particles like sulfate reflect the sun's light and heat. [평가원]

구문 독해 PRACTICE

A 어법상 알맞은 것을 고르고, 밑줄 친 부분을 해석하시오.

distraction 산만하게 하는 것

1 One of the reasons I have been able to accomplish much and keep growing personally is that / what I have not only set aside time to reflect, but I have separated myself from distractions. [평가원 응용]

⇨ _____

identity 정체성, 신원

2 For example, when we meet Matt Damon's character in the movie *The Bourne Identity*, we learn that he has no memory for who / who for he is, why he has the skills he does, or where he is from. [평가원]

⇨ _____

B 밑줄 친 단어를 어법에 맞게 배열하고, 그 부분을 해석하시오.

come out with 출시하다
competitor 경쟁자
defensive 방어적인
odds 가능성

1 When a company comes out with a new product, its competitors typically go on the defensive, doing (they, whatever, can) to reduce the odds that the offering will eat into their sales. [평가원]

⇨ _____

soak 적시다
shelter 피하다

2 It rains almost every day in the rainforest. It's obvious that (the orangutan, you, and, don't, both) like being soaked. If they are caught in a shower, they pick a large leaf for an umbrella and shelter beneath it until the rain stops. [평가원]

⇨ _____

C 어법상 틀린 것을 찾아 바르게 고쳐 쓰시오.

1 If you put a can of diet soda and a can of regular soda in a bucket of water, what would happen? The diet soda can will float ① during the regular soda will sink, ② for the regular soda contains a lot of sugar. Diet sodas use artificial sweeteners, ③ which are lighter than both sugar and water.

_____ ⇨ _____

leisurely 여유 있는
emergence 출현
on-the-go 분주한

2 Wine is a victim of the disappearance of the leisurely meal. It is ① not the target of the change, ② and the decline in wine consumption ③ is a by-product of the emergence of the faster, more modern, on-the-go lifestyle.

[평가원]

_____ ⇨ _____

D 밑줄 친 우리말과 뜻이 통하도록 주어진 단어를 알맞게 배열하시오.

on cue 마침 때맞추어

1 An enormous amount of time is spent simply reacting. It's as if we are robots programmed to respond on cue 요구하는 것이면 무엇이든지에 대해 the least time and attention.

[평가원 응용]

[whatever, demands, to]

⇨ _____

Polish 폴란드(인)의
the Gulf States
페르시안 만 연안 국가들

2 More and more today, English is used by Korean professionals on business in Brazil, by Polish hotel staff welcoming tourists from around the world, or 직업을 구한 인도인 근로자들에 의해 in the Gulf States.

[예비시행]

[by, who, have taken up, jobs, Indian workers]

⇨ _____

실전 독해 PRACTICE

1 다음 글의 밑줄 친 부분 중, 어법상 틀린 것은?

generally 일반적으로
favorably 우호적으로
manufacturer 제조업자
in person 직접
constant 지속적인
reminder 기억나게 하는 것
attach 붙이다
handset 수화기
reflection 거울에 비친 모습
grin (이를 드러내고) 크게 미소를
짓다

It's not your pretty face, ① but it's your smile that can have a positive effect on the sound of your voice. People will generally respond more favorably to you if you smile while talking to them. The sales manager from a small manufacturer in Toledo, Ohio, knows that smiles not only work in person ② but also over the telephone lines. As a constant reminder of the importance of smiling, he has written down the word SMILE on a piece of paper and ③ attached it to the handset of his telephone. When he picks up the phone to talk to ④ who calls him, his voice has a smile in it. He has also put a mirror next to his phone ⑤ so that when he is talking he can look at his smiling reflection, which of course keeps him grinning.

2 (A), (B), (C)의 각 네모 안에서 어법에 맞는 표현으로 가장 적절한 것은?

historian 역사가
proclamation 포고, 선언
subject 백성
archery 궁술
shepherd 양치기
official 공식적인
ratify 비준하다
simplicity 단순함

Historians are not sure about just when golf was invented, but King George of England made a proclamation in 1245 that his subjects weren't practicing their archery enough (A) because / because of they were spending too much time on the golf course. Scottish shepherds were knocking stones into rabbit holes in the late 1100s on the site (B) which / where the famous St. Andrews Golf Club sits now, so the game is very old. The first set of official rules was ratified in 1744. (C) Although / Despite their simplicity, most of them are considered valuable and still kept today. The key rule in golf remains the same: Play it where it lies."

	(A)		(B)		(C)
①	because	—	which	—	Although
②	because	—	where	—	Despite
③	because	—	where	—	Although
④	because of	—	where	—	Despite
⑤	because of	—	which	—	Although

3 다음 글의 주제로 가장 적절한 것은?

turtle (바다)거북
terrapin 자라, 민물거북
armored 갑주를 두른
reptile 파충류
high-domed 위가 높게 튀어
나와서 둥근
flattened 납작한
streamline 유선형의
fierce 사나운

Which is right, Ninja Turtles, or Ninja Terrapins? Americans will say they are turtles, while in Britain, a 'turtle' would mean a saltwater species and a 'terrapin' would be a freshwater species. It's difficult to tell at first, because both turtles and terrapins are slow-moving armored reptiles. Turtles live on dry land in many warm parts of the world. They usually have high-domed shells and feed mainly on plants. Terrapins live in fresh water. They have flattened shells, so they are more streamlined as they swim. They often have partly webbed feet and they feed on fish and other animals. Some terrapins are quite large, fierce predators.

① tips to raise turtles as pets
② the ancestors of turtles and terrapins
③ the images of turtles in the mass media
④ the differences between turtles and terrapins
⑤ the disturbance of the ecosystem caused by terrapins

UNIT **11** 형용사절

S U M M A   C U M   L A U D E

구문 유형 **62** 명사를 수식하는 관계대명사절

선행사	주격	소유격	목적격
사람	who	whose	whom
동물, 사물	which	whose, of which	which
사람, 동물, 사물	that		that

>>> 관계대명사는 두 개의 문장을 이어주며 「접속사＋대명사」의 역할을 한다. 관계대명사절은 앞에 있는 선행사를 수식하는 형용사절을 이끌며, 주격·소유격·목적격으로 쓰인다. 관계대명사가 포함된 절에는 문장 성분이 하나 빠져 있다는 점에 유의한다.

582 That's the famous man [**who** lives next door to me].
선행사(사람)   주격 관계대명사절
저 분은 우리집 옆에 사는 유명한 사람이다.

583 I have lost the book [**that** my girlfriend bought for me].
선행사(사물)   목적격 관계대명사절
나는 내 여자 친구가 사준 그 책을 잃어버렸다.

584 People who are diligent always do their best.

585 He is a good dad whose daughter is cute.

586 One of his patients was a soldier whose head was seriously wounded.

587 It's hard to feel sorry for someone whose name I don't know.

588   Young people view health as something which can be judged by the way a person looks.

589   We needed people who could perform and not get emotionally attached to losses.
                                           [평가원]

590   Fourier contracted a strange illness that confined him to well-heated rooms for the rest of his life.
                                           [평가원]

구문 유형 **63** 명사를 수식하는 관계부사절

선행사	관계부사	전치사＋관계대명사	
때 (time, day)	when	at(on, in) which	that (관계부사 대용)
장소 (place)	where	in(on, at) which	
이유 (reason)	reason	for which	
방법 (way)	how	in which	

▶▶▶ 관계부사절 역시 관계대명사처럼 두 개의 문장을 이어주면서 「접속사＋부사」의 역할을 하며, 「전치사＋which」로 바꿔 쓸 수 있다. 관계대명사와 달리 관계부사가 포함된 절에는 빠져 있는 문장 성분이 없다.

참고 관계부사 how와 선행사 way는 함께 쓰지 않고, 둘 중 하나를 생략한다.

591   I won't forget the day [**when** I first saw you].
                    선행사(때) ←⎯⎯⎯ 관계부사절
   나는 너를 처음 봤던 그 날을 잊지 않을 것이다.

592   There was a reason [**why** I waited for more than three months].
                선행사(이유) ←⎯⎯⎯ 관계부사절
   내가 세 달 이상 기다린 이유가 있었다.

593   Today is the day when we were married one year ago.

594   This is the building where the workshop takes place.

595   I don't know the reason why I was scolded by my mother.

596   There are some reasons why marking is a good reading habit.

597   His father was 24 at the time when he married his 20-year-old wife.

598   Confirmation bias is a term for the way the mind systematically avoids confronting contradiction.   [수능]

599   In areas where the snakes are known to be active, sightings of medium-size mammals have dropped by as much as 99 percent.   [평가원]

구문 유형 **64** 관계대명사와 관계부사의 생략

- 선행사(명사) + ~~(목적격 관계사)~~ + [S'+V']

- 선행사(명사) + ~~(which[that]+be동사)~~ + [현재분사 / 과거분사]

>>> • 관계대명사가 생략되는 경우
     ① 목적격 관계대명사 whom, which, that의 경우
     ② 전치사의 목적격으로 쓰이면서 전치사가 문장 맨 뒤에 있을 때
     ③ 「주격 관계대명사+be동사」를 생략해서 현재분사·과거분사 형태로 선행사를 수식할 수 있을 때
   • 관계부사가 생략되는 경우
     ① how의 선행사가 방법(the way)일 때
     ② why의 선행사가 이유(the reason)일 때

600 The book [(**that**) he gave me as a birthday gift] / was very interesting.
목적격 관계대명사 생략

그가 내게 생일선물로 준 그 책은 / 매우 흥미로웠다.

601 A man described some reasons [(**why**) he had so many snakes].
관계부사 why 생략

한 남자는 그렇게 많은 뱀을 갖고 있었던 이유에 대해서 설명했다.

생략할 수 있는 부분에 밑줄을 치시오.

602 The girl whom you met yesterday is my sister.

603 They have no bed which they can sleep in.

604 I have never read a poem which was written by him.

605 This is the reason why I called you yesterday.

606 He was accepted into the university which he was interested in.

607 Dogs aren't affected by external circumstances the way how we are. [수능]

608 His father saw a box on the land which was covered with snow.

609 Defensive lies are those that are told to protect oneself and others.

610 People are sometimes motivated to find negative qualities in individuals whom they do not expect to see again.　　　　　　　[평가원]

- 선행사(명사) **,** + **관계대명사** who, which, whose
  접속사+대명사: 그리고 그 사람(그것)은 ~

- 선행사(명사) **,** + **관계부사** when, where
  접속사+부사: 그리고 그때 ~, 그리고 거기서 ~

>>> 관계사 앞에 콤마(,)가 있는 경우 관계사는 계속적 용법으로 쓰이며, 관계대명사는 「접속사+대명사」로, 관계부사는 「접속사+부사」로 바꿔 쓸 수 있다. 관계대명사의 경우 앞 문장 전체의 내용을 선행사로 받는 경우가 있는데, 그 때 관계대명사는 단수 취급한다.

참고 · 관계대명사 that과 what은 계속적 용법으로 쓰이지 못한다.
· 「수량대명사+of+목적격 관계대명사」의 형태로 쓰이는 경우 역시 계속적 용법의 관계절로 「접속사+대명사」의 역할을 한다.

---

611 The groom wears a tuxedo, // [**which** is commonly rented just for his
   선행사   계속적 용법의 관계대명사
wedding day].

신랑은 턱시도를 입는데, // 그것은 보통 결혼식 날만을 위해 대여된다.

612 In Europe, / [**where** it is colder and drier], // insects are small in size.
   선행사   계속적 용법의 관계부사
유럽에서, / 더 춥고 건조한 그곳에서는 // 곤충들의 크기가 작다.

---

613 The boy, who was born poor, became rich.

614 She left school at 9 a.m., when she received a call.

615 I have collected many books, some of which are very rare.

616 There are 20 coins in a purse, some of which are quarters, and some are dimes.

617 In fact, they became bigger than most trained sea lions in the past, which weren't given enough food. [평가원]

618 In the 1950s, when my dad was a little boy, my grandpa built a 600-square-foot cottage. [수능]

619 During the post-Revolution frenzy, Fourier spoke out against the use of the guillotine, for which he almost lost his life. [평가원]

구문 유형 **66** 전치사 + 관계대명사

선행사(명사) + { 전치사 + 관계대명사 + [S + V] / (관계대명사) + [S + V] + 전치사 }

>>> 관계대명사가 문장에서 전치사의 목적어 역할을 할 때, 전치사는 관계대명사 바로 앞에 두기도 하고 문장 맨 뒤에 두기도 한다. 문장 맨 뒤에 둘 경우 관계대명사는 생략 가능하다.

참고 that은 전치사의 목적어로 쓰일 수 없다.

620 Mathematics is the subject / [**in which** I have little interest].
     선행사   전치사＋관계대명사
     수학은 (~한) 과목이다 / 내가 거의 관심을 갖고 있지 않은.

621 Kevin has a horse / [**of whom** he's proud].
     선행사   전치사＋관계대명사
     Kevin은 말을 한 마리 갖고 있다 / 그가 자랑스러워하는.

622 That is the temperature at which water boils.

623 I want to buy the house in which my grandfather had lived.

624 German was the subject with which I was most familiar.

625 There are no chairs on which people can sit.

626 People should take actions to reduce the amount of benzene to which they're exposed.

627 People nearly always eat the one for which they paid full price. [평가원]

628 His children, of whom he was extremely proud, have followed in his footsteps.

629 Both the eye and a camera have a light-sensitive layer onto which the image is cast (the retina and film, respectively). [수능]

구문 유형 **67** 유사 관계대명사 as, but, than

$$선행사(명사) \ + \ \left\{ \begin{array}{l} as \\ but \\ than \end{array} \right\}$$

>>> 접속사인 as, but, than이 절 안에서 주어나 목적어 역할을 하면서, 앞에 있는 선행사(명사)를 수식하는 관계대명사처럼 사용될 때가 있는데, 이를 유사 관계대명사라고 한다.

참고 as는 선행사 앞에 as, such, the same 등이 오고, but은 선행사 앞에 부정어가 오며, than은 선행사 앞에 비교급이 오는 경우가 일반적이다.

630   I want to buy the same watch / [as my sister has].
          선행사   유사 관계대명사
      나는 똑같은 시계를 사고 싶다 / 내 여동생이 가지고 있는 것과.

631   There are few people / [but waste their time and money].
                선행사   유사 관계대명사(= who don't waste ~)
      (~하는) 사람들은 거의 없다 / 그들의 시간과 돈을 낭비하지 않는.

632   He is such a nice teacher, as every student likes his class.

633   There is no mother but loves her child.

634   There is more information than is needed.

635   There's no person but understands what he says.

636   Aiden was late for work, as is often the case with him.

637   Instead, people created a new environment for food plants, and selected
      other characteristics than nature previously had.   [수능]

구문 독해 PRACTICE

A 네모 안에서 어법상 알맞은 것을 고르고, (A)와 (B)를 해석하시오.

respire 호흡하다
deprive 빼앗다
at pleasure 자유자재로
confine 가두다

1 Even fish, which do not sensibly respire, die very soon (A) if the water in that / which they live is deprived of oxygen gas. Frogs, which can suspend their respiration at pleasure, die in about forty minutes, (B) if the water which / where they have been confined is covered with oil.

(A) _____

(B) _____

fertile 비옥한

2 Because of our carelessness, deserts were spreading over regions (A) when / where there had been once green, fertile land. To solve this problem, the French had marked the track with black oil drums, (B) that / which was helpful for travelers to cross the desert. [교육청]

(A) _____

(B) _____

B 선행사를 찾아 밑줄을 긋고, 생략된 관계사를 쓰시오.

be drawn to (마음이) 끌리다

1 At 2:00 p.m. on Sunday, April 22, attending artists will share the reasons they were drawn to paint the scenes.

⇨ _____

empathy 공감
trait 특성

2 Empathy is a character trait we value in ourselves and in our friends, colleagues, and the professionals. [평가원]

⇨ _____

C 어법상 틀린 것을 찾아 바르게 고쳐 쓰시오.

danger-spotting 위험을 감
지한
predator 포식자
gene 유전자

1 In crying out, the danger-spotting squirrel draws attention to itself, ① which may well attract the predator. Scientists ② used to think that animals would risk their lives like this only for kin ③ whom they shared common genes. [평가원]

_____ ⇨ _____

self-deception 자기기만
cognitively 인지적으로

2 Humans favor the positive information and ignore the negative information; thus they use self-deceptions ① that allowing them to see the world the way they want it to be rather than ② the way it is. Humans construct the way they see the world and often also use cognitively simple self-deceptions ③ to build it.

_____ ⇨ _____

D 밑줄 친 우리말과 뜻이 통하도록 주어진 단어를 알맞게 배열하시오.

distinctness 뚜렷함

1 "For my own part," he said in an 1846 article in *Graham's Magazine*, "I have never had a thought 내가 글로 적을 수 없는, with even more distinctness than that with which I conceived it. [수능]

[set, words, could, which, down, not, in, I]

⇨ _____

microorganism 미생물
earthworm 지렁이

2 Plants know how to attract to their own rotting only those microorganisms and earthworms that will produce beneficial minerals 그 식물들의 형제자매들이 자라날 흙에. [평가원]

[the plants', the, for, grow, siblings, where, will, soil]

⇨ _____

1 다음 글의 밑줄 친 부분 중, 어법상 틀린 것은?

fluctuate 변동하다
encounter 우연히 만나다
ecstatically 황홀하게
ladybug 무당벌레

Our abilities fluctuate ① as we move through life. Children have the ability ② to experience things with wonder, things that adults tend to see with bored eyes. My husband and his friend took a walk at lunchtime on a beautiful day. They stopped at a bookstore ③ where his friend bought a new, expensive computer book that he had wanted to get. As they were walking back to work, they encountered a little boy ④ who said ecstatically to his mother, "Look, Mom, *a ladybug*!" My husband's friend said, "Darn! I know I'm never going to get as much enjoyment out of this book as that kid ⑤ was from a bug!"

2 (A), (B), (C)의 각 네모 안에서 어법에 맞는 표현으로 가장 적절한 것은?

supervise 감독하다
bend 구부리다
ethical 윤리적인
embed ~에 끼우다, 박다
practice 관행
interpret 해석하다
clash 충돌하다
arithmetic 산술적인

Anybody who has raised a child, sustained a friendship or marriage, supervised others in the workplace, or worked to serve others (A) know / knows the limits of rules and principles. We can't live without them, but not a day goes by when we don't have to bend one, or make an exception, or balance them when they conflict. We're always solving the ethical puzzles that are embedded in our practices (B) because / because of most of our choices involve interpreting rules, or balancing clashing principles or aims, or choosing between better and worse. We're always trying to find the right balance. Aristotle called this balance the "mean," (C) which / that was not the arithmetic average. Rather, it was the right balance in a particular circumstance.

	(A)		(B)		(C)
①	know	–	because	–	which
②	know	–	because of	–	that
③	knows	–	because of	–	which
④	knows	–	because	–	which
⑤	knows	–	because	–	that

3 주어진 글 다음에 이어질 글의 순서로 가장 적절한 것은?

Asked by a *Wall Street Journal* reporter to describe his management style, Smith stared back for an uncomfortably long time and answered with a single word: "Eccentric." But his soft demeanor concealed a fierce resolve.

(A) Everyone said this was a huge mistake, and Wall Street downgraded Kimberly-Clark's stock. But Smith, unmoved by the crowd, did what he thought was right.

(B) Soon after being appointed CEO, Smith made a dramatic decision to sell the mills that produced the company's core business of coated paper and invest in the consumer-paper-products industry, which he believed had better economics and a brighter future.

(C) As a result, the company grew stronger and soon outpaced its rivals. Asked later about his strategy, Smith replied that he never stopped trying to become qualified for the job.

① (A) – (C) – (B)   ② (B) – (A) – (C)   ③ (B) – (C) – (A)
④ (C) – (A) – (B)   ⑤ (C) – (B) – (A)

구문 유형 **68** 이유·원인의 부사절

$$\left.\begin{array}{l} \text{because} \\ \text{since} \\ \text{as} \\ \text{now that} \end{array}\right\} + \text{S' + V', 주절}$$

>>> 접속사 because, since, as, now that 등이 이끄는 절은 이유나 원인의 부사절이 되고, '~이기 때문에'의 의미를 가진다.

---

638 I can't see you today **// because I have to take care of my sister**.

나는 오늘 너를 만날 수 없다 // 나는 여동생을 돌봐야 하기 때문에.

639 **As he was late again,** // he was scolded by his teacher.

그는 또 지각했기 때문에, // 선생님께 꾸중을 들었다.

640 **Since I know his phone number,** // I will let you know it.

그의 전화번호를 알고 있기 때문에, // 나는 그것을 네게 알려주겠다.

641 **Now that they were so hungry,** // they began to look for a restaurant.

그들은 무척 배가 고팠기 때문에, // 그들은 식당을 찾기 시작했다.

---

642 Some workers are leaving the company because they're unhappy with the work.

643 Now that it became quiet, he could concentrate on his thoughts.

644   Now that he was retired, he spent much of his free time helping out in the community.

645   I feel I've become a lot healthier as I don't eat junk food anymore.

646   He wanted to become an officer but was not allowed to because he was the son of a tailor.   [수능 응용]

647   Classical costume has no form in itself, as it consists of a simple rectangular piece of cloth.   [평가원 응용]

구문 유형 **69** 시간의 부사절

```
┌ when (~할 때)
│ while (~하는 동안)
│ as (~할 때; ~하면서)
│ since (~한 이래로)
│ after (~하고 나서)
┤ before (~하기 전에)                    ┐
│ until(till) (~할 때까지)               ├ + S' + V', 주절
│ as soon as (~하자마자)                  ┘
│ hardly(scarcely) ~ when ... (~하자마자)
└ no sooner ~ than ... (~하자마자) 등
```

>>> 접속사 when, while, as, since, after, before, until(till), as soon as, hardly(scarcely)~ when..., no sooner ~ than... 등이 이끄는 절은 시간의 부사절이 된다.

참고 the moment, the minute, the instant 등도 '~하는 순간에'라는 뜻으로 부사절을 이끌 수 있다. 시간의 부사절에서는 will을 사용하여 미래를 표현할 수 없고, 현재시제를 사용하여 미래를 표현해야 한다.

648   Please call me // **when you arrive at the airport**.

나에게 전화해 주시오 // 당신이 공항에 도착할 때.

649 Mary has been living in Korea // **since she was born**.

Mary는 한국에서 살고 있다 // 그녀가 태어난 이래로.

650 Mike hopes to start working // **as soon as he graduates from college**.

Mike는 일을 시작하기를 희망한다 // 그가 대학을 졸업하자마자.

651 **No sooner** had she opened the door // **than** it began to rain heavily.

그녀가 문을 열자마자 // 비가 심하게 오기 시작했다.

---

652 As soon as he opened his eyes he saw the beautiful scenery.

653 I suggest you should not give up until you reach your goal.

654 Hardly had the words left my mouth when he became happy.

655 Wash your vegetables thoroughly before you cook them.

656 As soon as I open the front door to look outside, they're beside me in a flash.   [수능 응용]

657 When the body mobilizes to fight off infectious agents, it generates a burst of free radicals.   [수능 응용]

구문 유형 **70** 조건의 부사절

> if (만약 ~라면)
> unless (만약 ~이 아니라면)
> once (일단 ~하면)
> in case (만약 ~인 경우에는)
> } + S' + V', 주절

>>> 접속사 if, unless, once, in case 등이 이끄는 절은 조건의 부사절이 된다.

참고 suppose (that), supposing (that)은 if의 대용어구로 조건의 부사절을 이끌 수 있다. 조건의 부사절에서는 현재시제를 사용하여 미래를 표현해야 한다.

---

658 **If it rains tomorrow**, // we'll have to cancel our camping trip.

내일 비가 오면, // 우리의 캠핑 여행을 취소해야 할 것이다.

659 **Once she gets what she wants**, // she will leave soon.

일단 그녀는 자신이 원하는 것을 가지면, // 그녀는 곧 떠날 것이다.

660 People rarely succeed // **unless they have fun in what they are doing**.

사람들은 거의 성공하지 못한다 // 자기가 하고 있는 일에 재미를 갖지 않으면.   – Dale Carnegie

661 **In case you lose your passport abroad**, // go to the embassy of your country.

만약 당신이 외국에서 여권을 잃어버리는 경우에는, // 자국의 대사관으로 가시오.

---

662 Once their baby cries, parents believe that he or she is hungry.

663 Unless you help me, I cannot make a success of the work.

664 If you enjoy music, combining it with exercise will make your workout more fun.

665 In case you get seasick, go outside and look at the horizon.

666 Once you've started, it can take just six weeks to see an improvement.

[수능 응용]

667   Unless we can understand how others think and feel, it's difficult to
know the right thing to do.   [평가원 응용]

구문 유형 71   **목적·결과의 부사절**

- **목적의 부사절**
  - so that = in order that (~하기 위해서, ~하도록)
  - lest (~하지 않기 위해서)   } + S' + V', 주절

- **결과의 부사절**
  - so+형용사(부사) ~ (that)... (아주 ~해서 …하다)
  - such (a/an)+(형용사)+명사 ~ that... (아주 ~해서 …하다)   } + S' + V'
  - ~(,) so (that) (그래서, ~하여)

▶▶▶ so that, in order that, lest, for fear (that), in case 등이 이끄는 절은 목적의 부사절이고, so ~ (that)..., such ~ (that) ...등이 이끄는 절은 결과의 부사절이다.

---

668   We have to take blankets // **so that we may keep warm**.

우리는 담요를 가져가야 한다 // 따뜻하게 유지하기 위해서.

669   They have to work together // **in order that they solve the problem**.

그들은 협력해야 한다 // 그 문제를 해결하기 위해서.

670   He wrote down the address // **lest he should forget it**.

그는 그 주소를 적어 두었다 // 그것을 잊어버리지 않기 위해서.

671   They were **so happy** // **that they could not believe the news**.

그들은 너무 기뻐서 // 그 소식을 믿을 수가 없었다.

---

672 She's learning French in order that she can study French literature.

673 Peter was so busy that his room was just a place to sleep in.

674 You should identify your strengths in order that you can find the right career for you.

675 Jejudo was such a beautiful place that we decided to stay on the island for a couple more days.

676 Schedule intervals of productive time and breaks so that you get the most from people. [평가원 응용]

677 Sports became so complex for him that he forgot how to enjoy himself. [평가원 응용]

구문 유형 **72** 양보·대조의 부사절

┌ **(even) though, although** (~에도 불구하고, 비록 ~이지만) ┐
│ **(even) if** (비록 ~일지라도) │
│ **whoever, whichever, whatever, whenever,** │ + S' + V', 주절
│ **wherever, however** │
└ **no matter what(who, when, where, how)** ┘

참고 양보절을 이끄는 as는 도치구문에서만 쓰인다.

678 It's not the end of the world // **even if you don't know every answer.**
세상의 끝이 아니다 // 비록 당신이 모든 답을 알지는 못하더라도.

679 **Although she was not hungry**, // she knew she must eat.

그녀는 배가 고프지는 않았지만, // 그녀는 먹어야 한다는 것을 알았다.

680 **Whatever happens**, // don't give up your dream.

무슨 일이 일어나더라도, // 당신의 꿈을 포기하지 말라.

681 Try to get up at the same time each day, // **no matter when you go to bed**.

매일 같은 시각에 일어나도록 애써라, // 당신이 언제 잠자리에 들더라도.

---

682 Braille was a good pupil at school, although he was blind.

683 You will have fun no matter where you are in this country.

684 However cheap a product is, people still want proper service.

685 Although there was a language barrier, it didn't seem to matter.

686 No matter how appealing the taste, an unattractive appearance is hard to overlook.　　　　　　　　　[평가원 응용]

687 People take longer to leave a parking spot when another driver is waiting, even though they predict they will not.　　　　　　[평가원 응용]

구문 유형 **73** 양태의 부사절

> as (~처럼, ~이듯이, ~대로)
> as(so) far as (~하는 한) } + S' + V', 주절
> as(so) long as (~하는 한)

688 We would like to have the unlimited freedom // to do **as we like**.

우리는 무한한 자유를 갖고 싶어 한다 // 우리가 원하는 대로 할 수 있는.

689 **As far as I know**, // it takes an hour to get to the airport.

내가 아는 한, // 공항에 도착하는데 한 시간이 걸린다.

690 Eating a little bit of dark chocolate is good for your health, // **so long as you don't eat too much of it**.

다크 초콜릿을 약간 먹는 것은 건강에 좋다, // 그것을 너무 많이 먹지 않는 한.

691 **As long as you are happy**, // there is no problem with us.

네가 행복한 이상, // 우리에게는 아무런 문제가 없다.

692 Artificial intelligence enables computers to process information as humans do.

693 A book is worth reading as long as you can learn from it.

694 As far as I know, the doctor does his best to help his patients.

695 You will get the tickets so long as you arrive before 8 a.m.

696 If only you were more like me, and living life as I see it, you would be a lot better off. [평가원 응용]

697 As far as we can tell, we are only doing what is right and proper and reasonable. [평가원 응용]

A 부사절을 찾아서 밑줄을 긋고, 그 부분을 해석하시오.

pasture 목초지
overgrazing 과도한 방목

1 It is inevitable that more and more animals will be brought onto the pasture until overgrazing totally destroys the pasture.　　　[수능]

⇨ _____

assess 평가하다
take action 조치를 취하다

2 Now that the harsh winter is finally behind us, it's time to assess the damage to your property and take action.

⇨ _____

B 괄호 안에 알맞은 접속사를 쓰고, 밑줄 친 부분을 해석하시오.

squarely 똑바로
rigid 굳어 있는, 경직된

1 I would like everyone to start this exercise by placing your feet squarely on the ground and sitting up in your chair (　　　　) your back is straight but not rigid.

⇨ _____

bearer 전달자

2 On either side of the aisle Mary and David stood still. Mary, a flower girl, kept an eye on her little brother David, (　　　　) he should fail at his duties as ring bearer.

⇨ _____

C 밑줄 친 단어를 어법에 맞게 배열하시오.

dormant 휴면의, 동면의
set in 시작되다

1 Thick seed coats are often essential for seeds to survive in a natural environment (remain dormant, the seeds of many wild plants, for months, because) until winter is over and rain sets in.   [수능]

⇨ _____

radiation 복사 에너지
emit 방출하다
vaporize 증발하다

2 It is difficult to appreciate what a temperature of 20,000,000℃ means. If the solar surface, not the center, were as hot as this, the radiation emitted into space would be so great (would be vaporized, that, the whole Earth, within a few minutes).   [평가원]

⇨ _____

D 밑줄 친 우리말과 뜻이 통하도록 주어진 단어를 알맞게 배열하시오.

indulge in ~에 빠져들다

1 Think about the things you really enjoy whether it's reading, cooking, watching television or going to the cinema. 당신이 무엇을 좋아하든지 간에, there's a good chance that you find the time to indulge in it.

[like, whatever, you]

⇨ _____

authority 권위
figuratively 비유적으로

2 During this lengthy process, whenever he feels threatened, he turns back toward the safety of his parents' love and authority. In other words, it is impossible for a child to successfully release himself 그 아이가 부모가 정확하게 어디에 '있는지' 알지 못한다면, both literally and figuratively.   [수능]

[he, exactly, his parents, knows, where, 'stand', unless]

⇨ _____

실전 독해 PRACTICE

1 다음 글의 밑줄 친 부분 중, 어법상 <u>틀린</u> 것은?

predator 포식자
make a point of ~ing 으레
~하다
instinctively 본능적으로
at risk 위태로운
flash 번쩍이다
stoicism 극기, 금욕
disadvantage 불이익
when it comes to ~에 관해서
veterinary 수의사의
subtle 포착하기 어려운
keen 예리한

　Because cats are both predator and prey, they make a point of ① hiding any kind of weakness. They know instinctively that displaying pain ② puts them at risk from other predators, so they do their best ③ to mask it. There's a big neon sign in the wild that flashes "Sick Is Supper!" so cats have evolved to keep pain ④ hidden. That stoicism works to their disadvantage when it comes to veterinary care. The signs that a cat is in pain are so subtle ⑤ which most people miss them, unless they are keen observers of their cats.

2 다음 글의 빈칸에 들어갈 말로 가장 적절한 것은?

mythic 신화의
narrator 화자
drop out 빠지다
variation 변이, 변형
nevertheless 그럼에도 불구하고
belong to ~에 속하다
theoretically 이론적으로

　Mythic thought _____.
A myth no sooner comes into being than it is modified through a change of narrator, either within the tribal group, or as it passes from one community to another. Some elements drop out and are replaced by others, sequences change places, and the modified structure moves through a series of states. Nevertheless, the variations of the myth still belong to the same set. Theoretically, at least, there is no limit to the possible number of transformations.

① is the product of the creative imagination
② gives us models of how we ought to behave
③ enables communication between dissimilar cultures
④ is built on particular social and historical occasions
⑤ operates essentially through a process of transformation

3 (A), (B), (C)의 각 네모 안에서 어법에 맞는 표현으로 가장 적절한 것은?

hung up 지체된, 마음이 놓이지
않는
hardness 무심함, 무정함
excuse 변명
harden 굳히다
unaware ~을 모르고 있는
uncaring 남을 개의치 않는

You must not get hung up on whether or not another person wants to be forgiven or (A) deserving / deserves it. If you wait for that individual to want it, you may waste your life (B) to wait / waiting for something that will never happen. The hardness of another's heart is not an excuse for you to harden yours. Forgive freely even though the person is unaware that he hurt you. Forgive even though the person denies that it is his problem. Forgive even though the person is continuing to hurt others in his uncaring way. Give him or her forgiveness from your heart (C) so that / even if your heart can be free.

	(A)		(B)		(C)
①	deserving	—	to wait	—	so that
②	deserving	—	waiting	—	even if
③	deserves	—	waiting	—	so that
④	deserves	—	to wait	—	so that
⑤	deserves	—	waiting	—	even if

1   (A), (B), (C)의 각 네모 안에서 어법에 맞는 표현으로 가장 적절한 것은?

There is some evidence (A) which / that being scared can help a person manage stressful situations. Things like giving a presentation in front of your class or performing in a school play can make us fearful and anxious. But these experiences help build a sort of endurance to fear that makes us more confident. You become more comfortable with the physical experience of fear, and so you're better able to work through it during tense situations. (B) Despite / Though some haunting may be healthy, it's important to remember that people experience fear in different ways. (C) What / When may be fun for one person could be too scary for another. Especially, kids younger than six or seven can't separate real and make-believe, so seeing something frightening could have lasting, negative effects.

	(A)		(B)		(C)
①	which	–	Despite	–	What
②	which	–	Though	–	When
③	which	–	Though	–	What
④	that	–	Though	–	What
⑤	that	–	Despite	–	When

2 다음 글의 밑줄 친 부분 중 어법상 틀린 것은?

Why is it ① that people in Central and South America, India, Africa, Southeast Asia and the Caribbean eat foods flavored with hot chile peppers and spices? There is a reason, and you'll find it actually pretty ② smart when you think about it — spicy foods make you sweat, which in turn helps you cool down faster. ③ Even if you may be inclined to cool down with a tall glass of iced tea on a sweltering summer's day, the effect isn't lasting. After a while you're back to where you started — hot and bothered. That's ④ because of your internal temperature is cooled too rapidly, and your body ends up compensating by raising your temperature. Eating spicy foods works differently. Your blood circulation increases, you start sweating and once your moisture ⑤ has evaporated, you've cooled off.

3 다음 글의 밑줄 친 부분 중, 어법상 틀린 것은?

We fear the extraordinary because we fear change. We fear change because of the discomfort ① that we all go through as we attempt to do something new for the first time. With change ② comes growth, but we will never grow if we never change. And if we never grow, we will never get what it is that we really want out of life. Our dreams will never come to pass. When we are in the process of growth, we are expanding our capacity ③ to absorb the pain of fear and go to a place ④ which we have never gone before. All of a sudden we find ourselves thousands of miles away from our comfort zone. There is no ⑤ turning back. We are in uncharted territory. We don't have a clue to what the next second will bring. We are now living in the extraordinary zone.

4   (A), (B), (C)의 각 네모 안에서 어법에 맞는 표현으로 가장 적절한 것은?

My father and I traveled into the Abu Mountains (A) which / in which we could hunt caribou. I soon spotted large herds of animals drinking water in the distant pond and got close to them. "Bang!" One fell down. "Bang!" And then another. The (B) remaining / remained caribou raced over the hill. "Dad, I've got two caribou," I proudly told him. "Can you help me carry them back to camp?" Never had I seen him so angry. "I've told you many times (C) that / when you should never take more than you can carry by yourself," he roared. "You killed them, so YOU do it!" I struggled back and forth with them, promising myself never to make the same mistake again.

	(A)		(B)		(C)
①	which	–	remaining	–	that
②	which	–	remained	–	when
③	in which	–	remaining	–	that
④	in which	–	remaining	–	when
⑤	in which	–	remained	–	when

5   다음 글의 밑줄 친 부분 중, 어법상 틀린 것은?

Once, in heaven, there was a discussion among the gods to decide where the miraculous secret power, the power ① by which man can achieve anything in this world, was to be kept hidden. One of the gods suggested ② that it could be kept hidden in the depths of the sea. Another said it could be buried on top of high mountains. The third ③ one thought of a cave in the woods as the right place. At last, the most intelligent among them said, "Keep it in the depths of man's mind. He will never suspect that the power is hidden there ④ because of, right from his childhood, his mind is prone to wandering, and he will not look within. Only the intelligent among them will look within and use the power and become ⑤ great." All gods agreed.

---

6 글의 흐름으로 보아, 주어진 문장이 들어가기에 가장 적절한 곳은?

> To my surprise, my readings were just as successful as ever.

I was in my teens when I started reading palms as a way to supplement my income from doing magic shows. (①) At first I did not believe in palmistry, but I knew that to make money I had to act as if I did. (②) After a few years I became a firm believer in palmistry. (③) One day the late Stanley Jordan, who was a man I respected, suggested that it would make an interesting experiment if I deliberately gave readings opposite to what the lines indicated. (④) At first I thought his suggestion was absolutely absurd, but I tried this out with a few clients. (⑤) Ever since then I have been interested in the powerful forces that convince us, palm reader and client alike, that saying becomes believing.

7 (A), (B), (C)의 각 네모 안에서 어법에 맞는 표현으로 가장 적절한 것은?

Confident people all have great vision. They continuously think and speak in terms of already (A) | accomplish / accomplishing | their goals. They view setbacks as tremendous opportunities for comebacks. They always refer to their problems as challenges. They believe that it is always too soon to quit. The confident person believes wholeheartedly that if they are willing to do (B) | that / what | most people will not do, they will one day have the things that most people will never have. They have the ability to see the invisible. They see the end before they actually arrive there. They continuously imagine themselves as (C) | being / having | already achieved their goals even though, in reality, they are still doing the work to reach them. You have to visualize things before they can actually materialize.

	(A)		(B)		(C)
①	accomplish	—	that	—	being
②	accomplish	—	that	—	having
③	accomplishing	—	what	—	being
④	accomplishing	—	what	—	having
⑤	accomplishing	—	that	—	having

8 다음 글의 내용을 한 문장으로 요약하고자 한다. 빈칸 (A)와 (B)에 들어갈 말로 가장 적절한 것은?

Hold a seashell to your ear. What do you hear? It may sound like wind or waves, but what you are really hearing are faint sounds which are always around us but are too soft for us to hear. The seashell acts as a resonator — something that makes noises echo back and forth. This is mostly because of the shell's shape and smooth inner surface. When you hold the shell to your ear, it makes these very faint sounds around you louder so that you can hear them. The fact that all shells sound just a little bit like the ocean is coincidental. If you were to hold a seashell to your ear in a soundproof room, you wouldn't hear anything because there would be no noises for the shell to pick up.

The shape of the seashell (A) _____ the sound, so you can hear the (B) _____ sound when you put it near your ear.

     (A)   (B)
① mixes   –   everyday
② mixes   –   musical
③ amplifies –   everyday
④ amplifies –   imaginary
⑤ absorbs   –   musical

9 다음 글의 요지로 가장 적절한 것은?

It is so much better for children to see that even though their parents may have disagreements from time to time, they are committed to one another and committed to staying together. It is also a good lesson for children to be able to observe that their parents have the ability to work through their problems. I can't stress this strongly enough: If you want your child to learn how to resolve his own conflicts, then you need to be an example. You need to show him how it's done. If you can't solve your own problems, your child will almost certainly grow up unable to deal constructively with his own difficulties in life. So learn how to face your problems and how to overcome them.

① 부모는 자녀의 사생활을 존중해 주어야 한다.
② 부모는 자녀에게 문제해결의 모범을 보여야 한다.
③ 화목한 가정을 위해 가족 간의 많은 대화가 필요하다.
④ 자녀에게 부모의 가치관을 일방적으로 강요해서는 안 된다.
⑤ 가정 내의 갈등 해결을 위해 때로는 전문가의 도움이 필요하다.

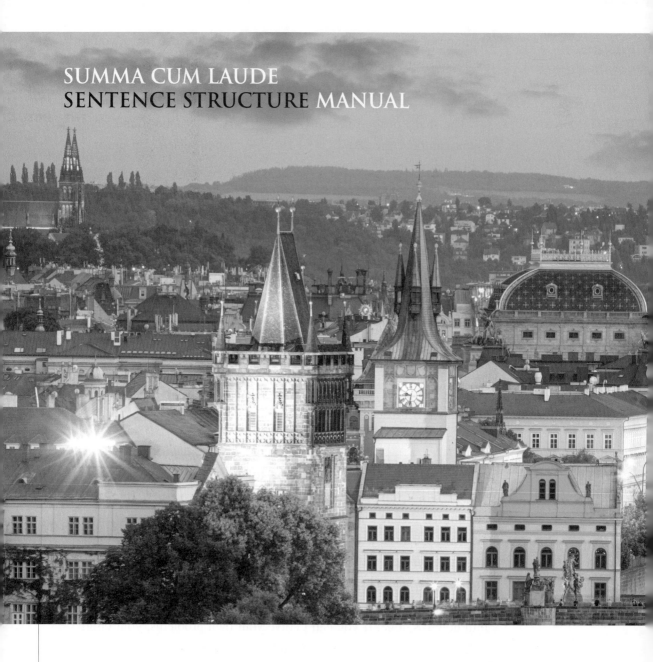

SUMMA CUM LAUDE
SENTENCE STRUCTURE MANUAL

숨마쿰라우데®

[구문독해 매뉴얼]

CHAPTER **5**

기타 구문

구문 유형 **74** 구별의 from

$$\left\{ \begin{array}{c} \textbf{from} \\ \text{∼와 (다른)} \end{array} \right\} + \text{명사 (상당어구)}$$

· distinguish(tell, know) A from B: A와 B를 구별(구분)하다

>>> 전치사 from은 구별을 나타내어 '∼와 (다른)'의 의미로 쓰인다.

---

698   Can you **distinguish** grass / **from** rice?

당신은 풀과 (∼을) 구별할 수 있는가 / 벼를?

699   Look carefully, and you can **tell** fossils / **from** rocks.

주의 깊게 보라, 그러면 화석과 (∼을) 구별할 수 있다 / 바위를.

---

700   I can't tell the girls from the boys these days.

701   Due to his mental illness, the actor can't distinguish dreams from reality.

702   We can tell these changes from other shapes, but we do not accept them.

[수능 응용]

703   Democracies are distinguished from dictatorships in terms of the extent of citizens' rights.

[평가원 응용]

704 We can't know the dancer from the dance, of course, as Yeats makes clear.

구문 유형 75 · 방해·억제의 from

$$\left\{ \begin{array}{c} \text{from} \end{array} \right\} + \text{명사 (상당어구)}$$

～에서, ～로부터

• **prevent(stop, keep, prohibit, discourage) A from -ing: A가 ～하는 것을 막다**

>>> 전치사 from은 방지, 금지를 나타내어 '～에서, ～로부터'의 의미로 쓰인다.

705 Do something to **prevent** the same thing / **from** happening again.

같은 일이 (～하는 것을) 막기 위해 무언가 하시오 / 다시 발생하는 것으로부터.

706 The law will **discourage** people / **from** committing crimes.

그 법은 사람들을 저지할 것이다 / 범죄를 저지르는 것으로부터.

707 We can stop these worries from growing.   [평가원]

708 The fence prevented the cows from running away.

709 Nobody could keep the boy from drawing on the wall.

710 These are the requirements for preventing children from being disobedient to their parents.   [수능 응용]

711 The regulation will discourage excellent engineers from working in this country.

$$\left\{\begin{array}{c} of \end{array}\right\} \quad + \quad \text{명사 (상당어구)}$$

~을, ~의 이유로

- **remind(inform) A of B**: A에게 B를 생각나게 하다(알리다)
- **convince(assure) A of B**: A에게 B를 납득시키다(확언하다)
- **accuse A of B**: A를 B의 이유로 고발하다

>>> 전치사 of는 어떤 것에 관련된 것을 나타내어 '~을, ~의 이유로'의 의미로 쓰인다.

---

712   That funny lady **reminds** me / **of** my aunt.

저 재미있는 여인은 나에게 생각나게 한다 / 우리 이모를.

713   The painter **accused** his assistant / **of** copying his artwork.

그 화가는 그의 조수를 고발했다 / 그의 작품을 베낀 이유로.

---

714   I tried, but I couldn't convince them of his honesty.

715   We would like to assure our customers of the best service.

716   We should convince the chairperson of the need to hold a meeting.

717   Your question reminds me of when I acted for the first time.

718   The lawyer convinced the jury of the man's innocence.

77 분리·박탈의 of

$$\left\{\begin{array}{c} \text{of} \\ {}_{\sim을} \end{array}\right\} + \text{명사 (상당어구)}$$

- **rob(deprive) A of B:** A로부터 B를 빼앗다
- **relieve(cure) A of B:** A로부터 B를 덜어주다(치료하다)

>>> 전치사 of는 어떤 사람이나 사물로부터의 분리·박탈을 나타내어 '~을'의 의미로 쓰인다.

---

719 The man **robbed** the lady / **of** her wallet.

그 남자는 그 여자로부터 훔쳤다 / 그녀의 지갑을.

720 The task will **deprive** you / **of** your free time.

그 과업은 여러분으로부터 박탈할 것이다 / 여러분의 자유 시간을.

---

721 The famous doctor cured a child of a bad illness.

722 Pirates boarded the ships and robbed the crew of money and valuables.

723 The bad uncle tried to rob Clara of her share of the property.

724 If you deprive the sea lions of food, they can't grow.　　　　[평가원 응용]

구문 유형 **78** 이유·교환의 for

$$\left\{ \text{for} \right\} \ + \ \text{명사 (상당어구)}$$

～으로, ～에 대해, ～대신에

- **blame(scold, thank) A for B: B에 대해 A를 탓하다**
- **substitute A for B: B를 A로 대체하다**

>>> 전치사 for는 교환의 대상을 나타내어 '～으로, ～에 대해, ～대신에'의 의미로 쓰인다.

---

725 The manager was **blamed for** the loss of money.

지배인은 손해를 본 것에 대해 비난을 받았다.

726 You can't **substitute** vitamin C supplements / **for** vegetables.

여러분은 비타민 C 보충제로 (～을) 대체할 수 없다 / 채소를.

---

727 I substituted oil for butter in my chocolate chip cookies.

728 Thank you for participating in the volunteer project.

729 Hitler blamed the Jews for the hardship that weighed down upon his country.

730 The boss scolded the employee for playing PC games during work hours.

{ as } + 명사 (상당어구)
~로(서)

• **regard(look upon, think of, consider) A as B: A를 B로 여기다**

>>> 전치사 as는 '~로(서)'의 의미로 쓰인다. as 뒤에 「being＋형용사」가 오면 being은 자주 생략된다.

731 Ryan **thinks of** Ben / **as** his best friend.

Ryan은 Ben을 (~로) 생각한다 / 그의 가장 친한 친구로.

732 The students **regarded** her / **as** a great poet.

학생들은 그녀를 (~로) 여겼다 / 위대한 시인으로.

733 The villagers tend to look on a stranger as an enemy.

734 The blacksmiths regarded the process as unnecessary.

735 A book that calls itself the novelization of a film is regarded as something inferior. [수능 응용]

736 These additional costs might be thought of as a metaphorical 'low ball' that the salesperson throws to the consumer. [수능]

737 Words like "moron" and "negro" are considered as insults, but they were not a century ago.

구문 유형 **80** 재료·공급의 with

$$\left\{ \begin{array}{c} \textbf{with} \\ {\sim} \text{으로, } {\sim} \text{을} \end{array} \right\} \quad + \quad \text{명사 (상당어구)}$$

· **provide(supply, present) A with B**: A에게 B를 공급하다

>>> 전치사 with 는 재료, 내용물, 공급을 나타내어 '~으로, ~을'의 의미로 쓰인다.

[참고] 「provide A with B」는 보통 「provide B to(for) A」로 바꿔 쓸 수 있다.

---

738   The lake **provided** the people living nearby / **with** fish.

그 호수는 근처에 사는 사람들에게 제공했다 / 생선을.
= The lake **provided** fish **to** the people living nearby.

---

739   The critics were presented with a weird painting.

740   He presented the queen with a diamond necklace.

741   The mountain provided the factories with firewood.

742   The Russians supplied the North Vietnamese government with weapons.

743   That is why I want to provide you with any assistance that I can.

이유·탓의 to

$$\left\{\ \text{to}\ \right\} \quad + \quad \text{명사 (상당어구)}$$

~에 (대하여), ~에게

- **owe A to B: A는 B의 덕분이다**
- **attribute A to B: A를 B의 결과로 보다**

>>> 전치사 to는 어떤 행동을 받는 대상을 나타내어 '~에 (대하여), ~에게'의 의미로 쓰인다.

---

744 I **owe** my success / **to** your help.

나의 성공은 (~의) 덕분이다 / 당신의 도움.

745 We **attribute** the behavior / **to** her traits and abilities.

우리는 그 행동이 (~에) 기인했다고 생각한다 / 그녀의 특성과 능력에.

---

746 I'd like to say that I owed a lot to the villagers.

747 We attribute our success to your hard work.

748 I owe my graduation to Ms. Harris: she's a great teacher.

749 We can attribute climate change to CO_2 emissions. [평가원 응용]

구문	의미
compare A with(to) B	A를 B와(에) 비교(비유)하다
take A for granted	A를 당연한 것으로 여기다
take A to B	A를 B로 데려가다
prefer A to B	A를 B보다 더 좋아하다
add A to B	A를 B에 더하다
apply A to B	A를 B에 적용하다
lead A to B	A를 B로 이끌다

750 Perhaps the UK media ought to **compare** this action / **with** Russia's.

아마도 영국 미디어는 이 조치를 비교해야 할 것이다 / 러시아의 경우와.

751 You tend to **take** the Constitution / **for granted**.

여러분은 헌법을 (~으로) 여기는 경향이 있다 / 당연한 것으로.

752 This road will lead you to the station.

753 The writer prefers his imaginary world to reality.

754 He compared Haiti with its neighbor, the Dominican Republic.

755 After 20 minutes, you need to add sugar syrup to grapefruit and orange juices.

756 However, we don't apply these rules to our daily lives when we become adults.

757   Today, we take it for granted that motorways, bridges and canals exist.

758   This allows others to compare the results to data they obtain from a
      similar experiment.   [수능]

구문 독해 PRACTICE

A 네모 안에서 어법상 알맞은 것을 고르고, 밑줄 친 부분을 해석하시오.

blame A for B B에 대해 A를 탓하다
overestimate 과다평가하다

1 Research shows that people who watch a lot of news on television think of the world | as / for | a place full of threats. It's reasonable <u>to blame television for their overestimation of danger.</u> [수능 응용]

⇨ _____

exclude 배제하다
periodic 주기적인
dominant 우세한

2 Sometimes a competitively superior species is prevented | for / from | excluding poorer competitors. Periodic disturbances such as severe storms <u>can reduce the population of a dominant competitor</u> and give other species a chance. [평가원 응용]

⇨ _____

B 밑줄 친 단어를 어법에 맞게 배열하시오.

moderate 적절한

1 Researches have (<u>benefits, reminded, health, the, us, of</u>) of moderate coffee consumption. Coffee may help control attacks when medication is unavailable, stop a headache, and even prevent cavities.

⇨ _____

manufacturer 제조업자
term 용어
risk 위험을 감수하다

2 No doubt about it laptops get hot. So hot that you can (<u>portable, substitute, laptop, heating pack, your, for, a</u>). Manufacturers now prefer the term "portable computer" since you risk an injury when you use it on your lap. [평가원]

⇨ _____

sedimentary rock 퇴적암
chalk 백악
limestone 석회암

1 To find fossils, you should tell sedimentary rocks ① from other rocks. Some sedimentary rocks, such as chalk and shelly limestone, ② form only in the sea. The existence of the fossils of sea creatures assures scientists ③ as the fact that the place was under the water.

_____ ⇨ _____

wind burst 바람의 급격한 흐름
downdraft 하강기류
turbulence (대기의) 난기류

2 Several plane crashes and near crashes have been attributed ① at dangerous downward wind bursts known as wind shear. These wind bursts generally result ② from high-speed downdrafts in the turbulence of thunderstorms. Also, they can occur in clear air when rain ③ evaporates high above the ground.　　　　　　　　　　　[평가원]

_____ ⇨ _____

D 밑줄 친 우리말과 뜻이 통하도록 주어진 단어를 알맞게 배열하시오.

vulnerability 취약성
landslide 산사태

1 A number of social scientists have 인간의 취약성을 (~의) 원인으로 여기다 of disasters. Though floods, landslides and earthquakes are natural processes, humans make them more disastrous.　　　[평가원 응용]

[vulnerability, the, regarded, human, cause, the, as]

⇨ _____

poach 밀렵하다
extinction 멸종
estimate 추산하다

2 There are three separate groups of mountain gorillas, all in the rainforests of Central Africa. Forest clearance and poaching 그들을 거의 멸종시켰다는 이유로 비난받는다. Scientists estimate that there may be fewer than 40,000 left in the wild.

[extinction, blamed, their, near, are, for]

⇨ _____

1 다음 글의 밑줄 친 부분 중, 어법상 틀린 것은?

worship 숭배하다
ram 숫양
honor 숭배하다
chip off 깎아내다
abandon 버려두고 떠나다
carving 조각

The Egyptians worshipped over 2,000 gods and goddesses. Amun was ① the most powerful and he was part human, part ram. Traditionally, pharaohs honored Amun, and regarded him ② for the creator-god, but Amenhotep Ⅳ, who was pharaoh from 1352 to 1336 BC, worshipped the sun-god Aten. He changed his own name to Akenaten ("glory of the sun-god") and built a city ③ full of temples honoring his god. He also ordered the names of all other gods to ④ be chipped off temple walls. But after Akenaten died, people went back to worshipping the old gods, and his new city was abandoned. Among the many carvings and paintings, it's easy to tell Aten ⑤ from Amun. Aten is described as a circle and Amun has a head of a ram.

2 (A), (B), (C)의 각 네모 안에서 어법에 맞는 표현으로 가장 적절한 것은?

quote 인용하다
observation 관찰
nature 본성
pass on 물려주다, 전승하다
occasion 경우

When people say, "don't blame your tool (A) for / with your poor work," they are quoting an Asian proverb. A proverb is a short, witty saying which offers advice and is easy to remember. Proverbs (B) are / have been around for a long time and are considered the wisdom of ordinary people. They are based on everyday experience and the observation of human nature and are often passed on by parents to children. They remind us (C) at / of how we should behave in various occasions. There are proverbs for almost any occasion. Here are a few: "You can't judge a book by its cover." "Too many cooks spoil the broth." and "Don't cry over spilt milk."

	(A)		(B)		(C)
①	for	—	are	—	at
②	for	—	have been	—	of
③	for	—	have been	—	at
④	with	—	have been	—	of
⑤	with	—	are	—	at

3   다음 글에서 전체 흐름과 관계 <u>없는</u> 문장은?

linguistic 언어적인
outstanding 뛰어난
at a loss 어찌할 바를 모르는

Dogs are clever animals and they can be taught to follow orders in any language. ①It may convince you of its linguistic ability, but it's not true. ②For example, you might wrongly expect a Norwegian elk hound to understand Norwegian and a Chow to understand Chinese. ③In fact, dogs only communicate in one language — dog language. ④Dogs have poor eyesight and outstanding noses, so if you deprive them of smell, they'll be at a loss. ⑤Therefore, if you have an English foxhouse and a French poodle and you ask them both to speak they will both "bow wow" and they'll understand each other perfectly.

구문 유형 **83** 원급 비교구문

- **as**+형용사(부사)의 원급+**as**: ~만큼 …한(하게)

- **not as(so)**+형용사(부사)의 원급+**as**: ~만큼 …하지 않은(않게)

759 My girlfriend / is **as tall as** me.
내 여자친구는 / 나만큼 크다.

760 We need to finish this project **as quickly as** possible.
우리는 이 프로젝트를 끝내야 한다 / 가능한 한 빨리.

761 My brother speaks Spanish as well as his teacher.

762 The history of Egypt is as rich as the land.

763 Life is not so fast as in a fairy tale.

764 How money is spent is as important as how much is earned.

765 Playing badminton is not as easy as it looks.

766 One of the best ways to write a book is to write it as quickly as possible.

[평가원]

767 African American women are not as bound as white women by gender role stereotypes. [평가원]

768 Some novelists prefer to include as many characters as possible in their stories. [평가원]

구문 유형 84 비교급의 비교구문

1. 비교급
   • A 형용사(부사)의 비교급 than B: A는 B보다 더 ~하다

2. 비교 표현에서 than 대신 to를 관용적으로 쓰는 경우
   • be superior to ~보다 우수하다   • be inferior to ~보다 열등하다
   • be senior to ~보다 나이가 많다   • be junior to ~보다 나이가 어리다
   • prior to ~(보다) 이전에

3. 비교급과 최상급 강조
   • 비교급 강조: much, even, still, far, a lot (훨씬)
   • 최상급 강조: much, by far (가장, 단연코)

769 Imagination is **more important than** knowledge. -Albert Einstein
상상력은 지식보다 더 중요하다.

770 The film **is superior to** the book.
이 영화는 책보다 우수하다.

771 We feel **much better** after a good cry.
우리는 잘 울고 나서는 훨씬 더 기분이 좋다.

772 Your heart age can be older than your actual age.

773   The rooms were far smaller than I had expected.

774   The classics were more useful than self-help books.   [평가원]

775   I don't think life would be even better if he were able to move to another city.

776   We live in a world infinitely safer and more predictable than anything our ancestors knew.   [평가원]

777   Giorgio Vasari was considered to be more successful as an architect than a painter.   [수능]

778   St. George is the oldest building in Sofia.

779   Sometimes simplicity is the best policy.

780   The most important factor that facilitates patients' recovery is their mindset.

구문 유형 **85** 원급·비교급을 이용한 배수 표현

~배수사 as＋형용사(부사)의 원급＋as : ~보다 몇 배로 …핸(하게) (원급에 의한 배수 표현)

= ~배수사＋형용사(부사)의 비교급＋than (비교급에 의한 배수 표현)

>>> 원급을 이용한 배수 표현은 「~배수사 as＋형용사(부사)의 원급＋as」로 나타내고 '~보다 몇 배로 …핸(하게)'의 의미이다. 「~배수사＋형용사(부사)의 비교급＋than」의 형태로 비교급을 이용한 배수 표현도 할 수 있다. 2배는 twice, 3배는 three times, 그 이상은 ~ times로 나타낸다.

781 Asia is about **four times as large as** Europe.

아시아는 Europe보다 약 4배가 크다.

782 Renting in London costs **twice as much as** elsewhere.

런던에서 방을 빌리는 것은 어느 다른 곳보다 2배의 비용이 더 든다.

783 My score is **three times as high as** your score.

내 점수는 너의 점수보다 3배가 더 높다.

784 Colca Canyon is twice as deep as the Grand Canyon.

785 They have an energy consumption twice as large as us.

786 Its light was half as small as one of the apartment's windows.

787 Ecofriendly travel worldwide is growing three times as fast as the entire travel industry.

788 The paper bag making process results in three times more water pollutants than making plastic bags. [평가원]

789 Attractive candidates received more than two and a half times as many votes as unattractive candidates. [수능]

790 When lava reaches the surface, its temperature can be ten times higher than that of boiling water.

- the＋형용사(부사)의 최상급

- no (other)＋단수명사＋ $\begin{cases} \text{as＋원급＋as} \\ \text{비교급＋than} \end{cases}$

- nothing＋ $\begin{cases} \text{as(so)＋원급＋as} \\ \text{비교급＋than} \end{cases}$

- 비교급＋than any other＋단수명사

》》》 최상급 표현은 「the＋형용사(부사)의 최상급」형태이다. 원급과 비교급을 이용하여 최상급의 의미를 나타낼 수 있다. 「부정표현(No, Nothing 등)＋as(so)＋원급＋as / 비교급＋than」으로도 표현할 수 있는데 '～만큼(보다 더) …하지 않다'의 의미이다. 또한 「비교급＋than any other＋단수명사」의 형태로도 쓸 수 있다.

791 **No** mountain in the world is **as high as** Mount Everest.
세상의 어떤 산도 에베레스트 산만큼 높지 않다.
= **No** mountain in the world is **higher than** Mount Everest.
= Mount Everest is **the highest** mountain in the world.

792 **No** pupils are **greater than** their teacher.
어떤 학생도 그들의 선생님보다 훌륭하지 못하다.

793 Sapphire is **harder than any other natural material** / except diamond.
Sapphire는 어떤 다른 자연 광물보다 더 단단하다 / 다이아몬드를 제외하고

794 Nothing is as important as family and healthy living.

795 Human life is more precious than any other ideology or doctrine.

796   Nothing could be freer than air.

797   No other person is so skilled as the public librarian in assessing the
       reading needs of the people.

798   No one gains as much respect as the hardest-working individuals in
       their organizations.   [평가원]

구문 유형 **87** 원급·비교급·최상급 관용 표현

표현	의미
as good as	~와 마찬가지인
not so much A as B	A라기보다는 B인
A as well as B	B뿐만 아니라 A도 역시
the last man to+동사원형	결코 ~하지 않을 사람이다
get+비교급+and+비교급	점점 더 ~하다
as much as	~만큼

>>> 비교 구문은 여러 가지의 관용 표현을 가지는데, 원급, 비교급, 그리고 최상급에 관련된 표현을 숙어처럼
암기하는 것이 가장 좋다.

799   The problem is **as good as** settled.
                as good as: ~와 마찬가지인
      그 문제는 거의 해결된 것이나 마찬가지다.

800   The man looks **not so much** worried **as** perplexed.
                     not so much A as B: A라기보다는 B인
      그 남자는 걱정스럽기보다는 당황해 보인다.

801 The soldier is courageous as well as strong.

802 The captain is the last man to leave a sinking ship.

803 The higher you aspire, the more you grow.

804 Corn is used as food for farm animals as well as for humans.

805 Being ignorant is not so much a shame as being unwilling to learn.

806 The gap between rich and poor is getting bigger and bigger.

807 Increasingly, we can access these stories wirelessly by mobile devices
as well as our computers.   [수능]

808 My writing skills have improved as much as I had hoped.

구문 유형 **88** 주의해야 할 비교급 구문

표현	뜻	비슷한 표현
no more than	겨우 ~밖에	as little(few) as= only
no less than	~만큼이나	as much(many) as
not more than	기껏해야	at most
not less than	적어도	at least
no more ~ than ...	…가 아닌 것과 같이 ~도 아니다	
no less ~ than ...	…못지 않게 ~하다	

>>> 비교 구문 중에서 비슷한 형태 때문에 주의해야 할 표현들이 있는데, 형태가 매우 헷갈리기 때문에 숙어처럼 암기하는 것이 제일 좋다.

---

809   A car typically has **no more than** 5 people in it.
<u>no more than(겨우 ~밖에)</u>
차는 보통 그 안에 5명밖에 채우지 못한다.

810   **Not less than** 20 people were arrested / for being involved in the riot.
<u>적어도(= at least)</u>
적어도 20명이 체포되었다 / 폭등에 가담한 것 때문에.

811   His tactics were **no less** bold **than** he was.
<u>no less ~ than...: ···못지 않게 ~하다</u>
그의 전략은 그가 용감한 것 못지 않게 용감했다.

---

812   He had no more capacity for driving than she had.

813   Man is no more than a reed, the weakest in nature.

814   The whale is no more a fish than the horse is.

815   The number of trained combat troops was not more than 300 soldiers.

816   According to eyewitnesses, there are not less than 30 badly injured.

817   Silence is no less meaningful than sound in music.   [평가원]

818   There were no less than one hundred people at the meeting.

구문 독해 PRACTICE

A 어법상 알맞은 것을 고르고, 밑줄 친 부분을 해석하시오.

1   Old age has its pleasures, which, though different, are not less / little than the pleasures of youth.

⇨ _____

2   Typically, the weather page also gives times for sunrise and sunset as good / well as moonrise and moonset.

⇨ _____

B 보기에서 괄호 안에 들어갈 알맞은 표현을 고르고, 밑줄 친 부분을 해석하시오.

┌─ • 보기 • ──────────────────────────────┐
│   not less than   no more than   │
│   not more than   no less than   │
└───────────────────────────────────────┘

1   I'm very surprised that the travel guide contains details of (_____) 40 bike and 120 hiking routes.

⇨ _____

2   Applicants should write a short essay of not less than 3,000 words and (_____) 5,000 words in length on any topic.

⇨ _____

C 어법상 틀린 것을 찾아 바르게 고쳐 쓰시오.

reserve 매장량
shale gas 셰일 가스
arid 건조한
geological 지질학적인
extractor 추출자
well 유정

1 China's reserves are buried ① deeper twice than American shale gas, and concentrated in mountainous or arid regions that present ② far more complex geological challenges. Shale gas extractors have to spend 40 to 80 million yuan on average to drill a single well in China, which is three to four times ③ as high as the costs in the U.S.

_____ ⇨ _____

landfall 처음 도착하는 땅
end up ~ing 결국 ~하게 되다

2 After seven months, the first toys made landfall on beaches near Sitka, Alaska, 3,540 kilometers from ① where they were lost. Other toys floated north and west along the Alaskan coast and across the Bering Sea. Some toy animals stayed at sea ② very longer. They floated completely along the North Pacific currents, ③ ending up back in Sitka.   [수능]

_____ ⇨ _____

D 밑줄 친 우리말과 뜻이 통하도록 주어진 단어를 알맞게 배열하시오.

1 Organic farmers grow crops that are (~)에 못지 않게 해충에 시달리는 those of conventional farmers; insects generally do not discriminate between organic and conventional as well as we do.   [평가원]

[than, no, by, plagued, less, pests]

⇨ _____

2 Research shows that people who watch a lot of news on television overestimate the threats to their well-being. Why? It's because television focuses on news that makes the world seem 그것이 실제로 그런 것보다 더 위험한 곳처럼.   [수능]

[place, is, like, actually, more, a, dangerous, than, it]

⇨ _____

실전 독해 PRACTICE

1 다음 글의 밑줄 친 부분 중, 어법상 틀린 것은?

illustrated 삽화가 있는
concerned 관심이 있는
anatomy 해부
instruct 가르치다
mortal 인간
salvation 구원
sinful 죄를 지은
repent 회개하다
resulting 결과로 나타나는
theology 신학
moral 도덕적인
zoology 동물학

People in the Middle Ages were ① no more curious about animals than people living today, and those who could afford them loved illustrated books. Authors, however, approached their task from a very different point of view. They were not concerned to explain anatomy or behavior. They had a ② much more serious purpose. They knew that God had created all of the animals they were describing, and that God did nothing without a purpose. God created some animals to serve humans, but in addition all animals, including wild species, ③ existed in order to instruct mortals as a means of guiding them toward salvation. All humans were believed to be sinful, and, by studying the nature ④ with which God had filled each animal, the sinner might learn how to repent. The resulting book of animals was, therefore, much more a work of theology and moral instruction than ⑤ one of zoology.

2 (A), (B), (C)의 각 네모 안에서 어법에 맞는 표현으로 가장 적절한 것은?

generalize 일반화하다
hospitable 환대하는
hence 이런 이유로
crack a joke 농담을 하다
be devoted to ~에 헌신하다
spouse 배우자
rear 기르다
stand up for ~을 옹호하다
remark 발언

Egypt is important and indeed (A) interested / interesting to study because of the Egyptian people. Although it is hard to generalize, most Egyptians are friendly, hospitable, patient in a crowded and hence challenging environment, and fond of cracking jokes. Devoted to their families, they believe that nothing is as (B) important / importantly as loving one's spouse, rearing one's children wisely, caring for one's aging parents, and standing up for one's brothers, sisters, and cousins. (C) Although / Despite Egyptians are more proud of their nation's history than anything, they worry about its present and future condition. They also want to be liked and respected by foreigners, and some are sensitive to critical remarks about Egypt, Arabs, or Islam.

	(A)		(B)		(C)
①	interested	—	important	—	Although
②	interested	—	importantly	—	Despite
③	interested	—	importantly	—	Although
④	interesting	—	important	—	Despite
⑤	interesting	—	important	—	Although

3 다음 글의 제목으로 가장 적절한 것은?

recruit 모집하다
subject 피실험자
kick a habit 습관을 버리다
progress 진전
enhance 향상시키다
motivation 동기부여
light up (담배를) 피워 물다
saliva 침
financial 재정적인
incentive 장려책
diminish 감소시키다
personalized 개인에게 맞춰진

A very large study, published in 1991, recruited subjects for a self-help program designed to help people kick the smoking habit. Some were offered a prize for turning in weekly progress reports; some got feedback designed to enhance their motivation to quit; everybody else (the control group) got nothing. What happened? Prize recipients were twice as likely as the others to return the first week's report. But three months later, they were lighting up again more often than those who received the other treatment — and even more than those in the control group! Saliva samples revealed that subjects who had been promised prizes were twice as likely to lie about having quit. In fact, for those who received both treatments, "the financial incentive somehow diminished the positive impact of the personalized feedback."

① Just Be Yourself at a Self-help Program
② Kick the Bad Habit with the Help of Others
③ Personalized Feedback: Not Always Effective
④ Take Psychological Treatment to Quit Smoking
⑤ Rewards: Immediately Effective, Eventually Unhelpful

구문 유형 **89** 강조를 위한 도치구문

$$\left\{\begin{array}{l} 부정어(구) \\ 보어 \\ 부사(구) \end{array}\right\} + [V+S] \leftarrow \ulcorner(조)동사+주어\lrcorner 도치$$

>>> 부정어(구), 보어, 전치사구, 부사(구) 등을 강조하기 위해 문두로 보내면 일반적으로 주어와 동사가 도치된다.

참고 부사(구)를 강조할 때의 어순은 경우에 따라 「V+S」 혹은 「S+V」의 어순 모두 가능하지만, 주어가 대명사일 때는 도치가 일어나지 않는 것에 유의한다.

819 Just round the corner / was the rose garden.
　　　　　　부사구　　　　　　 V 　　　 S
모퉁이를 돌면 바로 / 그 장미 정원이 있었다.

820 Little did they understand / the deep meaning of his words.
　　 부정어　V 　 S
그들은 거의 이해하지 못했다 / 그의 말의 깊은 의미를.

821 Never have I witnessed such sincere hospitality.

822 Most helpful was her assistance with writing my resume.

823 On the table were two glasses and a bottle.

824 Blessed are the people whose bodies get destroyed in the service of others.

825   Never has Jane cut her hair short or dyed it.

826   Only in the primarily industrially developed economies, has food
become so plentiful.   [교육청 응용]

827   Not only did John take Randy to special occasions, but he also took
Randy to the library.   [교육청 응용]

so(neither, nor) + [V+S]	S도 또한 그렇다(그렇지 않다)
There + [V+S]	관용적인 도치
(If) + [V+S]	if 조건절에서 if 생략
C + as + [S+V]	양보절의 보어 도치

>>> 문법적으로 도치를 해야 하는 구문으로는 「so(neither, nor)+V+S」 구문, 「There+V+S」 구문, if절
에서 if가 생략된 경우가 있다. 이 외에, 양보절에서 보어가 as 앞으로 도치되는 경우가 있다.

828   My two little daughters were happy // and so was I.
                                                    so+V+S
나의 어린 두 딸들은 기뻐했다 // 그리고 나도 그랬다.

829   Poor as Confucius was // he had his mind bent on learning at fifteen.
       양보절 도치(= Though he was poor)
공자는 비록 가난했지만 // 15세에 그의 마음을 배움에 열중시켰다.

830   They didn't have much money, neither did they desire it.

831   There used to be a cabin in this forest.

832   Had it not been for your help, I couldn't have found my wedding ring.

833   Young as she was, she appeared wise and sensible.

834   I didn't do anything to make things better, neither did he.

835   Were you at my home now, you could see my younger brother.

836   There are hundreds of great people to imitate and copy.   [수능]

837   She would have accepted such a position had it been offered.   [평가원 응용]

구문 유형 91   강조구문

- It is(was) + 강조할 어구 + that ... → ~하는 것은 바로 강조할 어구 이다

- do(does, did)+동사원형

>>> 「It is(was) ~ that」 강조구문은 강조하고자 하는 말을 It is(was)와 that 사이에 넣어 강조하는 표현이다. 또한, 일반동사를 강조하고자 하는 경우에는 동사 앞에 강조의 do 조동사를 시제와 인칭에 맞게 써야 한다.

---

838   **It** was on the train / **that** I met him again.
        장소의 전치사구 강조
    바로 그 기차에서였다 / 내가 그를 다시 만났던 것은.

839   His mother **does** believe / that he has musical talent.
               동사 강조
    그의 어머니는 굳게 믿는다 / 그에게 음악적 재능이 있다는 것을.

840　It was in the 1800s that a physician fit the first glass contact lens on his patient.

841　We did make haste, but could not catch the last train.

842　It is the abandoned cat that Kate has at home.

843　Females do move away from their natal groups and into groups with far fewer relatives.

[수능]

844　It is a common misconception that notes are more important than rests.

[평가원 응용]

구문 유형　**92**　생략구문

- 앞에서 나온 반복되는 어구 생략

- 시간·조건·양보의 부사절과 주절의 주어가 같을 경우, 부사절의 [S+be동사] 생략

>>> 의미 파악에 지장이 없는 경우, 중복을 피하기 위해 반복되는 어구를 생략하기도 한다. 또한, 시간·조건·양보의 접속사(when, while, if, though 등)가 이끄는 부사절의 「주어+be동사」는 생략하여 쓰기도 한다.

845　When **(she was)** young, // she was lovely and passionate.

어렸을 때 // 그녀는 사랑스럽고 열정적이었다.

846　 To some life is a bed of roses, // but to others **(life is)** a bed of thorns.

어떤 사람들에게 인생은 장미로 된 침대이다 // 하지만 다른 이들에게는 가시로 된 침대이다.

847　Working while in college may lead to beneficial educational outcomes.

848 People tend to think of themselves as being more attractive than others.

849 During pregnancy, some antibiotics should be avoided, if possible.

850 If it is based on fact, you should listen; if not, then it is only their opinion.
[평가원]

851 There are people that you feel good being around and others you don't.
[평가원]

구문 유형 **93** 삽입구문

- 단어의 삽입: **however, therefore, moreover, accordingly** 등
- 절의 삽입: **It seems, I believe, I am sure** 등
- 관계사절에서의 삽입: **what is more, what is worse** 등
- 의문사절에서의 삽입: 의문사+**do you think(suppose, believe)**

>>> 문장 내에서 부가적인 설명을 위해 삽입어구가 필요하다. 이때 삽입어구 앞뒤에 콤마(,)나 대시(—)를 이용해 단어, 구, 절이 끼어든다. 삽입어구는 (주로 관계사절, 의문사절의 삽입에서) 별다른 표시 없이 나오기도 하므로 해석에 유의한다.

참고 삽입어구가 길어지면 해석이 어려워질 수 있으나 삽입어구는 문장의 부가적인 요소이므로 생략해도 문장의 성립에는 아무 이상이 없다는 점을 알아 둔다.

852 The tree, / **though it is difficult to measure accurately**, / is about 20 meters tall.
부사절 삽입

그 나무는, / 정확히 측정하기는 어렵지만 / 약 20미터이다.

853 I learned things about him / which **I was sure** nobody knew.
관계사절에 절 삽입

나는 그에 관한 것들을 알게 되었다 / 틀림없이 아무도 몰랐던.

854 My advice, as I told you before, is that you have to listen to others.

855 Which do you think is more valuable, health or wealth?

856 This is the very place which I think is best for fishing.

857 Baked goods became more refined, standardized, and — some would say — flavorless. [평가원 응용]

858 The increase in spatial reasoning, it turns out, can be generated by any auditory stimulation. [평가원 응용]

구문 유형 **94** 동격구문

명사(구) + 동격의 어구 { 명사(구) / 명사절 }

>>> 동격은 명사 상당어구를 이용하여 앞의 명사(구)나 대명사에 대해 부연설명하는 것을 말한다. 이때, 일반적으로 콤마(,), that, or, of 등이 동격의 어구 앞에 사용된다.

859 You should discard the belief / that you are always right.
└─동격─┘
당신은 그 믿음을 버려야 한다 / 당신이 항상 옳다는.

860 Loneliness is a negative reaction to the fact / of being alone.
└─동격─┘
외로움이란 그 사실에 대한 부정적인 반응이다 / 혼자 있다는.

861 He doesn't like the idea of being judged based on a visual recording.

862 We're going to Sydney, one of the most beautiful cities in the world.

863 She had the belief that he would truly keep his word.

864 I accept the fact that life doesn't always work out as planned.

865 Chomsky, the most famous linguist, claims that children have a special innate ability to learn language.

866 Led Zeppelin, a band popular in the 70s, often tuned their instruments away from the modern A440 standard. [수능 응용]

867 In 1986, Martin Handford had the idea of publishing his illustrations in book form. [평가원 응용]

구문 유형 **95** 부정구문

- 전체부정: no, not, never, hardly, few, little, neither ~ nor, none, nothing
- 부분부정: not+all(both, every, each, always, necessarily, completely)
- 관용적 부정표현

not A but B	A가 아니라 B
not so much A as B	A라기 보다는 B
cannot ~ too	아무리 ~해도 지나치지 않다
not ~ until ...	...한 다음에야 비로소 ~하다
nothing but	~일 뿐인
anything but	결코 ~이 아닌
there's no -ing	~하는 것은 불가능하다

>>> • 전체부정: 말 그대로 문장 전체를 부정하는 것으로, 위의 어구가 쓰이는 문장에 해당된다.
• 부분부정: 해석에 주의해야 하며 보통 '전부가(반드시, 항상, 전적으로) ~한 것은 아니다'라는 의미이다.

---

868 Students' use of smartphones / is **not necessarily** a bad thing.
부분부정(반드시 ~인 것은 아니다)
학생들의 스마트폰 사용이 / 반드시 나쁜 것은 아니다.

869 In fact, he is **not** a friend / **but** just an acquaintance.
관용적 부정표현(A가 아니라 B다)
사실, 그는 친구가 아니라 / 그냥 아는 사람이다.

---

870 They hadn't expected any of these responses.

871 An early start is not always the key to success in learning languages.

872 He was not so much thinking of what to say as deciding what not to say.

873 None of us know what's going on in the hearts of others.

874 I saw nothing but waves and winds.

875 Not all children of successful people become successful themselves.
[수능]

876 Nothing can so surprise her that she'll be knocked off.
[평가원 응용]

구문 독해 PRACTICE

A 어법상 틀린 것을 찾아 바르게 고쳐 쓰시오.

1 Not only ①he started playing the piano before ②he could speak, but his mother taught him ③to compose music at a very early age.

_____ ⇨ _____

evolve 전개하다, 진화하다

2 You were never greater than ①you are right now, neither ②you will ever be. Your worth is already complete and never changes; only your relationship to it ③evolves.

_____ ⇨ _____

plunge 뛰어들다
setback 좌절
soar 날아오르다

3 We learn that ①trauma is survivable, so we don't plunge too deeply ②following setbacks. Nor, conversely, ③we soar too high on our successes.   [평가원]

_____ ⇨ _____

B 삽입되거나 동격인 부분에 밑줄을 긋고, 그 부분을 해석하시오.

lightweight 가벼운
circular 원형의

1 Carpenters may request a lightweight circular saw without thinking about the fact that it will no longer have the power to get through some of the more difficult jobs.   [수능]

⇨ _____

insecure 자신이 없는, 불안정한
authority 권위

2 If they don't know where they stand — if, in other words, they are insecure in their authority — they cannot communicate security to their child, and he cannot move successfully away from them.   [수능]

⇨ _____

C 밑줄 친 부분에서 생략된 말을 찾아 쓰시오.

advocacy 옹호
mediation 중재
blurred 흐려진
counterproductive 역효과를 내는

1 It is therefore important, if not essential, to maintain a clear focus in undertaking advocacy or mediation in order to ensure that the roles do not become blurred and therefore potentially counterproductive. [수능]

⇨ _____

irritable 신경질적인

2 During and after the day's performances, the sea lions could have all the fish they wanted. One result was that they were not irritable, as any hungry animal might be. [평가원]

⇨ _____

D 밑줄 친 우리말과 뜻이 통하도록 주어진 단어를 알맞게 배열하시오.

refer to ~을 참조하다
external 외적인

1 Although novels are fiction, 이것이 전적으로 사실은 아니다 in the case of historical novels. A historical novel always refers to something external to itself.

[true, not, this, entirely, is]

⇨ _____

carbon dioxide 이산화탄소
plainly 명백히
mirror 반영하다
atmospheric 대기의

2 Not only is carbon dioxide plainly not poisonous, but changes in carbon dioxide levels don't necessarily mirror human activity. 대기의 이산화탄소가 반드시 ~인[~이었던] 것도 아니다 the trigger for global warming historically. [교육청 응용]

[necessarily, nor, atmospheric carbon dioxide, has, been]

⇨ _____

실전 독해 PRACTICE

1 다음 글의 분위기로 가장 적절한 것은?

journey 여행
twinkle 반짝이다

They spoke for a few hours about their journey; all they had seen and done and the friends they had made. Never had they had such beautiful nights. The stars and the moon never looked this good from the little village. They were meant to be the forest for they would twinkle and shine all night so brightly. Looking over the map, they talked about where they should go. They were sure that if they went into the forest further, they would find the magical garden the elder often spoke of.

① tragic   ② peaceful   ③ festive
④ urgent   ⑤ skeptical

2 다음 글의 밑줄 친 부분 중, 어법상 틀린 것은?

sting 독침
vote 투표권
householder 세대주
outnumber ~의 수를 능가하다
mature 성숙한

The Representation of the People Act, 1918 ① did have a sting in its tail. Although men were given the vote at the age of 21, women ② did not. Not only ③ did they have to wait until they were 30 to vote, but they also had to be householders or married to a householder. The main reason for this was that Parliament did not want women voters to outnumber men. There was also the belief ④ that women were not as mature as men and therefore needed to be older and ⑤ show more responsibility before they could be trusted with the vote. Altogether, 6 million out of 13 million women gained the vote in 1918.

3 (A), (B), (C)의 각 네모 안에서 어법에 맞는 표현으로 가장 적절한 것은?

defeat ~을 꺾다
action 작용
conquer 지배하다
precede ~을 앞서다
railroad switch 전철기
oncoming 다가오는
wreck 부수다
pavement 길, 인도

Mankind has existed for thousands of years but never (A) we have / have we succeeded in defeating the action of natural law. To achieve success, to become a conquering chief, you must realize that there is a natural rule of action, a definite cause, (B) preceding / precedes every desired result. You know that if you turn a railroad switch a certain way it will throw the oncoming express into a siding and (C) wreck / wrecking it. You know that if you put your finger in a fire it will be burned. You know that if you jump off a high building down to the pavement, your bones will be broken.

	(A)		(B)		(C)
①	we have	–	preceding	–	wreck
②	we have	–	precedes	–	wrecking
③	we have	–	precedes	–	wreck
④	have we	–	preceding	–	wrecking
⑤	have we	–	preceding	–	wreck

1 (A), (B), (C)의 각 네모 안에서 어법에 맞는 표현으로 가장 적절한 것은?

In some parts of Africa and China, rats are popular snacks. West Africans love the giant rat the best. Rats provide Ghanaians (A) with / by about 50 percent of locally produced meat. Up in the Arctic, "Mice in Cream" is a real hit. (One of the ingredients is alcohol, which might help to explain why people like this dish.) The mice are marinated for several hours in a vat of alcohol, fried in salt pork fat, then (B) boiled / boiling in another cup of alcohol with garlic. Cream is added and it's ready to serve. America didn't have large mammals, so people (C) substituted / substituting other rodents for pigs and cows. Squirrel, for example, was a staple of the early American settlers. And groundhogs were practically the peanut butter and jelly of many Native American tribes a few hundred years ago.

	(A)		(B)		(C)
①	with	–	boiled	–	substituting
②	with	–	boiling	–	substituted
③	with	–	boiled	–	substituted
④	by	–	boiling	–	substituting
⑤	by	–	boiled	–	substituting

2 다음 글의 밑줄 친 부분 중 어법상 틀린 것은?

　The Leaning Tower of Pisa in northern Italy is a church bell tower. You may take ① it for granted that it is tilted, but in fact, it was not. Its construction began in 1173, but was soon halted when the builders realized the 10-foot foundation wasn't deep enough to keep the tower ② by tilting. The soft soil ③ was blamed for the tilting of the tower. The 180-foot tower, weighing 16,000 tons, was finally completed 200 years later. Many ideas have ④ been suggested to straighten the Tower of Pisa, including taking it apart stone by stone and rebuilding it at a different location. In the 1920s, the foundations of the tower were injected with cement grouting ⑤ that has stabilized the tower to some extent.

* grouting 그라우팅(시멘트 풀의 주입)

3 다음 글에서 전체 흐름과 관계 없는 문장은?

　In the Middle Ages, it was actually forbidden to study medicine in much of Europe and surgery was a thing that should be avoided. People regarded disease as a punishment of God. ① About the only thing you could hope for was a miracle. ② Needless to say, a whole lot of people who got sick just didn't make it. ③ After the Black Death — a terrible plague that killed millions — swept through Europe, medical learning and the science of healing were embraced again. ④ The Romans had no interest in medicine and most of the doctors in Rome were Greeks. ⑤ Over the past 600 years, folks have figured out all sorts of neat tricks, from how to kill germs to how to replace an ailing human heart: that's where we are today.

4 다음 글의 밑줄 친 부분 중, 어법상 틀린 것은?

The World Wide Web is becoming ① increasingly popular with readers' advisors as they try to meet the challenge of matching books with readers. Websites ② do have some unique advantages over their print reference counterparts. They can ③ be updated more frequently than print sources. A mystery website can be used by a potentially unlimited number of users in more than one location. Some websites even have the capability of letting readers interact with their favorite authors or ④ sharing their opinions with other fans of the genre. When it comes to building a mystery reference collection, most mystery readers' advisors will want to bookmark their preferred websites ⑤ to use along with their favorite print resources.

5 (A), (B), (C)의 각 네모 안에서 어법에 맞는 표현으로 가장 적절한 것은?

Just as Shakespeare described the "harmless, necessary cat" in *The Merchant of Venice*, animals of all kinds are necessary to human well-being, both practically and emotionally. Animals have a wonderful way of relieving stress, and they possess heightened senses that often help (A) them / themselves understand their human's emotional state of mind. The soothing effect companion animals have on people is partly due to the fact (B) that / which people can talk to their pets as well as have physical contact. Interestingly, blood pressure rises when people talk to each other, while it lowers when people talk to animals. Studies have shown that animals (C) are / being petted experience a reduction in blood pressure as well.

	(A)		(B)		(C)
①	them	—	that	—	are
②	them	—	which	—	being
③	them	—	that	—	being
④	themselves	—	that	—	are
⑤	themselves	—	which	—	being

6 Dagger Awards에 관한 다음 글의 내용과 일치하지 <u>않는</u> 것은?

Dagger Awards are bestowed by the Crime Writers Association, a British mystery writers association. The Diamond Dagger is awarded to a mystery writer in recognition of a lifetime's achievements in crime writing, a Gold Dagger the best mystery or crime novel, and a Silver Dagger the runner-up. Daggers are also given out to the Best Non-Fiction book and Short Story. The John Creasey Memorial Dagger is awarded to the Best First Mystery. The Ellis Peters Historical Dagger is a recent addition and is given out to the Best Historical Mystery. Submission for the Dagger Awards is by publishers only, and the awards are judged either by a panel of newspaper and magazine critics or experts in the field.

① 영국 추리소설 작가 협회에 의해 수여된다.
② Gold Dagger는 최고의 추리소설 또는 범죄소설에게 주어진다.
③ 최고의 논픽션 책과 단편 소설에도 단검이 주어진다.
④ John Creasey Memorial Dagger가 최근 추가되었다.
⑤ 수상 후보작 제출은 출판사에서만 할 수 있다.

7 (A), (B), (C)의 각 네모 안에서 어법에 맞는 표현으로 가장 적절한 것은?

Notice that reading poetry is an ongoing historical activity (A) what / which we teach novices to perform. We induct them into the practice, mainly by way of school education. We teach them the requisite knowledge and skills for reading poetry and (B) imparting / impart to them a feel for the difference between better and worse ways of reading. Further, we all recognize that there are goods internal to the reading of poetry, goods which can only be achieved by reading poetry. And all of us who are acquainted with literary history and theory (C) know / knows that the goods which readers have tried to achieve in reading poetry have varied widely across history, and are today much contested.

	(A)		(B)		(C)
①	what	–	imparting	–	know
②	what	–	impart	–	knows
③	which	–	imparting	–	know
④	which	–	impart	–	know
⑤	which	–	imparting	–	knows

8 다음 글의 밑줄 친 부분 중, 어법상 틀린 것은?

Sparta refused to change as all city-states around it ① had. At one point while other city-states made their own coins, Sparta still used heavy iron rods to exchange. Perhaps this would keep them ② isolated from contact with the outside world. They ③ did however own and control in the end 2/5 of the Peloponnesus(the peninsula that was part of the Greek mainland). What more could they want or need? The Spartans were so confident of their might ④ which they did not build walls around their city. This, however, would not last for long. No civilization can last forever by itself. The poor quality of the land made it absolutely necessary to trade for some items. And outside city-states saw the advantage of owning iron mines, and these strong citizens. So war first with the Persians, then with their neighbors in Greece became ⑤ inevitable.

9 다음 글의 제목으로 가장 적절한 것은?

To truly master a positive attitude a person must understand the absolute negative power of criticism. The definition of a critic is one who judges or finds fault with someone or something. We are all guilty of this pollution of life. Whether talking about your neighbor, brother or the movie you saw last week. No matter how you look at it; criticism is poison. It is not our place to judge others but to learn to observe ourselves in all situations in life. Criticism has truly become one of the worst habits of human beings in today's societies. Thinking that man has the right to judge one another for any reason is absolutely wrong! This toxic pollution has killed millions of men, women, and children, because of the color of their skin or their race, background or religious beliefs. It scares people's spirits, destroys people's lives, and changes multitudes or nations into a hateful jealous rage.

① What is the Driving Force of the World?
② Pollution: Treating Environmental Toxins
③ Control Human Relationships To Succeed
④ Criticism: A Fundamentally Destructive Force
⑤ Judge Others Only by the Same Standards

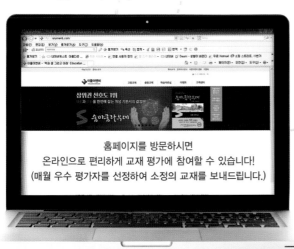

이룸이앤비 교재는 수험생 여러분의 "부족한 2%"를 채워드립니다

누구나 자신의 꿈에 대해 깊게 생각하고 그 꿈을 실현하기 위해서는 꾸준한 실천이 필요합니다.
이룸이앤비의 책은 여러분이 꿈을 이루어 나가는 데 힘이 되고자 합니다.

수능 영어 영역 고득점을 위한 영어 교재 시리즈

내신·수능 대비 기본서

굿비 시리즈

한 권으로 수능의 기본을
다지는 개념 기본서!!

숨마쿰라우데 영어 MANUAL 시리즈

상위권 선호도 1위 브랜드
숨마쿰라우데가 만든 최강의
영어휘 기본서!!

숨마쿰라우데 영어 MANUAL 시리즈

수능 대비 기본서 선호도 1위 브랜드가
만든 최강의 영어 구문독해 기본서!!

고 1·2

영어 듣기
영어 독해

전학년

수능 2000 WORD MANUAL
WORD MANUAL
구문 독해 MANUAL
어법 MANUAL
영어 입문 MANUAL
독해 MANUAL

전학년

수능 2000 WORD MANUAL
WORD MANUAL
구문 독해 MANUAL
어법 MANUAL
영어 입문 MANUAL
독해 MANUAL

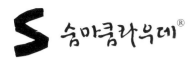

구문독해

ENGLISH SENTENCE STRUCTURE

MANUAL

秘 서브노트 SUB NOTE

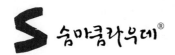

구문독해

ENGLISH SENTENCE STRUCTURE

MANUAL

秘 서브노트 SUB NOTE

이룸이앤비
Education & Books

본문 14쪽

UNIT 01 주어와 동사

구문 유형 01

001 To read the book / means to be a fan of the writer.
S(to부정사구)　　　V

그 책을 읽는다는 것은 / 그 작가의 팬이 된다는 것을 의미한다. (그 책을 읽으면 그 작가의 팬이 된다.)

002 Taking the subway / can be a great way to travel Paris.
S(동명사구)　　　V

전철을 타는 것은 / 파리를 여행하는 좋은 방법이 될 수 있다.

003 To try to contact him / would mean frustration.
S(to부정사구)　　　V

그에게 연락하려 한다는 것은 / 실패를 의미할 것이다.

004 To stick your arm out of a car window / is very dangerous.
S(to부정사구)　　　V
C

팔을 차창 밖으로 내미는 것은 / 매우 위험하다.

005 Giving and sharing / makes you feel good.
S(동명사구)　　　V
기부하는 것과 나누는 것은 / 당신을 기분 좋게 만든다.

006 To try to measure his speeds / requires a more accurate machine.
S(to부정사구)　　　V

그의 속도를 측정하려 하는 것은 / 더 정밀한 기계를 필요로 한다.

007 Evaluating our alternatives after making a decision / increases our commitment to the action taken.
S(동명사구)　　　V

(먼저) 결정을 내린 다음 대안을 평가하는 것은 / 이미 내려진 결정에 대한 우리의 헌신을 증가시킨다.

008 To do so / often leads to frustration // because you will realize you wasted time.
S(to부정사구)　　　V

그렇게 하는 것은 / 좌절로 자주 인도한다 // 당신이 시간을 낭비했다는 것을 깨달을 것이기 때문이다.

009 Giving people the flexibility to apply their talents / rapidly accelerates progress.
S(동명사구)　　　V
사람들에게 재능을 활용할 수 있는 융통성을 주는 것은 / 발전하는 것을 신속하게 가속화시킨다.

구문 유형 02

010 That he chose the princess / made the mermaid feel hurt.
S　　　V

그가 그 공주를 선택했다는 것은 / 그 인어를 가슴 아프게 했다.

011 What kind of floor you install / will decide the type of heating.
S　　　V

어떤 종류의 바닥을 설치하는지가 / 난방의 종류를 결정할 것이다.

그 병이 전염성인지 아닌지는 / 새로운 도전을 만든다.

012 That he behaved in a rude way / became an issue among people.
<u>S</u>   <u>V</u>

그가 무례한 방식으로 행동했다는 것은 / 사람들 사이에서 논란거리가 되었다.

019 How much information people can process at a time / is now researched.
<u>S</u>   <u>V</u>

사람들이 한 번에 얼마나 많은 정보를 처리할 수 있는지가 / 지금 연구되고 있다.

013 Whether she will take our side / is not clear right now.
<u>S</u>   <u>V</u>

그녀가 우리 편을 들 것인지는 / 지금 분명하지 않다.

구문 유형 03

014 What Jack left behind / turned out to be a collection of old music albums.
<u>S</u>   <u>V</u>

Jack이 남긴 것은 / 오래된 음반의 수집품이라는 것이 밝혀졌다.

020 It is very noble / of him to participate in the fundraising campaign.
가주어   진주어

(~은) 매우 고결한 일이다 / 그가 기금 모음 캠페인에 참여한 것은.

015 What the wise man said to the prince / remains a mystery.
<u>S</u>   <u>V</u>

그 현자가 왕자에게 말한 것은 / 수수께끼로 남아 있다.

021 It was apparent // that the fans were impressed with the comment.
가주어   진주어

(~은) 명백했다 // 그 말에 팬들이 감동했다는 것은.

016 How the thief broke into the house / seems to be obvious to me.
<u>S</u>   <u>V</u>

그 도둑이 집에 어떻게 침입했는지는 / 나에게는 분명해 보인다.

022 It is hard / for scientists to measure the depth of the Antarctic Ocean.
가주어   진주어

(~은) 어렵다 / 과학자들이 남극해의 깊이를 측정하는 것은.

017 What made him truly famous / was his book *Lives*.
<u>S</u>   <u>V</u>

그를 진정으로 유명하게 만든 것은 / '생애'라는 책이었다.

023 It was common / to believe in different Gods and Goddesses in ancient Greece and Rome.
가주어   진주어

(~은) 흔한 일이었다 / 고대 그리스와 로마에서 여러 가지의 신들과 여신들을 믿는 것은.

018 Whether the disease is infectious or not / creates a new challenge.
<u>S</u>   <u>V</u>

024 It is not known / what the general ordered his men that day.
가주어   진주어

(~는) 알려지지 않았다 / 장군이 부하들에게 그날 무슨 명령을 했는지는.

025 It has not been proved / whether running is better than walking for our health.
<small>가주어</small>   <small>진주어</small>

(~는) 아직 입증되지 않았다 / 달리기가 걷기보다 우리의 건강에 좋은지는.

026 It is difficult / to appreciate what a temperature of 20,000,000℃ means.
<small>가주어</small>   <small>진주어</small>

(~은) 어렵다 / 섭씨 2천만도가 무엇을 의미하는지를 제대로 아는 것은.

027 It was experimented / whether drivers are more careful if there is no traffic light.
<small>가주어</small>   <small>진주어</small>

(~가) 실험되었다 / 신호등이 없으면 운전자들이 더 주의하는지가.

028 It is absolutely certain / that the accused is innocent.
<small>가주어</small>   <small>진주어</small>

(~은) 절대적으로 확실하다 / 피고가 무죄인 것은.

구문 유형 **04**

029 It was cold // so we wore sweaters and jackets.
<small>S   C(날씨)</small>

(날씨가) 추웠다 // 그래서 우리는 스웨터와 재킷을 입었다.

030 It was Monday // and I felt under the weather.
<small>S   C(요일)</small>

월요일이었다 // 그리고 몸상태가 좋지 않았다.

031 It was dark // so we needed flashlights.
<small>S   C(명암)</small>

어두웠다 // 그래서 우리는 손전등이 필요했다.

032 It was six in the evening // when I left.
<small>S   C(시간)</small>

저녁 6시였다 // 내가 떠났을 때는.

033 It took us two years / to travel around the world by yacht.
<small>S   O   C(시간)</small>

우리에게 2년이 걸렸다 / 요트로 세계를 여행하는 데.

034 Even when it's pouring rain outside, // my dogs are still excited to go for a walk.
<small>S   C(날씨)</small>

밖에 비가 많이 내릴 때조차도 // 나의 개들은 여전히 산책을 나가고 싶어 한다.

구문 유형 **05**

035 High up in the sky / floated a balloon.
<small>부사구   V   S</small>

하늘 높은 곳에 / 풍선이 떠다녔다.

036 Never again in her life / could the singer perform live.
<small>부정어구   조동사   S</small>
<small>V</small>

평생 절대 (~한 일은) 없다 / 그 가수가 라이브로 공연을 할 수 있는.

037 Here / comes the first runner.
<small>부사   V   S</small>

여기 / 첫 번째 주자가 온다.

038 Round the garden / ran the excited boys.
　　　　부사구　　　　　V　　　　　S
정원 둘레로 / 신이 난 소년들이 뛰어다녔다.

039 In the middle of the crowd / stood my friend
　　　　　부사구　　　　　　　　V　　　S
Gilbert.

군중들 속에 / 내 친구인 Gilbert가 서 있었다.

040 Only by your efforts / can you overcome
　　　부사구(단정의 의미)　　　조동사 S　　　V
hardships.

여러분의 노력으로만 / 역경들을 극복할 수 있다.

041 Never again / will the two people meet each
　　　　부사구　　　　조동사　　　　S　　　　V
other.

절대 (~한 일은) 없다 / 두 사람이 서로 만날 것.

042 There / existed the wall, / enduring all the
　　　부사　　　V　　　　S
damages.

(~에) / 벽이 존재했었다 / 모든 손상을 견디며.

043 Next to the doll / was a small box /
　　　　부사구　　　　V　　　S
containing tiny combs and a silver mirror.

그 인형 옆에 / 작은 상자가 있었다 / 작은 빗과 은거울이
들어 있는.

044 Little / can we hope // that the countries will
　　부정어　조동사 S　V
come to an agreement.

거의 ~ 없다(않다) / 우리는 바랄 수 // 그 나라들이 합의
에 도달할 것이라고.

045 Only in terms of the physics of image
　　　　　　　　　부사구

formation / do the eye and camera have anything /
　　　　　　조동사　　　S　　　　　　　V
in common.

상 형성의 물리학이라는 관점에서만 / 눈과 카메라가 무엇
인가를 가진다 / 공통된.

구문 유형 06

046 He walked / to work on a hot day.
　　　　V(완전 자동사)
그는 걸어갔다 / 더운 날에 일하러.

047 I felt happy / in the theater.
　　불완전 자동사
　　　V　　C
나는 행복감을 느꼈다 / 극장에서.

048 Helen cooked / dinner for the first time.
　　　　V(완전 타동사)　　　O
Helen은 요리했다 / 처음으로 저녁을.

049 Fred allowed / his son to play the game.
　　　V(불완전 타동사)　　O　　　　O.C
Fred는 허락했다 / 그의 아들이 게임하는 것을.

050 The witch disappeared / and never appeared
　　　　　　V(완전 자동사)　　　　　　V(완전 자동사)
again.

그 마녀는 사라졌다 / 그리고 절대 다시 나타나지 않았다.

051 The boy and his story became / famous
　　　　　　　　　　　　V(불완전 자동사)　　　C
around the world.

그 소년과 그의 이야기는 (~하게) 되었다 / 세계적으로 유
명하게.

052 You have to renew / your driver's license.
　　　　V(완전 타동사)　　　　O

당신은 갱신해야 한다 / 운전면허증을.

053 The coach made the skinny boy / a world-
        V(불완전 타동사)   O
famous soccer player.
        O.C
그 코치는 그 마른 소년을 (~로) 만들었다 / 세계적으로
유명한 축구선수로.

054 The females find themselves / surrounded
              V(불완전 타동사)   O   O.C
by relatives.
그 여성들은 자신들이 (~한 것을) 발견한다 / 친척들에 의
해 둘러싸인 것을.

055 Wait here and I'll find / the book for you.
        V1(완전 자동사)   V2(완전 타동사)   O
여기에서 기다리면 내가 찾아주겠다 / 당신에게 책을.

056 The chairperson sent / me a letter saying /
                         (수여 동사)
                          V   I.O   D.O
that she wants to meet me.
그 회장은 보냈다 / 나에게 (~)라고 쓴 편지 한 통을 / 그
녀가 나를 만나고 싶다고.

구문 독해 PRACTICE

본문 22쪽

A 어법상 알맞은 것 고르기

1 that
옷이 정보를 전달한다고 말해질 수 있다

2 were
받침 접시 위에 설탕 두 봉지가 있었다

1 Therefore, it can be said / [that clothing
                              가주어
communicates information about group
                              진주어(that절)
membership].

| 해석 | 그러므로 (~은) 말해질 수 있다 / 옷이 집단에 소
속된 것에 대한 정보를 전달한다고.

| 문제 해설 | '어느 ~'의 의미를 가진 의문사절이 아니고 '~라는
것'의 보어절이므로 접속사로는 that이 적절하다.

2 Disappointed, I changed my order to a cup of
        분사구문
coffee, / [which the waiter soon brought over.]
                관계사절
Resting on the saucer / were two packets of sugar.
        보어 도치   V   S

| 해석 | 실망해서 나는 커피 한 잔으로 주문을 바꾸었는데
/ 종업원은 그것을 바로 가져왔다. 받침 접시 위에 / 설탕
두 봉지가 있었다.

| 문제 해설 | 보어가 문두에 오면 도치가 일어난다. 따라서 뒤에
온 two packets of sugar가 주어이므로 이 주어에 수를 일치시
켜 were를 써야 한다.

B 어법에 맞게 배열하기

1 One reason many people delay things
많은 사람들이 일을 미루는 한 가지 이유는 그들은 그것
들을 틀리게 할 것을 두려워한다는 것이다.

2 What is noticeable
주목할 만한 것은 4개국 모두 꾸준한 증가를 보여 왔다
는 것이다.

3 voting for the officials did not
모든 성인 남성은 투표권을 가졌다. 하지만 공직자(를 뽑
는) 선거는 정기적으로 이루어지지 않았다.

1 One reason many people delay things is / that
        수식하는 관계절(why가 생략됨)   C
they fear // they will do them wrong.
                         O

| 해석 | 많은 사람들이 일을 미루는 한 가지 이유는 (~)이
다 / 그들은 두려워한다 // 그것들을 틀리게 할 것을.

| 문제 해설 | 동명사 주어와 같은 형식으로, 명사인 one reason
이 주어가 되어 many people delay things의 수식을 받는 것
이 적절하다.

2 What is noticeable is / that all four countries
        S(what절)   V   C
have showed a steady increase.

| 해석 | 주목할 만한 것은 (~)이다 / 4개국 모두 꾸준한 증가를 보여 왔다는 것.

| 문제 해설 | 관계사 what이 문두에 와서 「what+동사+보어」 형태로 명사절 주어가 되는 것이 적절하다.

3 All adult men had the right / to vote. However, voting for the officials did not take place regularly.

          $\underline{\text{right}}$ ... $\underline{\text{voting for the officials}}_{S}$ $\underline{\text{did not take place}}_{V}$

| 해석 | 모든 성인 남성은 권리를 가졌다 / 투표할. 하지만, 공직자(를 뽑는) 선거는 정기적으로 이루어지지 않았다.

| 문제 해설 | 동명사 voting을 주어로 하여 문장을 시작하고 일반 동사의 부정은 동사 바로 앞에서 하므로 voting for the officials did not의 어순이 적절하다.

C 어법상 틀린 것 고치기

1 ① which → whether

2 ③ are → is

1 "It does not matter / whether you've had a
   가주어   진주어
rough life or a privileged one. What matters is that
                                  S   V
you're telling them your story," / explains Heckler.
         C
"They have to sense that / [what you're telling them
                   O   what절 주어
is real]. They need to see you / as a person. That
will help them / open up and tell their stories."
   V   O   O.C

| 해석 | "(~은) 중요하지 않다 / 여러분이 거친 삶을 살아 왔던지 특권을 부여받은 삶을 살아 왔던지. 중요한 것은 여러분이 그들에게 자신의 이야기를 하고 있다는 것이다" / (~라고) Heckler는 설명한다. "그들은 느껴야 합니다 / 여러분이 그들에게 말하고 있는 것이 사실이라는 것을. 그들은 여러분을 보아야 합니다 / 한 명의 사람으로. 그것이 그들을 도와줄 것입니다 / 마음의 문을 열고 그들 자신의 이야기를 하도록."

| 문제 해설 | 가주어-진주어 구문으로 밑줄 친 ①의 뒤 진주어 자리에 'A or B'의 내용이 나오므로 의문사 which가 아닌 접속사 whether가 이끄는 명사절이 오는 것이 적절하다.

2 I am frustrated with the poor quality repairs / that were made / in addition to the overall inferior quality of the camera. I insist on / receiving a full refund. Enclosed is / a copy of the original receipt.
       $\underline{\text{Enclosed}}_{C}$ $\underline{\text{is}}_{V}$

| 해석 | 저는 질 낮은 수리에 대해 불만스럽습니다 / 조치된 / 카메라의 전체적인 열등한 품질뿐 아니라. 저는 요구합니다 / 전액 환불 받을 것을. 동봉된 것은 (~)입니다 / 영수증 사본.

| 문제 해설 | 보어 역할을 하는 enclosed가 문두로 나와서 도치가 일어났다. 따라서 단수 주어인 a copy of the original receipt에 맞춰 are를 is로 고쳐야 한다.

D 우리말 뜻에 맞게 단어 배열하기

1 It gave me great pleasure

2 Whether we develop effective communication skills

1 It gave me great pleasure / to think about how
   가주어   진주어
my dream would become a reality. I looked again / at the coast.

| 해석 | (~은) 나에게 굉장한 즐거움을 주었다 / 내 꿈이 어떻게 현실이 될지를 생각해 보는 것은. 나는 다시 보았다 / 그 해변을.

| 문제 해설 | give는 목적어를 두 개 취할 수 있는 동사이다. 따라서 It gave me great pleasure의 어순이 되어야 한다.

2 Whether we develop effective communication
                          S
skills / depends largely on how we learn to
                         의문사절
communicate. For example, interaction between
                                        S
parents and their children is often important / in
                           V   C
determining whether a child is shy or unafraid of
            목적절
interaction.

| 해석 | 우리가 효과적인 의사소통 기술을 발전시킬지 아닐지의 문제는 / 의사소통하는 것을 배우는 방법에 전적으

로 달려 있다. 예를 들어, 부모와 자식 간의 상호작용은 흔히 중요하다 / 아이가 상호작용을 두려워하는지 아니면 두려워하지 않는지를 결정하는 데.

| 문제 해설 | '~일지 아닐지'의 의미이므로 접속사 whether를 사용하여 「Whether+주어+동사+목적어 ~」순으로 써야한다.

실전 독해 PRACTICE

1 ③	2 ①	3 ②

1 어법성 판단

| 전문 해설 | 바다로 쓸려 들어간 진흙은 해저에 천천히 자리를 잡는다. 더 많은 진흙층이 그 위에 가라앉고 물의 무게로 인해 짓눌린다. 진흙이 굳은 바위가 되는 데 수천 년이 걸린다. 이런 식으로 형성되는 바위는 퇴적암이라고 불린다. 퇴적물은 땅이나 해저에 자리를 잡고 모이는 모든 것이다. 어떤 종류의 퇴적물이든, 즉 진흙, 모래, 조개, 광물의 조각이나 동식물의 유해가 퇴적암이 될 수 있다. 진흙으로 이루어진 혈암층이 있고, 모래로 이루어진 사암층이 있으며, 썩은 나무로 이루어진 석탄이 있다. 이 층들 안에서 나무와 동물의 화석을 찾을 수 있지만 발견하기가 정말 힘들다. 오로지 면밀히 봐야만 화석을 발견할 수 있다.

| 문제 해설 | ③ form은 자동사로 쓰였는데, 선행사인 Rock에 수를 일치시켜야 하므로 forms를 쓰는 것이 적절하다. **정답 ③**

| 오답 풀이 | ① settle은 단수 주어에 맞게 settles로 쓰는 것이 적절하다.
② to hardens ~를 진주어로 취하는 가주어이므로 It은 적절하다.
④ layers ~ trees가 진주어이므로 There 뒤에는 복수형인 are를 쓰는 것이 적절하다.
⑤ Only ~ closely라는 단정을 나타내는 부사구가 문두에 왔으므로 조동사 can이 주어 앞에 쓰였다.

| 구문 분석 | 〈2행〉 More layers of mud / land on top of it and get squashed down / by the weight of the water.
S V1 V2(병렬구조)

〈6행〉 Any kind of sediment — mud, sand, shells, bits of minerals, or the remains of plants and animals — can become sedimentary rock.
S 주어의 보충어구(삽입) V

2 어법성 판단

| 전문 해설 | 공룡과 같은 시대에 살았던 프테로사우루스는 박쥐와 같은 거대한 날개를 가졌고 잘 날았다. 오늘날 숲에서 사는 몇몇 파충류는 나무에서 나무로 활강하며 그것을 할 수 있다. 가장 활강을 잘 하는 것은 긴 늑골을 가진 작은 도마뱀으로 그 늑골 중 일부는 옆구리에 접어 넣어 둔다. 그들은 박쥐처럼 생겼지만 도마뱀과에 속해 있다. 일부 다른 도마뱀과 몇몇 뱀들은 펄쩍 뛸 때 몸을 납작하게 만들지만 활강은 하지 못한다. 나뭇가지로부터 뛰는 것은 '나는 도마뱀'들에게 특별한 기술을 요구한다. 그들은 늑골을 펴서 우산처럼 생긴 피부의 부채를 편다. 그리고 밝은 색으로 칠해진 종이 다트처럼 그들은 약 60피트 정도까지 활강한다.

| 문제 해설 | (A) 주어는 The pterosaurs이며 문장에 동사가 필요하므로 had를 써야 한다. (B) belong은 자동사이므로 수동태로 쓸 수 없다. 따라서 belong을 써야 한다. (C) required 앞까지가 주어이므로 동명사구를 만들기 위해 Leaping이 적절하다. **정답 ①**

| 구문 분석 | 〈4행〉 The champion gliders / are little lizards / [that have long ribs], / [some of which 관계절 관계절 they fold back against their sides].

〈8행〉 Leaping from a branch / required the 'flying S(동명사 주어) lizards' special skills — they spread their ribs, / opening umbrella-like fans of skin.
분사구문(~하면서)

3 빈칸 추론

| 전문 해설 | 동전에 투자하는 것은 시간을 필요로 하지만 이익이 된다. 매년 10센트짜리 동전을 모으는 데는 여러 해가 걸릴 수 있다. 그렇지만 동전 모으기를 재미있게 만드는 것은 동전 찾기의 보상이다. 1804년에 10센트 동전이 고작 8,265개 주조되었다. 주조된 다음 200년이 지난 다음에 얼마나 많은 것이 남아있을 것이라고 생각하는가? 1804년 동전 중 한 개를 수집품에 더한다고 생각해 보라. 여러분은 한 개를 사려면 자라서 직업을 갖을 때까지 기다려야 할지도 모른다! 1999년 8월 30일에 1804년에 주조되어 15개만 남았다고 알려진 은화 달러가 경매에 나왔고 기록을 깨는 414만 달러에 팔렸다. 다른 1804년의 달러는 1997년에 181만 5000달러에 팔렸다.

| 문제 해설 | 오랫동안 동전을 모으면 나중에 가치가 높아진다는

내용이므로 빈칸에 들어갈 말로는 ②가 가장 적절하다.　　　정답 ②

| 오답 풀이 | ① 인플레이션에 의해 위협받는다
③ 다양한 국가에 대해 가르친다
④ 어린이들 사이에서 인기를 잃고 있다
⑤ 부유한 사람들의 취미가 된다

| 구문 분석 | 〈2행〉 But [it]'s the reward of the hunt /
It ~ that 강조구문 (the reward of the hunt가 강조됨)
[that] makes collecting coins fun.

본문 26쪽

UNIT **02** 목적어

구문 유형 **07**

057 My wife really wanted / **to have** a baby.
　　　S　　　　　V　　　　　O(to부정사)
내 아내는 정말로 원했다 / 아이를 갖기를.

058 My four-year-old son enjoys / **listening** to
　　　　　　　S　　　　　　V　　　　O(동명사)
stories.
네 살인 내 아들은 즐긴다 / 이야기 듣는 것을.

059 I have just finished / **reading** his novel / for
　S　└─V (현재완료)─┘　　O(동명사)
the first time.
나는 막 끝냈다 / 그의 소설 읽는 것을 / 처음으로.

060 She promised **to find** a permanent home /
　　S　　V　　O(to부정사)
before the baby was born.
그녀는 영구적인 집을 찾겠다고 약속했었다 / 그 아기가
태어나기 전에.

061 Eric often practiced / **playing** the violin in
　　S　　　　V　　　　O(동명사)
his room.
Eric은 종종 연습을 했었다 / 자기 방에서 바이올린 켜는
것을.

062 He decided **to take** a day off / to get some
　S　　V　　O(to부정사)
rest at home.
그는 하루를 쉬기로 결심했다 / 집에서 좀 휴식을 취하려
고.

063 My husband enjoys **taking** a walk / after
　　S　　　V　　O(동명사)
lunch.
내 남편은 산책하기를 즐긴다 / 점심을 먹고 난 후에.

064 The sea lions enjoyed / **being** with those
　　S　　　V　　O(동명사)
humans / they knew.
바다사자는 즐겼다 / 그 사람들과 함께 있기를 / 그들이
알고 있던.

065 I couldn't help **laughing** // when I heard
　S　　V　　O(동명사)
that story.
나는 웃지 않을 수 없었다 // 내가 그 이야기를 들었을 때.

구문 유형 **08**

066 He thought / [**(that)** his girlfriend was a
　S　　V　　O(that이 이끄는 명사절)
liar].
그는 생각했다 / 그의 여자 친구가 거짓말쟁이었다고.

067 I asked my mother / [**if** she liked my gift].
　S　V　　I.O　　D.O(if가 이끄는 명사절)

나는 어머니에게 물었다 / 그녀가 내 선물을 좋아했는지를.

068 She told me / [**what** I should do / in that case].
S V I.O D.O(의문사 what절)

그녀는 내게 말했다 / 내가 해야만 하는 것을 / 그 경우에.

cf. She told me **what to do** in that case.
「의문사+to부정사」도 명사 역할을 한다.

069 I believed for years [**that** people were motivated to mediate / for one reason — money].
S V O(that절)

나는 수년 동안 믿었다 / 사람들이 중재할 동기 부여를 받는다고 / 돈이라는 한 가지 이유 때문에.

070 Everyone would like to assume / [**that** their wonderful, creative ideas / will sell themselves].
S V O(that절)

모든 사람들은 가정하고 싶어 한다 / 자신의 훌륭하고 창의적인 생각들이 / 그것 스스로 선전을 하기를.

071 Who discovered / [**that** the earth's axis is on a 23 degree tilt] / and [**when** did they discover it]?
S V O(that절)

누가 발견했는가 / 지구의 축이 23도 기울어져 있다는 것을 / 그리고 언제 그것을 발견했는가?

072 I was wondering / [**if** you could send me an application form].
S V O(if절)

나는 궁금해하고 있었다 / 당신이 내게 신청서를 보낼 수 있었는지를.

073 Today I asked myself / [**whether** or not objective beauty exists].
S V 재귀대명사 O(whether절)

오늘 나는 내 자신에게 물었다 / 객관적인 아름다움이 존재하는지 아닌지를.

074 Ellen Langer learned from her mother / [**how** to prepare a roast].
S V O(의문사구)

Ellen Langer는 그녀의 어머니로부터 배웠다 / 구이 요리를 어떻게 준비하는지를.

075 A dad needs to teach his daughter / [**when** to be cautious].
S V O(to부정사) to부정사의 I.O to부정사의 D.O(의문사구)

아빠는 딸에게 가르쳐야 할 필요가 있다 / 언제 조심해야 하는지를.

구문 유형 **09**

076 Heavy fog made **it** impossible / **to see ahead**.
S V 가목적어 O.C 진목적어

짙은 안개가 불가능하게 만들었다 / 앞을 보는 것을.

077 I have always found **it** easy / **to float in a swimsuit**.
S V (현재완료) 가목적어 O.C 진목적어

나는 항상 쉽다는 것을 알았다 / 수영복을 입고 떠 있는 것이.

078 Most students will find **it** fun and rewarding / **to do volunteer work**.
S V 가목적어 O.C 진목적어

대부분의 학생들은 재밌고 보람 있다는 것을 알게 될 것이다 / 자원봉사활동을 하는 것이.

079 We take **it** for granted / **that our children will be better off** / **than we are**.
S V 가목적어 진목적어

우리는 당연한 것으로 받아들인다 / 우리의 아이들이 더 잘 살 것임을 / 우리보다.

080 Technology makes **it** impossible / **to take a vacation from work**.
S V 가목적어 O.C 진목적어

과학 기술은 불가능하게 만든다 / 직장에서 휴가를 얻는 것을.

081 A color-blind monkey / found **it** more difficult / **to find the fruit**.
S V 가목적어 O.C 진목적어

색맹 원숭이는 / 더 어렵다는 것을 알았다 / 과일을 찾는 것이.

082 We take **it** for granted / **that film directors are in the game of recycling**.
S V 가목적어 진목적어

우리는 당연한 것으로 받아들인다 / 영화 제작자가 (옛 영화를) 재활용한다는 것을.

083 Capitalism is the system / [that makes **it** possible / **to give productively**].
V 가목적어 O.C' 진목적어

자본주의는 시스템이다 / 가능하게 만드는 / 생산적으로 주는 것을.

084 The Romans considered **it** necessary / **to not only purify the body**, / **but to do it thoroughly and often**.
S V 가목적어 O.C 진목적어1 진목적어2

로마 사람들은 필요하다고 여겼다 / 몸을 깨끗하게 하는 것뿐만 아니라, / 그것을 철저하게 자주 하는 것을.

구문 유형 **10**

085 She asked **herself** / [what is important in her life].
S V I.O(재귀대명사) D.O

그녀는 자기 자신에게 물었다 / 그녀의 인생에서 무엇이

중요한지를.

086 "Be calm and brave." // the boy told **himself** again and again.
S V O(재귀대명사)

"차분하고 용감하라." // 계속해서 소년은 자기 자신에게 말했다.

087 My son cut **himself** // when he was cooking.
S V O(재귀대명사)

내 아들은 손을 베었다 // 그가 요리를 하고 있을 때.

088 I believe / [that heaven helps those {who help **themselves**}].
명사절 S' V' O'
V' 재귀대명사

나는 믿는다 / 하늘은 스스로를 돕는 사람들을 돕는다는 것을.

089 I found **myself** lying / on the floor of a great room full of people.
S V O(재귀대명사)

나는 나 자신이 누워 있는 것을 알았다 / 사람들로 가득한 큰 방의 바닥에.

090 I don't speak good Spanish // but I can make **myself** understood.
S V
O(재귀대명사)

나는 스페인어가 능숙하지 않다 // 하지만 나는 나 자신을 이해시킬 수 있다.

091 She overworked **herself** // because she didn't want to let us down.
S V O(재귀대명사)

그녀는 과로했다 // 우리를 실망시키고 싶지 않았기 때문에.

092 Sports became so complex for him // that he forgot [how to enjoy **himself**].
S'
V' O'(명사절) 재귀대명사

스포츠는 그에게 매우 복잡해져서 // 그는 그 스스로를 즐기는 법을 잊어버렸다.

093 The Romans believed **themselves** superior /
　　　 S　　　　V　　　　O(재귀대명사)
to their barbarian neighbors.

로마 사람들은 자기 자신들이 우월하다고 믿었다 / 야만적인 이웃들보다는.

094 Nature is best protected / by keeping
humans far away, // so that it can continue to run
　　　　　　　　　　　　S　　 V　　 O(to부정사)
itself.
to부정사의 목적어(재귀대명사)
자연은 가장 잘 보호 받는다 / 인간을 멀리 떨어뜨려 놓음으로써, // 그래서 그것은 계속해서 자기 자신을 기능할 수 있다.

구문 유형 11

095 He had the possibility / **of being a great**
　　 S　 V　　 O　　　　　 전치사　　O'(동명사)
leader.

그는 가능성을 가지고 있었다 / 훌륭한 지도자가 될.

096 Accepting responsibility / **for being**
　　　　　　　 S　　　　　　　　 전치사　O'(동명사)
punctual / is an important life skill.
　　　　　　 V　　　　　　 C
책임을 진다는 것은 / 시간을 지키는 것에 대해 / 중요한 삶의 기술이다.

097 The idea **of having a single career** / is
　　　 S　 전치사　　　 O'(동명사)　　　　 V
becoming an old-fashioned one.
　　　　　　 C
단 하나의 직장을 가진다는 생각은 / 구식의 생각이 되어가고 있다.

098 The nurses began to be worried / **about**
　　　 S　　　 V　　　 O(to부정사)　　 전치사
[**whether to feed her**].
명사절
간호사들은 걱정하기 시작했다 / 그녀에게 음식을 먹여야 하는지에 관해.

099 He is looking forward **to seeing his**
　　 S　　 V　　　　 전치사　　O'(동명사)
daughters / before the event.

그는 자신의 딸들을 보기를 고대하고 있다 / 그 행사 전에.

100 Brian is hesitating / **about** [**whether he**
　　　 S　　 V　　　　 전치사　 O'(명사절)
should talk / to his friend, Paul, first].

Brian은 주저하고 있다 / 그가 말을 해야 하는지에 관해 / 먼저, 자신의 친구 Paul에게.

101 Aristotle wrote / [that we learn best **by**
　　　 S　　 V　　　　 O　　　　　　　　 전치사
doing], / and it has always been true.
O'(동명사)
아리스토텔레스는 썼다 / 우리가 행함으로써 가장 잘 배운다는 것을 / 그리고 그것이 항상 사실이었다.

102 I am thinking **of sending him a text**
　　　 S　 V　　 전치사　　　O'(동명사)
message / saying I'm sorry.

나는 그에게 문자 메시지를 보낼 생각을 하고 있다 / 미안하다고 말하는.

103 Every small business owner / knows the
　　　　　　　　 S　　　　　　　　 V
importance / of building business relationships.
　 O　　 전치사　　　 O'(동명사)
모든 중소기업 소유주들은 / 중요성을 알고 있다 / 사업 관계를 맺는 것의.

구문 독해 PRACTICE

Ⓐ 어법상 알맞은 것 고르기

1 whether
   당신이 누군가를 사랑하는지 (아닌지)

2 that
   출생 순서가 성인기 삶의 성격과 성취 모두에 직접적으로 영향을 미친다

1 The moment you stop to think about / [whether
   stop+to부정사: ∼하기 위해 멈추다 전치사   O'(명사절)
you love someone], / you've already stopped /
                         stop+∼ing: ∼하는 것을 멈추다
loving that person forever.

| 해석 | 생각하려고 멈추는 순간 / 당신이 누군가를 사랑하는지 (아닌지), / 당신은 이미 멈췄다 / 그 사람을 영원히 사랑하는 것을.

| 문제 해설 | 전치사 about의 목적어 역할을 하면서 '∼인지 아닌지'의 뜻을 가져야 하므로, whether가 어법상 적절하다.

2 Many social scientists have believed for some
         S   V(현재완료)
time / [that birth order directly affects both
personality and achievement in adult life].
both A and B: A와 B 둘 다

| 해석 | 많은 사회과학자들은 한동안 믿어왔다 / 출생 순서가 성인기 삶의 성격과 성취 모두에 직접적으로 영향을 미친다고.

| 문제 해설 | 동사 believed의 목적어 역할을 하는 절을 이끌면서 뒤에 문장성분이 다 있으므로, 접속사 that이 적절하다.

Ⓑ 우리말에 맞게 배열하기

1 has made it difficult to correct

2 how the other person really feels about what happened

1 It is lack of resources and education / that has
   it is ∼ that 강조구문   V
made it difficult / [to correct the unawareness of
가목적어   O.C   진목적어

the disease].

| 해석 | 자원과 교육의 부족이다 / 어렵게 만들어온 것은 / 그 병에 대한 무지를 고치는 것을.

| 문제 해설 | 가목적어 it과 진목적어 to부정사에 관한 표현이므로, has made it difficult to correct가 알맞다.

2 Therefore, to apologize sincerely / we must first
                부사적 용법(목적)
listen attentively to / [how the other person really
               전치사   O'(의문사절)
feels / about what happened].
         선행사를 포함한 관계대명사

| 해석 | 그러므로, 진실하게 사과하기 위해서 / 우리는 처음에 주의를 기울여 들어야만 한다 / 다른 사람이 정말로 어떻게 느꼈는지를 / 일어난 일에 관해.

| 문제 해설 | 전치사의 목적어로 의문사절이 올 때는 「의문사+주어+동사」의 어순을 취하므로, how the other person really feels about what happened가 적절하다.

Ⓒ 어법상 틀린 것 고치기

1 ③ do → doing

2 ③ which → that(in which)

1 [To say / {that we need to curb anger and our
   S(to부정사구)   say의 목적어
negative thoughts and emotions}] / does not mean /
                                        V
[that we should deny our feelings]. There is an
   O(mean의 명사절)
important distinction to be made / between denial
                    to부정사구의 형용사적 용법
and restraint. The latter constitutes a deliberate and
         후자(restraint)
voluntarily adopted discipline / based on an
adopted 수식하는 부사   ∼에 근거한
appreciation of the benefits of doing so.
                              전치사+동명사(v–ing)

| 해석 | 말하는 것은 / 우리가 분노와 우리의 부정적인 생각과 감정을 억제할 필요가 있다고 / 의미하지는 않는다 / 우리가 우리의 감정을 부인해야 하는 것을. 해야 할 중요한 차이가 있다 / 부인과 억제 사이에는. 후자는 의도적이고 자발적으로 채택된 훈육을 구성한다 / 그렇게 하는 것의 이점에 관한 인식을 바탕으로.

| 문제 해설 | 전치사 of의 목적어로는 동사가 아닌 동명사(v-ing)가 와야 하므로, do는 doing으로 고쳐야 한다.

2 Every night he taught himself English / by
<u>S</u> <u>V</u> <u>재귀대명사</u>
reciting vocabulary / from the English version of
by ~ing: ~함으로써
Mao's little red book; / I saw my father writing
지각동사   현재분사1
down English words on small cards / and carrying
현재분사2
them / wherever he went. When I asked him / [why
복합관계사(no matter where) S' V' I.O' D.O'(의문사절)
he did that], / he explained in a very simple way /
[that he wanted to learn English].
explained의 목적어(that절)

| **해석** | 매일 밤 그는 스스로에게 영어를 가르쳤다 / 어휘
를 암송함으로써 / Mao의 작은 빨간 책의 영어판에 있는;
/ 나는 아빠가 작은 카드에 영어 단어를 적는 것을 보았다
/ 그리고 그것을 가지고 다니는 것을 / 그가 가는 곳이면
어디든지. 내가 아빠에게 물어보았을 때 / 그가 왜 그것을
했느냐고, / 그는 매우 간단한 방식으로 설명했다 / 그는
영어를 배우고 싶었다고.

| **문제 해설** | 뒷문장에 문장성분이 다 있고, a very simple
way를 선행사로 하는 관계부사가 필요하므로, which는 that이
나 in which로 고쳐야 한다.

D 우리말에 맞게 단어 배열하기

1 refuses to permit us to accept the criticism

2 they allow themselves to be overwhelmed
with the mistakes

1 We want to defend / [what we have done], / and
defend의 O(관계대명사절)
our innate stubbornness / refuses to permit us / to
permit A to-v: A가 ~하는 것을 허용하다
accept the criticism / (that) [we are receiving].

| **해석** | 우리는 방어하고 싶어 한다 / 우리가 해 온 것을,
/ 그리고 우리의 타고난 고집은 / 우리가 허용하기를 거부
한다 / 그 비판을 받아들이는 것을 / 우리가 받고 있는.

| **문제 해설** | refuse는 to부정사를 목적어로 취하고, permit도
역시 목적어로 to부정사를 취하므로, refuses to permit us to
accept the criticism으로 써야 한다.

2 Unfortunately, many people use these feelings

---

of regret / as brakes / [that they set on their own
전치사(~로서)
lives]. Instead of rededicating themselves / to the
exciting months and years ahead, / they allow
themselves to be overwhelmed with the mistake /
that they made in the past.

| **해석** | 불행하게도, 많은 사람들은 이런 후회의 감정을
이용한다 / 브레이크로 / 그들이 자기 자신의 삶에 거는.
그들 자신을 재헌신하기 보다는 / 앞에 놓여 있는 달과 해
에, / 그들은 자기 자신을 실수들에 압도당하도록 내버려둔
다 / 그들이 과거에 저질렀던.

| **문제 해설** | 동사 allow는 목적격보어로 to부정사를 취하므로,
they allow themselves to be overwhelmed with the
mistakes로 써야 한다.

실전 독해 PRACTICE
본문 34쪽

1 ③	2 ①	3 ④

1 어법성 판단

| **전문 해석** | 불안해하는 아이들은 세상이 위험한 장소라
고 믿는다. 이런 믿음 때문에, 그들은 흔히 매우 무고한 사
건을 위험의 예로 해석할 것이다. 예를 들어, 밤에 밖에서
나는 정상적인 소음은 강도로 해석될 지도 모른다. 이런
식으로, 이런 생각의 스타일은 아이에게 그들의 두려움이
진짜라는 것을 '보여줌'으로써 불안을 유지하는 것을 도울
수 있다. 가장 중요한 것은, 불안해하는 아이들은 보통 그
들이 두려워하는 것들을 피할 것이라는 것이다. 이런 회피
때문에, 그들은 결코 그들이 두려워하는 일들이 아마도 일
어나지 않을 것이라는 것과 그것이 일어난다고 해도 대처
할 수 있다는 것을 알아낼 기회를 얻지 못한다. 또한, 이것
은 아이들로 하여금 그들이 두려워하는 것이 보통 사실이
아니라는 것을 알지 못하게 함으로써 불안감을 유지시킨
다. 부모가 그들의 아이들로 하여금 자신의 불안감을 피하
게 하는 곳에서, 부모는 또한 이런 믿음이 계속 머무르도
록 하고 있는 것이다.

| **문제 해설** | ③ showing의 목적어가 필요하고 뒤에 주어와 동
사가 있는 완전한 문장이 오고 있기 때문에, 관계대명사 what은
접속사 that으로 고쳐야 한다.   정답 ③

| **오답 풀이** | ① 동사 believe의 목적어 역할을 하는 명사절을

접속사 that이 이끌고 있다.
② a normal noise와 interpret가 수동의 의미 관계이므로 수동의 형태인 be interpreted가 왔다.
④ 대동사로 앞에 나온 happen을 대신 받으므로 does는 어법상 알맞다.
⑤ 전치사 by의 목적어로 동명사 allowing이 왔는데, 동명사의 부정은 「not v-ing」이므로, not allowing은 어법상 알맞다.

| 구문 분석 | 〈6행〉 Most importantly, anxious
　　　　　　　　　　　　　문장 전체 수식
children will usually avoid things / [(that) they
fear].

〈7행〉 Because of this avoidance, they never have
　　　　　because of + 명사(구)
an opportunity to find out [that {what they are
　　　　　　　　형용사적 용법　find out의 명사절1　명사절의 주어
scared of} probably won't happen] and [that they
　　　　　　　　　　　　　　　　V
can cope if it does].
　　　　　　　　find out의 명사절2

2 어법성 판단

| 전문 해석 | 어떤 것에 그저 관심이 있기 때문에 대학에 가서 전체로든 부분으로든 그것을 공부하기로 선택한 모든 학생은 지식의 추구와 관련되어 있다. 그런 학생을 학교에 있는 다소 사소한 이유인 것처럼, 어떤 과목에 '그저 관심이' 있다고 묘사하는 것이 얼마나 자연스러운지는 다소 놀라운 일이다. 왜 '그저'인가? 많은 학생들은 관심에서 특정 과목을 공부하지만, 몇몇 학생은 당연하게도 그것에 예민하다. 그들은 "그걸로 무엇을 할 것인가?"와 같은 질문을 받곤 한다. 그리고 물론, 모든 사람은 결국 일을 찾아서 생계를 잇는 방법의 문제에 직면해야만 한다.

| 문제 해설 | (A) who comes ~ in it은 주어 Every student를 수식하는 관계절이고 주어가 Every student이므로 동사는 단수 형태인 is가 되어야 한다. (B) 의문사절 안에서 동사 is의 보어 역할을 해야 하므로, 형용사 natural이 알맞다. (C) 「how+to+동사원형」은 '~하는 방법'의 뜻으로, and에 의해 find와 병렬 연결되어야 하므로 put이 알맞다.　　정답 ①

| 구문 분석 | 〈3행〉 It's rather alarming [how natural
　　　　　　　　　　　　　　　　　　의문사절
it is {to describe such a student / as being "just
가주어　진주어　　　　　　such a(n) 명사　전치사(~로서)
interested" in a subject, / as though that's a rather
　　　　　　　　　　　　　　　마치 ~인 것처럼
trivial reason to be in school}].

3 주어진 문장의 위치 찾기

| 전문 해석 | 미국 남북전쟁 전에, Edmund McIlhenny

는 Louisiana의 Avery Island의 설탕 농장과 염전을 운영했다. 북군 병사의 군대가 1863년에 그 지역을 침입해서, McIlhenny는 도망을 가야했다. 그가 1865년에 되돌아왔을 때, 그의 설탕 밭과 염전은 폐허가 되었다. 대신에 부엌 정원에 스스로 씨를 뿌렸던 몇몇 매운 멕시코 고추만이 남아 있었다. 겨우 살아가던 McIlhenny는 자신의 맹맹한 식사의 활기를 띠게 할 소스를 만들기 위해서 후추를 가지고 실험을 하기 시작했다. 새로 발견된 그의 소스는 오늘날 타바스코 소스로 알려져 있다. 100년이 지난 후의 오늘 날까지, McIlhenny Company와 타바스코 사업은 여전히 McIlhenny 가족에 의해 운영되고 있다.

| 문제 해설 | 후추를 가지고 실험을 하기 시작했다는 주어진 문장은 새로 발견한 소스가 타바스코 소스라고 알려져 있다는 내용이 나오는 문장 앞인 ④에 들어가는 것이 가장 적절하다.　정답 ④

| 구문 분석 | 〈1행〉 McIlhenny, [who was living hand
　　　　　　　　　　　　　S
to mouth], started experimenting with the ground
　　관계절　　　　V　　O(동명사)
peppers to make a sauce [that would liven up his
　　　　　부사적 용법(목적)　　　　관계절
dull diet].

본문 36쪽

UNIT 03 보어

구문 유형 12

104 When you become **a good listener**, //
　　　　　S　　V　　　C(명사구)
understanding others will become **easy**.
　　　S　　　　　　V　　　C(형용사)
당신이 경청하는 사람이 되면 // 다른 사람들을 이해하는 것이 쉬워질 것이다.

105 His dream is **to become a world champion**
　　　S　　V　　C(명사 상당어구: to 부정사)
// and it sounds **achievable**.
　　　S　　V　　C(형용사)
그의 꿈은 세계 챔피언이 되는 것이다 // 그리고 그것은 실현 가능하게 들린다.

106 The girl grew **nervous** on the stage.
S · V · C(형용사)
그 소녀는 무대 위에서 초조해졌다.

107 Seoul will become **the best city** / in the world.
S · V · C(명사구)
서울은 가장 좋은 도시가 될 것이다 / 세계에서.

108 They remained **calm** / and coped with the situation.
S · V · C(형용사)
그들은 침착한 채로 있었다 / 그리고 그 상황에 대처했다.

109 Recently, figure skating has become **a popular sport** / in Korea.
S · V · C(명사구)
최근, 피겨스케이팅은 인기있는 스포츠가 되었다 / 한국에서.

110 What we want / is **to be always in touch** and never alone.
S · V · C(명사구: to부정사)
우리가 원하는 것은 / 항상 연락이 닿는 것이고 결코 혼자 남겨지지 않는 것이다.

111 Part of the American story is / **that bigger is better**.
S · V · C(that절)
그 미국 이야기의 일부는 (~)이다 / 더 큰 것이 더 좋다는 것이다.

구문 유형 13

112 My initial plan / was **to study 6 hours a day**.
S · V · C(to부정사구)
나의 원래 계획은 / 하루에 6시간씩 공부하는 것이었다.

113 The problem / is **that he has serious health problems**.
S · V · C(명사절)
문제는 / 그에게 심각한 건강문제가 있다는 것이다.

114 My plan / is **to read all of these books by next month**.
S · V · C(to부정사구)
내 계획은 / 다음 달까지 이 책들을 모두 읽는 것이다.

115 One of my hobbies / is **traveling around the country**.
S · V · C(동명사구)
나의 취미 중 하나는 / 전국을 여행하는 것이다.

116 The reason / is **that your body requires enough water**.
S · V · C(that절)
그 이유는 / 당신의 몸이 충분한 물을 요구한다는 것이다.

117 The campaign's purpose / was **to raise awareness about global warming**.
S · V · C(to부정사구)
그 캠페인의 목적은 / 지구 온난화에 관한 관심을 높이는 것이었다.

118 The most important thing for good health / is **that you should exercise regularly**.
S · V · C(명사구)
건강을 유지하기 위해 가장 중요한 것은 / 규칙적으로 운동을 해야 한다는 것이다.

119 Gregorio Dati / was **a successful merchant of Florence**.
S · V · C(명사구)
Gregorio Dati는 / 플로렌스의 성공한 상인이었다.

120 The sea lions were **friendly** / to those
S · V · C(형용사)

humans [they knew].

_{선행사} _{관계사절}

그 바다사자들은 우호적이었다 / 그들이 아는 사람들에게는.

121 Surely the best approach / with any great
_S
work of art / is **to simply leave it alone**.
_V _{C(to부정사구)}

분명히 가장 좋은 접근법은 / 어떠한 위대한 예술작품에 대해서라도 / 그냥 그것을 그대로 내버려두는 것이다.

구문 유형 **14**

122 The council elected / him **mayor** last year.
_S _V _O _{O.C(명사)}

그 의회는 선출했다 / 지난해에 그를 시장으로.

123 The noise from outside kept / me **awake**
_S _V _O _{O.C(형용사)}
last night.

밖에서 나는 소음이 (~하게) 했다 / 어젯밤에 나를 깨어있 도록.

124 We call / him **the most influential person** /
_S _V _O _{O.C(명사구)}
in Asia.

우리는 (~라고) 부른다 / 그를 가장 영향력 있는 사람이라 고 / 아시아에서.

125 They consider / their president **a great**
_S _V _O _{O.C(명사구)}
leader.

그들은 (~라고) 생각한다 / 그들의 대통령은 위대한 지도 자라고.

126 You shouldn't keep / the window **open** /
_S _V _O _{O.C(형용사)}
while sleeping.

당신은 (~) 해서는 안된다 / 창문을 열어 놓아서는 / 자는

동안.

127 The family named / their dog "Willow."
_S _V _O _{O.C(명사)}

그 가족은 이름을 지었다 / 그들의 개를 '버드나무'라고.

128 She finally made / her son **a global**
_S _V _O _{O.C(명사)}
superstar.

그녀는 마침내 만들었다 / 그녀의 아들이 세계적인 대스타 가 되도록.

129 He found / the algebra question **too**
_S _V _O _{O.C(형용사구)}
difficult.

그는 알았다 / 그 대수학 문제가 너무 어렵다는 것을.

130 A book [that calls itself the novelization of a
_S _{관계사절} _V _O _{O.C}
film] / is considered **barbarous**.
_V _{C(형용사)}

스스로를 영화의 소설화라고 부르는 책은 / 야만스럽다고 생각된다.

구문 유형 **15**

131 The doctor advised / me **to stay away from**
_S _V _O _{O.C(to부정사)}
work.

그 의사는 조언했다 / 내가 일을 쉬도록.

132 The teacher encouraged / his students **to**
_S _V _O
discuss the matter.
_{O.C(to부정사)}

그 선생님은 권했다 / 그의 학생들이 그 문제에 대해 논의 하는 것을.

133 Smartphones allow / us **to connect with**
S   V   O   O.C(to부정사)
others easily.

스마트폰은 가능하게 한다 / 우리가 다른 사람들과 쉽게
연락을 취하는 것을.

134 The "Teach yourself" technique enables /
S   V
students **to learn faster**.
O   O.C(to부정사)

"스스로 가르치라"는 기법은 가능하게 한다 / 학생들이 더
빨리 배우는 것을.

135 The lack of water forced / them **to leave**
S   V   O   O.C(to부정사)
their town.

물 부족이 (~)하도록 했다 / 그들이 자신들의 마을을 떠나
도록.

136 The conductor persuaded / him **to join his**
S   V   O   O.C(to부정사구)
orchestra.

그 지휘자는 설득했다 / 그가 자신의 오케스트라에 들어오
도록.

137 Bad health compelled / Kate **to resign from**
S   V   O   O.C(to부정사구)
her job.

나빠진 건강이 (~)하도록 했다 / Kate가 일을 그만두도록.

138 The father forced / his children **to go for a**
S   V   O   O.C(to부정사구)
walk.

그 아버지는 시켰다 / 그의 자녀들이 산책을 하도록.

139 Satiation of the predator enables / most
S   V   O
members of the school **to escape unharmed**.
O.C(to부정사구)

그 포식자의 포만감이 가능하게 한다 / 그 무리의 구성원
대부분이 해를 입지 않은 채로 달아나는 것을.

140 They allow / seedlings **to sprout more**
S   V   O   O.C(to부정사구)
quickly / when sown.
분사구문

그들은 (~)하게 했다 / 묘목들이 더 빨리 싹이 트도록 / 씨
가 뿌려졌을 때.

구문 유형 **16**

141 The coach watched / his players **dominate**
S   V(지각동사)   O   O.C(원형부정사)
the match.

그 코치는 지켜보았다 / 자신의 선수들이 그 경기를 지배
하는 것을.

142 Alice made / her friends **laugh** / all through
S   V   O   O.C(원형부정사)
the meal.

Alice는 (~)하게 만들었다 / 자신의 친구들이 웃도록 /
식사 내내.

143 We saw / the elephant **attack the trainer**.
S   V   O   O.C(원형부정사)
우리는 보았다 / 그 코끼리가 조련사를 공격하는 것을.

144 The teacher made / the children **bring their**
S   V(사역동사)   O   O.C(원형부정사)
own art supplies.

그 선생님은 시켰다 / 그 아이들이 자기 자신의 미술용품
을 가져오도록.

145 Listening to music helps / him **calm down**.
S   V   O   O.C(원형부정사)
음악을 듣는 것은 돕는다 / 그가 마음을 진정시키는데 것을.

146 The boy observed / his mother **cook**.
S   V(지각동사)   O   O.C(원형부정사)
그 소년은 지켜보았다 / 그의 어머니가 요리하는 것을.

147 He didn't let / me **pay for the lunch**.
<u>S</u> <u>V(사역동사)</u> <u>O</u> <u>O.C(원형부정사)</u>
그는 (~)하게 하지 않았다 / 내가 점심값을 내도록.

148 Companies sometimes see / profits **increase**
<u>S</u> <u>V(지각동사)</u> <u>O</u> <u>O.C(원형부정사)</u>
/ after a rival's launch.

회사들은 때때로 목격한다 / 이윤이 증가하는 것을 / 경쟁 업체의 새로운 상품 출시 이후에.

149 I made / Simon **jump in and out** several
<u>S</u> <u>V(사역동사)</u> <u>O</u> <u>O.C(원형부정사)</u>
times.

나는 만들었다 / Simon이 여러 번 안팎으로 점프하도록.

150 I promise / [that I won't let / it **happen**
<u>S</u> <u>V</u> <u>S'</u> <u>V(사역동사)</u> <u>O</u> <u>O.C(원형부정사)</u>
again.

나는 약속한다 / (~하게) 두지 않겠다고 / (그런) 일이 다시 일어나도록.

구문 유형 17

151 I noticed / him **heading back to his house**.
<u>S</u> <u>V</u> <u>O</u> <u>O.C(능동 – 현재분사)</u>
나는 알아챘다 / 그가 다시 그의 집으로 향하고 있다는 것을.

152 She will have / her room **painted pink**.
<u>S</u> <u>V(사역동사)</u> <u>O</u> <u>O.C(수동 – 과거분사)</u>
그녀는 (~)하게 할 것이다 / 자신의 방이 분홍색으로 칠해지도록.

153 I saw / Jane **walking out of the park.**
<u>S</u> <u>V</u> <u>O</u> <u>O.C (현재분사)</u>
나는 보았다 / Jane이 공원에서 걸어 나오는 것을.

154 The audience heard / the pianist's name
<u>S</u> <u>V</u> <u>O</u>

called.
<u>O.C (과거분사)</u>
관객들은 들었다 / 그 피아니스트의 이름이 불려지는 것을.

155 Joshua had / his car **repaired** / by the
<u>S</u> <u>V</u> <u>O</u> <u>O.C (과거분사)</u>
mechanic.

Joshua는 (~)하게 했다 / 그의 자동차가 수리되도록 / 정비사에 의해.

156 She made / herself **understood in three**
<u>S</u> <u>V</u> <u>O</u> <u>O.C (과거분사)</u>
languages.

그녀는 되게 했다 / 자신이 3개 국어로 의사소통이 되도록.

157 I felt / something **caught in my throat**.
<u>S</u> <u>V(지각동사)</u> <u>O</u> <u>O.C(과거분사)</u>
나는 느꼈다 / 무엇인가가 내 목에 걸린 것을.

158 I heard / them **talking about the matter**
<u>S</u> <u>V(지각동사)</u> <u>O</u> <u>O.C(현재분사)</u>
seriously.

나는 들었다 / 그들이 그 문제에 대해 심각하게 이야기하고 있는 것을.

159 Looking through the camera lens made /
<u>S</u> <u>사역동사</u>
him **detached** from the scene.
<u>O</u> <u>O.C(과거분사)</u>
카메라 렌즈를 통해 바라보는 것은 / 그를 그 현장에서 분리되도록 만들었다.

160 I can play the film backward / and watch the
<u>S</u> <u>V</u> <u>O</u> <u>V(지각동사)</u> <u>O</u>
cat **fly down to the floor**.
<u>O.C(현재분사)</u>
나는 영화를 뒤로 돌렸다 / 그리고 고양이가 바닥으로 날아서 떨어지는 것을 보았다.

161 They had the service **rendered** to them / in
<u>S</u> <u>V(사역동사)</u> <u>O</u> <u>O.C(과거분사)</u>
a manner [that pleased them].
<u>관계사절</u>

그들은 그 서비스가 그들에게 되게 했다 / 그들을 즐겁게 해 주는 방식으로.

구문 독해 PRACTICE

Ⓐ 어법상 알맞은 것 고르기

1 judge
그들이 너무(도) 잘못 판단하게 한다

2 perfect
다른 모든 것은 완벽하게 남아 있었다.

1 [When parents are required to judge their children], / it is perhaps their customary
시간의 부사절
thoughtlessness / that makes them judge so
it ~ that 강조구문   V(사역동사) O O.C(동사원형)
mistakenly.

| 해석 | 부모들이 그들의 자녀를 판단할 것을 요구받을 때 / 아마도 그들의 습관적인 부주의함일 것이다 / 그들이 너무도 잘못 판단하게 하는 것은.

| 문제 해설 | 사역동사의 목적격보어로는 to부정사가 사용될 수 없으므로 judge가 적절하다.

2 Everything else remained perfect. She was
         S   V   C
happy, satisfied, and surrounded by people / [who
                                        관계사절
talked about the subject / {that she was also talking
                                        관계사절
about}].

| 해석 | 다른 모든 것은 완벽하게 남아 있었다. 그녀는 행복했고, 만족했고, 사람들로 둘러싸여 있었다 / 그 주제에 대해 말했던 / 그녀 또한 말하고 있었던.

| 문제 해설 | 주격보어로는 형용사와 부사 중 형용사만 써야 한다.

Ⓑ 어법에 맞게 배열하기

1 but the coach made him equipment manager

2 letting your child develop

1 Because of his injury, / Jim wasn't able to play
   이유의 전치사구
on the basketball team / during the rest of that year,
/ but the coach made him equipment manager / [so
              S   V(사역동사) O   O.C(명사구)   부사절(목적)
that he could come and practice].

| 해석 | 그의 부상 때문에 / Jim은 그 농구팀에서 경기를 할 수 없었다 / 그 해 남은 기간 동안 / 하지만 그 코치는 그가 장비 관리자가 되게 했다 / 그가 와서 연습할 수 있도록.

| 문제 해설 | 「사역동사+목적어+목적격보어(명사)」의 구조로 만들어야 한다.

2 Left-handedness is just the tip of the iceberg /
— in today's world, / parenting is about letting your
                              V(사역동사)+O+O.C(동사원형)
child develop into his or her own person, / not
                              parenting is not을 의미함
about trying to stamp him or her into a mold of
conformity.

| 해석 | 왼손잡이는 빙산의 일각에 불과하다 / 오늘날의 세상에서 / 육아는 아이들로 하여금 그 자신의 인격체로 발전하도록 놔두는 것이며 / 획일적인 틀로 찍어내려고 하는 것이 아니다.

| 문제 해설 | 「사역동사+목적어+목적격보어(동사원형)」의 구조로 만들어야 한다.

Ⓒ 어법상 틀린 것 고치기

1 ③ dependently → dependent

2 ③ to fade → fade 또는 fading

3 ① fix → fixed

20 • I. 문장의 기본

1 Human farmers and their domesticated plants and animals / made a grand bargain, / [though the farmers did not realize it / at the time]. Consider maize. Domestication made it dependent on man.

S — Human farmers and their domesticated plants and animals
V — made
O — a grand bargain
양보의 부사절
S — Domestication
V — made
O — it
O.C(형용사) — dependent on man

| 해석 | 인간 농부들과 그들의 길들여진 동식물들은 / 큰 거래를 했다 / 비록 농부들이 그것을 깨닫지 못했지만 / 그 당시에는. 옥수수를 생각해 보라. / 길들이기는 그것이 인간에게 의존하게 했다.

| 문제 해설 | 부사는 목적격보어로 쓰일 수 없으므로 make의 목적격보어인 ③ dependently를 dependent로 고쳐야 한다.

2 He became convinced / [that it was his destiny in life / to make good beginnings and then watch them fade away].

S — He
V — became
O — convinced
명사절
가주어 — it
진주어 1 — to make good beginnings
진주어 2 — then watch
watch의 목적어 + 목적격보어 — them fade away

| 해석 | 그는 확신하게 되었다 / 인생에서 (~이) 그의 운명이라는 것을 / 좋은 시작을 하고 나서 그것이 사라져 가는 것을 보는 것이.

| 문제 해설 | 지각동사의 watch의 목적격보어로는 to부정사를 쓸 수 없으므로 ③ to fade를 fade 혹은 fading으로 고쳐야 한다.

3 Adams said / [that he had the machine fixed], / [after he put his foot on the chair]. I saw him take his foot down from the chair. Then I heard him say to Lumsden / "I have taken the machine to Mr. Archingall / and he fixed it."

명사절(say의 목적어)
V(사역동사)+O+p.p.
시간의 부사절
V(지각동사)+O+O.C(원형부정사)
V(지각동사)+O+O.C(원형부정사)

| 해석 | Adams는 말했다 / 그가 그 기계가 수리되게 했다고 / 그가 자신의 발을 의자 위에 올려둔 다음에./ 나는 그가 자신의 발을 의자로부터 내려놓는 것을 보았다. 그리고 나서 나는 그가 Lumsden에게 말하는 것을 들었다 / "내가 Archingall씨에게 그 기계를 가져갔다 / 그리고 그는 그것을 고쳤다."

| 문제 해설 | have의 목적어인 the machine은 고쳐져야 하므로 목적격보어 ① fix는 과거분사 형태인 fixed가 되어야 한다.

D 우리말에 맞게 단어 배열하기

1 This makes it harder for a predator to focus on

2 allowed them to remain concealed for so long

1 This makes it harder / for a predator to focus on one animal to catch.

V+O(가목적어)+O.C
의미상의 주어 — for a predator
진목적어 — to focus on

| 해석 | 이것은 더 어렵게 만든다 / 포식자가 사냥할 한 마리의 동물에 집중하는 것을.

| 문제 해설 | 「사역동사 + 가목적어 + 의미상의 주어 + 진목적어」의 구조로 만들어야 한다.

2 Yet it is their amazing camouflage / which really allowed them to remain concealed for so long.

it ~ that 강조구문
(= that)
V+O+O.C(to부정사)

| 해석 | 하지만 (~은) 바로 그들의 놀라운 위장술이다 / 정말로 그들이 그렇게 오랫동안 숨은 채로 머무르는 것을 가능하게 했던 것은.

| 문제 해설 | allow는 목적격보어로 to부정사를 갖는다. 그리고 주격보어로 분사가 쓰일 때 주어와 수동의 관계이면 과거분사를 쓴다.

실전 독해 PRACTICE

본문 46쪽

1 ①	2 ②	3 ③

1 주어진 문장의 위치 찾기

| 전문 해석 | 거울을 깨면 뒤따르는 7년이 불행하다는 미신은 고대 로마로 거슬러 올라갈 수 있는데, 거기서(로마 시대에) 유리로 된 거울이 처음 만들어졌다. 그러나 로마인들이 거울을 발명했다는 사실은 사람들이 그 물건 주변에서 특별한 주의를 하게 하도록 당치도 않은 이야기를 그들이 퍼뜨려야 했다는 것을 의미하지는 않는다. 로마인들과 그리스인들은 거울이 그것을 사용하는 사람의 영혼을 반영한다고 믿었다. 그러므로 비친 이미지가 파괴되거나

왜곡되면, 이것은 그 사람의 타락이나 파괴를 의미할 수 있다. 이 미신이 퍼진 이유에 대한 가장 논리적인 설명은 거울은 교체하기에 비싸다는 것이다. 게다가 유리의 작은 파편들이 바닥을 맞고 튕겨나갈 때 누군가의 눈으로 들어갈지도 모른다. 그 파편들은 심지어 바닥에 남아서 예상치 못한 (사람의) 맨발을 찌르기를 기다리고 있을지도 모른다.

| 문제 해설 | 주어진 문장은 로마인들이 거울을 발견했다는 사실만으로 그들이 거울에 대한 미신을 만들어 낸 이유라고 보기는 어렵다는 내용이므로 고대 로마에서 거울이 처음 만들어졌다는 첫 문장과 거울이 그들에게 의미하는 바가 무엇이었는지를 밝혀준 두 번째 문장 사이인 ①에 들어가는 것이 가장 적절하다.　　　정답 ①

| 구문 분석 | 〈1행〉 However, / the fact [that the Romans invented mirrors] / does not mean / [that they should spread irrational stories] / to make people use extra caution around the objects.
(S: the fact / 명사절(the fact와 동격) / V: does not mean / 명사절(mean의 목적어) / 부사적 용법(목적) / V(사역동사)+O+O.C(동사원형))

〈9행〉 The most logical explanation / for why this myth is spread / is [that mirrors are expensive to replace].
(S: The most logical explanation / 전치사 for의 목적어 / V: is / C(명사절))

2　어법성 판단

| 전문 해석 | '알라딘'이라는 영화를 보고 나서, Eric이라는 이름의 한 다섯 살 난 아이가 자신이 램프의 요정을 불러내어 소원을 들어줄 수 있는 척 하면서 어머니의 빈 찻주전자를 마법의 램프로 사용하기 시작했다. "엄마, 소원 세 가지를 빌어 보세요, 그러면 제가 램프의 요정이 그것을 들어주도록 할게요."라고 그는 어머니에게 말했다. 그의 엄마는 처음에 모든 가난한 아이들을 가난에서 구해줄 것을 요청했다. Eric은 "그 램프"를 문지르면서, 보이지 않는 램프의 요정에게 말을 하는 척 했고, 그리고 나서 그의 어머니의 소원이 이루어졌다고 선언했다. 다음으로 그의 엄마는 모든 아픈 어린이들을 위한 치료를 요청했다. 또 다시, Eric은 그 상상의 램프를 문지르고는 보이지 않는 램프의 요정에게 말을 했다. 그러고 나서 그는 그의 엄마의 두 번째 소원이 이루어졌다고 말했다. Eric의 어머니는 다음으로 그녀의 세 번째 소원을 "나는 다시 날씬해지고 싶어."라고 빌었다. 이에 Eric은 그의 마법의 램프를 맹렬하게 문지르기 시작했다. 그 마법이 명백히 효과를 내지 못하자 Eric은 엄마를 올려다 보더니 "엄마, 이 소원을 위해서는 훨씬 더 강력한 마법이 필요할 것 같아요!"라고 말했다.

| 문제 해설 | (A) as he pretended he could ~를 분사구문으로 만든 것이므로 접속사 as와 주어 he를 생략하고 동사를 현재분사로 만들어 pretending이 적절하다. (B) 「사역동사+목적어+목적격보어」의 구문으로 사역동사의 목적격보어로는 to부정사가 올 수 없으므로 동사원형이 적절하다. (C) 「동사+목적어+목적격보어」의 구문으로 소원은 이루어짐을 당하는 수동의 관계이므로 목적격보어로 과거분사를 써야 한다.　　　정답 ②

| 구문 분석 | 〈1행〉 After watching the movie Aladdin, / a five-year-old kid named Eric / started using his mother's empty teakettle / as a magic lamp / pretending [he could summon the genie and grant wishes].
(전치사구 / S / 과거분사구 / V / O / 분사구문 / 명사절(pretend의 목적어))

〈13행〉 [When the magic obviously failed to work], / Eric looked up at his mom and said, / "Mom, I think / [I'm going to need / a lot more powerful magic for this wish]!"
(시간의 부사절 / 명사절(think의 목적어))

3　어법성 판단

| 전문 해석 | 사과는 그저 "미안해"라고 말하는 것이 아닌 진정한 회복 작업을 포함한다. 종종 회복해야 할 명백한 것이 없을 지도 모른다. 즉, 감정과 관계는 물건보다 더 자주 부서진다. 그런 경우에, 당신의 노력은 상대방의 존엄성을 회복시키는데 초점을 맞추어야 한다. "당신은 내가 다른 어떤 것을 해 주기를 원하나요?"라는 질문으로 이러한 과정을 시작할 수 있다. 만약 당신이 그것을 진심으로 묻고, 정말로 그 대답에 귀를 기울이며, 상대방의 제안에 따라 행동한다면, 당신은 그들의 감정, 시각, 그리고 경험을 존중하고 있을 것이다. 이것은 심지어 겉보기에 돌이킬 수 없는 상처조차도 고칠 수 있다.

| 문제 해설 | want는 목적격보어로 to부정사를 갖는 동사이므로 ③ do를 to do로 고쳐야 한다.　　　정답 ③

| 오답 풀이 | ① 형용사적 용법의 to부정사로 앞의 명사인 nothing을 수식하므로 적절한 표현이다.
② focus on은 '~에 중점을 두다'라는 의미로 능동형으로 사용되었다.
④ ask, listen과 함께 and로 연결되는 병렬구조이다.
⑤ 형용사로써 명사를 앞에서 수식하고 있다.

| 구문 분석 | 〈5행〉 The question / "What else do you want me to do?" / can start this process.
(S / 주어와 동격 / V / O)

〈6행〉 If you ask it sincerely, / really listen to the
　　　　S　V1　　　　　　　V2
answer / and act on the other party's suggestions, /
　　　　　　V3
[you'll be honoring their feelings, perspective and
주절
experience].

CHAPTER I 수능 맛보기 TEST
본문 48쪽

| 1 ③ | 2 ⑤ | 3 ② | 4 ① | 5 ④ |
| 6 ④ | 7 ④ | 8 ③ | 9 ⑤ | |

1 어법성 판단

| 전문 해석 | 나는 당신이 어떤 생각을 떠올릴 때마다 엔돌
핀을 내보내는 뇌의 어떤 부분이 있다고 확신한다. 그 결
과는 직소 퍼즐을 완성하거나 십자말풀이의 힌트에 답을
할 때 당신이 경험하는 것과 동일한 즐거움을 즐긴다는 것
이다. 이러한 파블로프식 반응은 광고를 잘 쓰는 사람들에
게 불리하게 작용한다. 직소 퍼즐이나 십자말풀이는 끝이
났음을 선언할 수 있지만, 광고를 쓸 때 당신이 끝날 때를
말하는 것은 당신에게 달려있고 그 일이 끝났음을 너무 일
찍 선언하지 않는 것이 중요하다. 동일한 것이 신문 보도
자료나 연설에도 적용된다. 적절한 길이처럼 보인다고 해
서, 그리고 옳은 정보를 다루고 있다고 해서, 그것이 끝이
나는가? 그것을 위해 당신은 당신의 판단에 몰두할 필요가
있다.

| 문제 해설 | (A) 관계사 that의 선행사가 a part로 단수이므로
이와 연결된 동사 release도 단수형인 releases가 적절하다. (B)
is 다음은 보어절로 주어나 목적어 중 빠진 부분이 없는 완전한 문
장이므로 명사절을 이끄는 that이 적절하다. (C) looks와 and로
연결된 병렬구조이므로 covers가 적절하다.
정답 ③

| 구문 분석 | 〈2행〉 The result is [that you get a buzz
　　　　　　　　　　　　S　　V　C
of pleasure {identical to the one (that) you
　　　↑　　　　　　　　　선행사＋관계사절
experience when completing a jigsaw or answering
　　　　　분사구문(= when you complete a jigsaw or answer ～)
a crossword clue}].

〈6행〉 A jigsaw or crossword can be declared

---

finished, but when writing ads it's up to you to say
　　주격보어　　　분사구문　　가주어　　　　진주어
when you're finished and it is critical [that you
　　　　　　　　　　　　　　　가주어　　　　진주어
don't declare the job finished too early].
　　　　V　　　　O　　　O.C

| Words & Phrases |
· **be convinced** 확신하다　· **endorphin** 엔돌핀
· **get a buzz of** ～을 즐기다　· **identical** 동일한
· **jigsaw** 직소퍼즐　· **militate against** 불리하게 작용하다
· **up to** ～에게 달려 있는　· **critical** 결정적인, 중대한
· **apply to** ～에 적용되다
· **engage** (～에) 몰두하다, 종사하다
· **judgment** 판단, 판단력 (영국영어 **judgement**)

2 어법성 판단

| 전문 해석 | 예전에 땅이 마음에 들었던 친구를 가진 젊은
이가 있었다. 이 친구는 어느 개울 강둑 근처에 살았는데,
이곳은 길을 따라 근처의 집들로 범람 위험을 안고 있었
다. 두 젊은이는 그해 강둑을 따라 쭉 버드나무 잔가지를
심기로 했다. 버드나무는 뿌리 조직이 좋아서 매우 빨리
강하게 자랄 것이었다. 그들은 하루 중 반 이상의 시간을
버드나무 잔가지를 심고 개울 강둑을 여기저기 헐떡이며
다니는데 썼다. 많은 세월이 흐른 후, 소년들이 고향집을
다시 방문하러 돌아왔을 때, 그들은 자신들이 다시 한 번
개울 바닥에 있다는 것을 발견했다. 그토록 오래 전에는
버드나무 잔가지를 심는데 오후 한나절이 걸렸던 곳에, 지
금은 길게 곡선을 이룬 우아한 많은 버드나무들이 물위로
몸을 굽히고 있는, 아름답고 목가적인 강의 한 굽이가 있었
다.

| 문제 해설 | ⑤ a beautiful idyllic bend가 주어이고 there는
유도부사이므로 문장에 동사가 필요하다. 따라서 standing을 시
제에 맞게 stood로 고쳐 써야 한다.
정답 ⑤

| 오답 풀이 | ① a creek bank와 threaten은 능동의 의미 관계
를 이루므로 threatening은 어법상 적절하다.
② 주격보어 역할을 하는 형용사가 필요하므로, strong은 적절하다.
③ 「spend＋시간＋-ing」(～하는데 (시간)을 쓰다) 구문이 쓰였
고, planting과 병렬구조를 이뤄야하므로 panting은 어법상 적
절하다.
④ find의 주어와 목적어가 같은 대상이므로, 재귀대명사
themselves는 어법상 적절하다.

| 구문 분석 | 〈4행〉 Willows had a good rooting
　　　　　　　　　　　　S　　V1
system / and would grow strong very quickly.
　　　　　　　조동사＋V2　S.C

〈7행〉 Many years later, / [as the boys returned to their hometown for a visit], // they found themselves once again / at the creek bed.

부사절 / S V / O(= 주어)

〈9행〉 [Where it took an afternoon], / oh so long ago / to plant a few willow sprigs, / there now stood a beautiful idyllic bend / with a long curving row of large graceful willows / bending out over the water.

부사절 / 가주어 / 진주어 / 유도부사 / V(도치) / S(도치) / 분사구문(with+O+-ing)

| Words & Phrases |
· **creek** 강둑, 개울 · **bank** 강둑 · **overflow** 넘쳐흐르다
· **nearby** 근처의 · **willow** 버드나무 · **sprig** 잔가지
· **pant** 헐떡이다 · **idyllic** 목가적인

3 어법성 판단

| 전문 해석 | 만화는 재미있지만 만화를 만드는 것은 전혀 재미있는 일이 아니다. 모든 만화는 많은 재능 있는 사람들에 의한 많은 힘든 작업을 필요로 한다. 첫 번째 단계는 스토리보드라고 불리는 이야기를 쓰는 것이다. 그런 다음 음악, 대화 혹은 말이 기록된다. 이제 레이아웃 예술가, 배경 예술가, 등장인물을 그리는 애니메이터들이 일하는 단계가 온다. 모든 그림이 완성되면 그들은 셀이라고 불리는 투명한 셀룰로이드 종이에 윤곽선을 따라 그려진다. 그 셀들이 채색되면 각각은 낱낱이 특별한 카메라로 촬영된다. 마지막으로 사운드 트랙이 더해진다. 모든 것이 완성되면 여러분이 보는 만화가 있게 된다.

| 문제 해설 | (A) 주어는 making cartoons이며, 동명사 주어는 단수 취급하므로 문장의 동사로는 is가 적절하다. (B) now, then, here 등의 부사가 문두에 올 때 그 뒤의 주어와 동사는 도치될 수 있으며, the phase가 주어이므로 동사 comes가 적절하다. (C) photographed를 수식하므로 부사인 individually가 적절하다.   정답 ②

| 구문 분석 | 〈3행〉 The first step is to write the story, / called a storyboard.

S V C(to부정사구)

〈8행〉 [After the cels are painted], // each one is photographed / individually with a special camera.

S V

| Words & Phrases |
· **talented** 재능 있는 · **storyboard** 스토리보드

· **phase** 단계 · **layout** 레이아웃(배치)
· **trace** 윤곽선을 따라 그리다 · **transparent** 투명한
· **celluloid** 셀룰로이드

4 어법성 판단

| 전문 해석 | 어떤 면에서 정리를 한다는 것의 방향은 잘 살아 나가고 당신의 잠재력을 실현시키는 방법에 대한 탐구이다. 아마도 가장 놀라운 이점은 정리가 됨으로써 당신은 성장 및 성격 발달을 촉진하는 귀중한 교훈을 배울 수 있다는 것이다. 당신은 정리를 하는 것이 자기애와 스스로 돌보기를 표현하는 한 방법이라는 것을 알기 시작할 것이다. 정리를 하는 것은 또한 책임을 지는 한 방식이기도 하다. 당신은 쉽게 산만해지거나 하려고 했던 것을 잊어버리는 자기 자신의 성향을 조종할 수 있는 것을 배울 것이다. 잘 사는 것은 궁극적으로는 자기 자신과 다른 사람들을 사랑하는 것, 당신에게 정말로 중요한 것과 관계를 맺는 것, 그리고 당신이 진정으로 관심을 갖고 있는 것에 기초하여 행동을 취하는 것에 관한 것이다. 정리가 되어 있다는 것은 실제로 그렇게 할 당신의 가능성을 향상시킬 수 있다.

| 문제 해설 | ① organize는 '정돈하다'라는 뜻의 타동사로 밑줄친 ①을 포함한 부분은 '주변이 정돈된'의 의미이므로 organized로 고쳐야 한다.   정답 ①

| 오답 풀이 | ② see의 목적어 역할을 하는 명사절을 이끌고 있으므로 접속사 that의 쓰임은 적절하다.
③ tendencies를 수식하는 to부정사구이다.
④ and에 의해 loving, connecting, taking이 about의 목적어로 연결되어 있는 병렬구조이다.
⑤ 전치사 of의 목적어로 동명사가 적절하다.

| 구문 분석 | 〈2행〉 Perhaps the most surprising benefit is [**that** by getting organized, you can learn valuable lessons **that** foster growth and character development].

현재분사 / 명사절(보어) / 전치사구 / 관계사절(주격 관계대명사)

〈8행〉 Living well is ultimately about loving yourself and others, connecting with [what really matters to you], and taking actions [based on {what you truly care about}].

S(동명사구) / 전치사의 목적어1 / 전치사의 목적어2 / 관계사절(~하는 것) / 전치사의 목적어3 / 분사구문 / 관계사절(~하는 것)

| Words & Phrases |
· **path** 길, 방향 · **inquiry** 탐구
· **fulfill** 실현시키다, 충족시키다 · **potential** 잠재력

- **foster** 육성하다, 촉진하다
- **take on responsibility** 책임을 지다
- **tendency** 경향 **distract** 산만하게 하다
- **ultimately** 궁극적으로

5 어법성 판단

| 전문 해석 | 수백만 명의 사람들은 자신들이 노년, 아마도 극한 노년으로의 여행을 하고 있다는 것을 발견하고 있다. 매년, 세계 인구의 평균 나이가 증가한다. 기대수명은 대부분의 나라에서 증가하고 있는데, 산업화된 국가에서 그것은 1900년의 46세에서 1998년에 77세로 증가했다. 나이든 사람들은 그들의 소수 지위를 잃어가고 있는데, 사실 그들은 정치, 사업, 그리고 문화에서 점점 더 중요한 힘이 되어 가고 있다. '직사각형화'라고 알려진 현상에서, 미국 인구는 대다수의 사람들이 20세보다 어린 하단이 많은 삼각형에서 0세에서 80세 이상의 모든 나이 집단이 거의 똑같은 크기인 직사각형으로 변화했다. 2020년까지는 미국인 6명 중 1명은 65세 이상이 될 것이며, 이는 20세 미만의 사람들의 수와 똑같은 것이다.

| 문제 해설 | (A) find의 주어와 목적어가 Millions of people로 동일하기 때문에, 재귀대명사 themselves가 적절하다. (B) 형용사 important를 수식하는 부사가 필요하므로, increasingly가 적절하다. (C) 이어지는 문장에 모든 문장 성분이 빠짐없이 있고 one을 수식하는 관계절이 필요하므로, in which가 적절하다.
정답 ④

| 구문 분석 | 〈1행〉 <u>Millions of people</u> <u>are finding</u>
    S (재귀대명사) V
themselves / on the voyage to old age, / perhaps
extreme old age.

〈5행〉 ~ in fact, / <u>they</u> <u>are becoming</u> <u>an increasingly</u>
              S   V   C
important force / in politics, business, and culture.

| Words & Phrases |
- **voyage** 여행 **life expectancy** 기대수명
- **industrialized** 산업화된 **minority** 소수
- **status** 지위 **phenomenon** 현상
- **transform** 변화하다, 바꾸다 **equal** ~와 같다

6 어법성 판단

| 전문 해석 | 베이크드 알래스카를 만들기 위해서 알래스카 주를 구울 필요는 없다. 그 이름은 뜨거운 것, 즉 구운 머랭과 차가운 것, 즉 아이스크림의 조합을 가리킨다. 여

러분은 아주 딱딱하게 얼린 아이스크림 덩어리로 시작한다. 그것을 스펀지케이크의 중앙에 놓고 케이크를 머랭으로 감싼다. 그 케이크를 오븐의 아주 높은 온도에서 5분간만 굽는다. 그 다음 까다로운 부분이 온다. 여러분은 그것을 딱 맞게 꺼내야 한다. 머랭이 황금빛을 띄는 갈색으로 변하기를 바라지만 안쪽의 아이스크림은 안 녹았으면 한다. 그런 다음 그 디저트는 바로 제공된다. 사실, 뜨거운 케이크 껍질 안에 든 아이스크림으로 만들어진 디저트는 베이크드 알래스카가 태어나기 전에도 있어 왔다. 그러나 베이크드 알래스카라는 이름은 1876년에 뉴욕의 Delmonico's 음식점에서 새로 얻은 알래스카 영토를 기념하여 만든 데서 기원했다.

| 문제 해설 | ④ desserts ~ cake가 주어이며 이에 연결되는 동사가 필요하므로 현재분사 having은 적절치 않고, 과거완료 문장을 만드는 had를 쓰는 것이 적절하다.
정답 ④

| 오답 풀이 | ① to make는 to부정사의 부사적 용법(목적)으로 '~하기 위해'의 의미이다.
② frozen을 수식하는 부사로써 '딱딱하게'의 의미를 가진 hard는 적절하다.
③ right는 동사 time과 연결된 부사이므로 적절하다.
⑤ 주어는 the name ~ Alaska와 연결된 동사구이며 수동태이므로 was created를 쓰는 것은 적절하다.

| 구문 분석 | 〈1행〉 <u>You</u> <u>don't have to bake</u> <u>Alaska</u> / to
                    S   V   O
make tasty baked Alaska.
부사적 용법(목적)

〈3행〉 You start <u>with a brick of ice cream</u> / [that is
                  전치사구
frozen very hard].

〈6행〉 Then <u>comes</u> <u>the tricky part</u>.
      유도부사 V   S(도치)

| Words & Phrases |
- **refer to** 가리키다
- **meringue** 머랭(달걀 흰자위와 설탕을 섞은 것)
- **brick** 덩어리 **temperature** 온도
- **tricky** 까다로운, 힘든 **crust** 껍질
- **originate** 기원하다, 비롯되다 **in honor of** ~를 기념하여
- **acquire** 획득하다 **territory** 영토

7 무관한 문장 고르기

| 전문 해석 | 후회의 긍정적인 가치는 과학자들이 감정을 보는 방식에 있어서 최근의 완전한 변화를 상징한다. 한 때 감정은 이성적 사고의 적이고 성공하기 위해서 당신은 감정을 억눌러야 한다는 점이 일반적인 믿음이었다. 많은

자기 계발서들이 당신에게 부정적임을 피하는 것을 가르친다. 하지만 일반적으로 감정은, 그리고 특히 부정적인 감정은 이성적 사고의 중요한 요소라는 것이 판명되었다. 부정적인 감정들이 유용하고 심지어 바람직할 수 있다는 것은 터무니없다. 그것들은 과업이 무엇이든지 간에 효과적인 성과에 필수적이다. 후회는 사람들에게 박차를 가하여 문제 해결과 개인적 향상을 하게하는 부정적인 감정의 예이다.

| 문제 해설 | 부정적인 감정이 이성적 사고의 중요한 요소라고 설명하고 있는데, 갑자기 그것이 유용하고 바람직할 수 있다는 것은 터무니없다고 한 것은 흐름상 자연스럽지 못하므로 ④는 전체 흐름과 관계가 없다.　　　　　　　　　　정답 ④

| 구문 분석 | 〈2행〉 It was once widely believed [that emotions are the enemy of rational thought and that to be successful you must stifle your feelings].
- 가주어 / 부사적 용법(목적) / 진주어1 / 병렬구조 / 진주어2

〈9행〉 Regret is an example of a negative emotion [that spurs people to problem-solving and personal betterment].
- S / V / C(선행사) / 관계사절(주격 관계대명사)

| Words & Phrases |
· emblematic 상징적인　· revolution 혁명
· stifle 억누르다　· negativity 부정적임
· turn out that ~ ~라고 판명되다
· crucial 결정적인, 중대한　· component 요소
· rational 이성적인　· spur 자극하다
· betterment 향상

8　글의 목적과 종류

| 전문 해석 | 부자이고, 똑똑하고, 격리된 Marshall은 자기 자신과 나누어진 집입니다. 어릴 때부터 중요하고 생기를 주는 자아의 측면을 부인하면서 그는 자기 자신을 자신이 투사한 받아들일 수 없는 상상물로 형성된 그림자로 둘러쌉니다. 나누어진 자아에 대한 이와 같은 문학적인 탐구에서, Marshall은 자유와 안정, 옳은 것과 틀린 것, 남성성과 여성성, 그리고 부모와 아이의 관계에서 사랑과 증오 사이의 네 가지 기본적인 인간 갈등을 해결하기 위해 노력합니다. 용기를 내어 성숙하고, 거리낌 없이 사랑하려고 하면서 그는 마침내 자신의 집에 살고 있는 하숙인들을 대하고, 자신의 가면을 진짜 얼굴로 바꿀 수 있게 됩니다. 편집자로서 이와 같은 85,000 단어의 소설인 'The Boarding House'를 보는데 관심이 있으십니까? 원고 전

체를, 아니면 선호하신다면 견본이 되는 장과 자세한 개요를 보내드릴 수 있습니다.

| 문제 해설 | 문단 초반부터 중반까지 Marshall이라는 인물을 소개하고 난 뒤 편집자에게 85,000 단어의 이 소설에 관심이 있느냐고 묻고 있으므로, 글의 목적으로는 ③이 가장 적절하다.　　　　　　　　　　정답 ③

| 구문 분석 | 〈2행〉 Denying important and life-giving facets of his self / from an early age, / he surrounds himself with shadows / formed by his projected unacceptable imaginings.
- 분사구문 / S / V / 재귀대명사 / 과거분사구

〈10행〉 As an editor, / are you interested in seeing this 85,000-word novel , / The Boarding House?
- 전치사(~로서) / 전치사+동명사(-ing) / 동격의 콤마

| Words & Phrases |
· facet 측면, 양상　· project 투사하다
· literary 문학의　· exploration 탐구, 탐사
· resolve 해결하다　· masculinity 남성성
· feminity 여성성　· maturity 성숙
· without reserve 거리낌 없이　· boarder 하숙인
· manuscript 원고　· synopsis (글·희곡 등의) 개요

9　요지·필자의 주장 파악

| 전문 해석 | 어떤 연구에서 두유로 조제된 분유를 먹인 여자 아기들은 모유나 유제품으로 조제된 분유를 먹인 아기들보다 2세 때 상당히 더 많은 유선 조직을 가졌다. 다른 연구에서는 두유로 조제된 분유를 먹인 소녀들은 더 어린 나이에 사춘기를 겪을 가능성이 훨씬 크다는 점을 보여주었다. 콩은 또한 모유보다 망간 함유량이 훨씬 높은데 그것은 ADHD와 같은 신경의 문제를 가져올 수도 있다. 두유로 조제한 아기용 분유는 또한 알루미늄 함량이 높은데 그것은 문제를 유발할 수 있다. 의문의 여지가 없다. 모유를 먹이지 못하는 여성들에게는 우유로 조제된 분유가 두유로 조제된 분유보다 훨씬 좋은 선택인데, 두유로 조제된 분유는 최후의 선택으로만 사용되어야 한다.

| 문제 해설 | 두유로 조제된 분유를 먹인 아기들에게서 성조숙증이 나타나기 쉬우며 각종 부정적인 건강상의 부작용이 나타날 수 있다는 내용의 글이므로 요지로는 ⑤가 가장 적절하다.　정답 ⑤

| 구문 분석 | 〈1행〉 In one study, / infant girls fed soy formula had / significantly more breast tissue at 2 years of age / than those [who were fed breast
- S / V / O / 부사구 / 비교

milk or dairy-based formula].

〈6행〉 <u>Soy infant formula</u> <u>is</u> also <u>high in aluminum</u>,
　　　　　　 S　　　　　　　V　　　　　　 C
// [**which** can cause problems].
　　　계속적 용법(= and it ∼)

| Words & Phrases |
· **formula** 조제분유　· **significantly** 상당히
· **breast tissue** 유선 조직　· **dairy-based** 우유에 기반을 둔
· **go through** 겪다　· **puberty** 사춘기
· **neurological** 신경의　· **aluminum** 알루미늄
· **last resort** 최후의 수단

CHAPTER **II** 서술어
SUMMA CUM LAUDE

UNIT **04** 동사의 시제와 태

구문 유형 **18**

162　She **has been** to Spain twice, // but she**'s
never been** to Barcelona.

그녀는 스페인에 두 번 가봤지만, // 그러나 그녀는 바르
셀로나에는 간 적이 없다. (경험)

163　Sujie **has been practicing** kung fu / for 13
years.

Sujie는 쿵푸를 연습해오고 있다 / 13년 동안. (계속)

164　He **has left** for Seoul already, // so I can't
meet him.

그는 이미 서울로 떠났다, // 그래서 나는 그를 만날 수 없
다. (결과)

165　I **have used** this smartphone / for three years.

나는 이 스마트폰을 사용해오고 있다 / 3년 동안. (계속)

166　Ben **has been applying** / for football
manager jobs.

Ben은 계속 지원하고 있다 / 축구 매니저 일에. (계속)

167 However, after a great deal of thought, / I
have decided not to accept the position.

그러나, 많은 생각을 한 다음, / 나는 그 직위를 받아들이지 않기로 결정했다. (완료)

168 Welcome support **has been energizing** /
many African American girls to participate in
sports.

환영하는 지지는 활기를 불어넣어왔다 / 많은 아프리카계 미국인 소녀들이 운동에 참여하도록. (계속)

구문 유형 **19**

169 We **had waited** for a table for 20 minutes /
and did not get served.

우리는 20분 동안 자리가 나기를 기다렸고 / 그리고 서빙을 받지 못했다. (계속)

170 The lady was sitting by her / and **had been
looking** at her for several minutes.

그 부인은 그녀 옆에 앉았고 / 그리고 그녀를 몇 분 동안 보고 있었다. (계속)

171 By next month, I **will have finished** my first
novel.

다음 달이면, 나는 나의 첫 번째 소설을 끝낼 것이다. (완료)

172 We **will have been running** the store for
one year this Friday!

우리는 이번 주 금요일이면 그 가게를 1년간 운영하고 있을 것이다! (계속)

173 The report **had found** / that the building
was about to collapse.

그 보도는 발견했다 / 그 건물이 붕괴되기 직전이라는 것을. (계속)

174 By this December, the new project **will
have been completed**.

이번 12월에는, 새로운 프로젝트가 완성되어 있을 것입니다. (완료)

175 By age twenty-five, he **had published** ten
major papers; by age thirty, nearly three dozen.

25세가 되었을 때, 그는 열 개의 주요 논문을 출간했고;
30세에는, 거의 30종을 출간했다. (완료)

176 They **had started** eating dinner // when I
arrived at their castle.

그들은 저녁을 먹기 시작했다 // 내가 그들의 성에 도착했을 때. (대과거)

177 Ms. Keller **will have knitted** the whole
dress / by then.

Keller 씨는 옷 전체를 다 뜨개질해 놓았을 것이다 / 그때까지는. (완료)

178 By next Monday, I **will have been sailing** /
for ten days.

다음 주 월요일이면, 나는 항해를 하는 중일 것이다 / 10일간. (계속)

구문 유형 20

179 If it **rains** tomorrow, / we will postpone our match. (시간·조건의 부사절)

내일 비가 오면, / 우리는 경기를 미룰 것이다.

180 She **is getting** married this Sunday.

그녀는 이번 주 일요일에 결혼할 것이다. (정해진 미래)

181 They **are throwing** a birthday party / for John this afternoon.

그들은 생일 파티를 열 것이다 / 오늘 오후에 John을 위해. (정해진 미래)

182 The teacher says / that Columbus **arrived** at the island of Jamaica in 1494.

선생님께서는 말씀하신다 / 자메이카 섬에 1494년에 콜럼버스가 도착했다고. (역사적 사건)

183 Jack knew very well / that the Earth **revolves** the Sun.

Jack은 잘 알고 있었다 / 지구가 태양 주위를 도는 것을. (불변의 진리)

184 The parade **is taking place** tomorrow night.

그 퍼레이드는 내일 밤에 열립니다. (정해진 미래)

185 The book says / 'sultan' **meant** a lord in the 12th century.

그 책은 말한다 / 12세기에 '술탄'은 영주를 의미했다고. (역사적 사건)

186 If it **is** rainy on the day of the event, // the program will be canceled.

만약 행사 당일에 비가 오면, // 프로그램은 취소될 것이다. (시간·조건의 부사절)

187 The suggested theory explained / why laughter **is** so infectious.

제안된 이론은 설명했다 / 왜 웃음에 그토록 전염성이 있는지. (과학적 사실)

188 The summer camp **is coming** soon, // so don't miss this great opportunity! (가까운 미래)

하계 캠프가 곧 다가옵니다, // 그러니 이 좋은 기회를 놓치지 마세요!

구문 유형 21

189 The artwork **was created** / by Pablo Picasso.

그 예술작품은 창작되었다 / Pablo Picasso에 의해.

190 Los Angeles **has been destroyed** by earthquakes / at least seven times.

Los Angeles는 지진에 의해 파괴되었다 / 최소한 일곱 번.

191 The new city hall **is being built** faster than the original plan.

그 새로운 시청은 지어지고 있는 중이다 / 원래의 계획보다 빠르게.

192 All baggage **must be checked** / at the airport at least 30 minutes prior to departure.

모든 짐은 검사되어야 합니다 / 최소한 출발 30분 전에 공항에서.

많은 종류의 커피콩에서 카페인이 제거되고 있다 / 다양한 방법으로.

193 We **were allowed to bring** / our own bags into the room.

우리는 갖고 들어가도록 허용되었다 / 우리의 가방을 그 방으로.

194 An interesting study **has been conducted** / by a team of scientists.

재미있는 연구 하나가 수행되었다 / 한 과학자 팀에 의해.

195 The residents **were forced to live** / in the designated house.

주민들은 살도록 강요받았다 / 지정된 집에서.

196 The stadium **has been renovated** / three times.

그 경기장은 보수되었다 / 세 번.

197 Penn Line Train 447 **is being delayed** / due to heavy snow.

Penn Line 447호가 지연되고 있다 / 심한 눈 때문에.

198 A dress may hang in the back of a closet / even though it **hasn't been worn** in years.

드레스 한 벌이 옷장 뒤쪽에 걸려 있을지도 모른다 / 여러 해 동안 입지 않았더라도.

199 Many kinds of coffee beans **are being decaffeinated** / in various ways.

구문 유형 22

200 The entire story **was made up** // and it's all false.

그 이야기 전체가 지어낸 것이다 // 그리고 모두 틀렸다.

201 **No attention was paid to** / the speaker's warning.

아무런 주의가 기울여지지 않았다 / 그 연사의 경고에.

= The speakers' warning **was paid no attention to**.

= The crowd **paid no attention to** the speaker's warning.

202 The man **was believed to be** from Nuneaton.

그 남자는 Nuneaton 출신이라고 믿어졌다.

= **It was believed that** the man was from Nuneaton.

203 Free notebooks **were given to us** / at the
   S   V   전치사+I.O
meeting.

무료 공책이 우리에게 주어졌다 / 회의에서.

= Someone gave us free notebooks at the meeting.

204 She **was taken advantage of** / by her boss.

그녀는 이용당했다 / 그녀의 상사에 의해.

205 Your cabbages **should be taken good care of**.

여러분의 양배추는 좋은 보살핌을 받아야 합니다.

206 The knight **was thought to kill** dragons.

그 기사는 용들을 죽였다고 생각되어졌다.

207 Such practices **are believed / to put** pressure on parents.

그런 관행이 믿어지고 있다 / 부모들에게 압박을 가한다고.

= **It is believed that** such practices put pressure on parents.

208 You **may be made fun of by your peers**, // but don't be afraid of it.

여러분은 동료들에 의해 조롱을 당할 수 있겠지만, // 그것을 두려워하지 마십시오.

209 But, imagine what would happen // if a song **was made up of** only notes, and no rests.

그러나, 무슨 일이 일어날지 생각해 보라 // 쉼표 없이 음표로만 노래가 이루어진다면.

구문 유형 23

210 The table **was covered with** a white table cloth.

탁자는 흰 식탁보로 덮였다. (be covered with: ~로 덮였다)

211 The poet **was known to** his countrymen.

그 시인은 고국의 사람들에게 알려졌다. (be known to: ~에게 알

려지다)

212 They **were** all **impressed with** the speech.

그들은 모두 그 연설에 감동했다. (be impressed with: ~에 감동받다)

213 The butter **is made from** goat milk.

그 버터는 염소유로 이루어졌다. (be made from(of): ~로 이루어지다)

214 I **am stuck in** heavy traffic.

나는 교통 혼잡에 갇혔다. (be stuck in: ~에 갇히다)

215 Wheat eating **was unknown to** these monkeys / by this time.

밀을 먹는 것은 이 원숭이들에게 알려지지 않았다 / 이 무렵에는. (be unknown to: ~에게 알려지지 않다)

216 I **was born into** a large, poor family / in Chicago.

나는 가난한 대가족에서 태어났다 / 시카고의. (be born into: ~에서 태어나다)

217 They rely on the sense // when they **are confronted with** dangerous approaching objects.

그들은 그 감각에 의존한다 // 그들이 다가오는 위험한 물체에 직면할 때. (be confronted with(face): (어려움 등)에 직면하다)

218 The girl **was absorbed in** watching the movie.

그 소녀는 그 영화를 보는 데 몰두했다. (be absorbed in: ~에 몰두하다)

219 The board **was opposed to** the bold

suggestion.

이사회는 그 대담한 제안에 반대했다. (be opposed to: ~에 반대하다)

구문 유형 24

220 Luckily, nobody seemed **to have noticed** /
to부정사의 완료형
anything.

운 좋게도, 아무도 알아차리지 못한 것 같았다 / 어느것도.

221 He doesn't like / **to be told** what to do.
to부정사의 수동태
그는 싫어한다 / 무엇을 해야 할지 명령받는 것을.

222 I am ashamed of **having done** / such a
동명사의 완료형
thing.

나는 부끄럽다 / 그런 일을 한 것이.

▶ 전치사 **of**의 목적어로 쓰인 동명사의 완료형

223 The older students recalled / **being told** that
동명사의 수동태
already.

더 나이가 많은 학생들은 기억했다 / 그것을 이미 들었던
것을.

224 **Having traveled** to a lot of countries, / she
분사구의 완료형
can speak several languages.

많은 나라들을 여행해서, / 그녀는 여러 가지 언어를 말할
수 있다.

225 She **seems to have fixed** upon / becoming a
seem+to부정사의 완료형
pilot.

그녀는 마음을 굳힌 것 같다 / 비행기 조종사가 되기로.

226 **Having eaten** up all the grass, / the sheep
분사구의 완료형
start to eat roots.

모든 풀을 먹은 다음, / 양은 뿌리를 먹기 시작한다.

227 Composers could fix their music / exactly
as they wished it **to be performed**.
to부정사의 수동태
작곡가들은 음악을 맞출 수 있다 / 정확히 그들이 바라는
대로 공연되기를.

228 Jim won the hearts of his teammates / for
having proved / that with determination, no
동명사의 완료형
obstacle is too great.

Jim은 팀원들의 우정을 얻었다 / 입증해내서 / 결심이 있
으면, 넘지 못할 장애물이 없다는 것을.

229 Too often, we make judgements / without
being informed of proper facts.
동명사의 수동태
너무 자주, 우리는 판단을 내린다 / 적절한 사실을 알지 못
한 채.

구문 독해 PRACTICE

A 어법상 알맞은 것 고르기

1 to be
나는 12년간 수영을 해왔다

2 to make
내(제)가 항공권을 샀었기 때문에

1 Swimming is believed to be the most worthwhile
exercise. Most of your skills / can be used in time
조동사+be+p.p.
of emergency. And it's good for your body. I've
been swimming / for twelve years since I graduated
현재완료진행 have been v-ing

32 • II. 서술어

from college, / and I've never suffered from a cold.
<u>현재완료(경험)</u>

| **해석** | 수영은 가장 가치 있는 운동이라고 믿어졌다. 대부분은 당신의 기술은 / 긴급한 시기에 사용될 수 있다. 그리고 이것은 당신의 몸에 좋다. 나는 수영을 해왔다 / 내가 대학을 졸업한 이후 12년간, / 그리고 나는 감기로 고생한 적이 없다.

| **문제 해설** | believe는 「It is believed that」과 「S+is believed to부정사」의 두 가지 형태로 쓸 수 있으므로 to be를 쓰는 것이 적절하다.

2 I contacted the airline / in order to change my flight. However, I was told / by a TA employee / about your policy. I <u>was not allowed to make</u> _{be allowed to~v} changes / because I <u>had bought</u> the ticket / with _{had p.p.} reward miles.

| **해석** | 저는 항공사에 연락했습니다 / 항공편을 바꾸기 위해. 하지만, 저는 들었습니다 / TA 직원으로부터 / 귀사의 방침에 관해. 변경을 하는 것이 허용되지 않았습니다 / 제가 항공권을 샀으므로 / 보상 마일리지로.

| **문제 해설** | allow의 목적보어인 to부정사는 수동태가 되어도 그대로 유지되어야 하므로 to make를 쓰는 것이 적절하다.

Ⓑ 어법에 맞게 배열하기

1 It is believed that

2 had been given the opportunity

1 It is believed that some baseball parks are better / for hitting home runs than others. |It is| not just the size of the park |that| matters. _{it is ~ that 강조구문}

| **해석** | 일부 야구장은 더 좋다고 믿어진다 / 다른 곳보다 홈런을 치는 데. 중요한 것은 크기만이 아니다.

| **문제 해설** | believe는 「It is believed that」과 「S+is believed to부정사」 두 가지 형태로 쓸 수 있으므로 It is believed that을 쓰는 것이 적절하다.

2 And then one day, I finally understood / [what she had tried to show us], / [that reading was _{understood의 목적절} _{동격} housework of the best kind]. I <u>had been given the opportunity to read freely, and so had my daughter.</u> _{so+조동사+S: ~도 그러하다}

| **해석** | 그러던 어느 날, 나는 마침내 이해했다 / 그녀가 우리에게 보여주려고 하셨던 것, / 즉 독서가 최고의 집안 일이라는 것을. 자유롭게 읽을 나는 기회를 부여받았다, 그리고 내 딸도 그러했다.

| **문제 해설** | 과거완료 수동태는 「had been p.p」의 어순이므로 had been given the opportunity를 주어인 I 다음에 써야 한다.

Ⓒ 어법상 틀린 것 고치기

1 ① play → played

2 ③ had powered → had been powered

1 The book says [that the ancient Greek played _{says의 목적절} _{역사적 사실} an interesting game called kottabos] / at the party. _{~라고 불리는} After they <u>had eaten</u>, / the guests played it. They _{과거완료} **held** their wine cups by one handle, **spun** them round, and **flicked** the last drops of wine / at a _{held, spun, flicked는 and로 병렬구조를 이룸} target on the wall.

| **해석** | 그 책은 고대 그리스인들이 kottabos라는 재미있는 경기를 했다고 말한다 / 파티에서. 먹기를 마친 다음, / 손님들은 그것을 했다. 그들은 포도주 컵의 한 손잡이를 잡았고, 그것을 돌리고 튕겼다 마지막 포도주의 방울을 / 벽의 목표물에.

| **문제 해설** | ① 역사적 사실은 항상 과거 시제이므로 ①의 play를 played로 고쳐야 한다. ② 과거 시점까지 완료된 동작은 과거완료이므로 had eaten은 적절하다. ③ 다른 과거동사들과 병렬구조를 이루고 있으므로 flicked는 적절하다.

2 James Murray Spangler is <u>known as the</u> _{~로 알려져 있다} developer / of the first electric cleaner. <u>Having spent</u> almost all his money, / he <u>had no choice but</u> _{완료분사구(과거시점 이전에 일어난 사실 강조)} _{~외는 선택의 여지가 없다}

to sell his rights / to William Henry Hoover. Before this, vacuum cleaners <u>had been powered</u> by hand pumps.

_{과거완료 수동태}

| **해석** | James Murray Spangler는 개발자로 알려져 있다 / 최초의 전기 청소기의. 거의 모든 돈을 써버려서, / 그의 권리를 파는 것 외에 선택의 여지가 없었다 / William Henry Hoover에게. 이것 전에, 진공청소기는 손 펌프로 동력을 공급받았다.

| **문제 해설** | ① be known as는 '~로 알려져 있다'의 의미이므로 적절하다. ② 완료분사구문은 「Having+p.p」의 형태이므로 적절하다. ③ 의미상 수동태이므로 과거완료 수동태인 had been powered로 써야 한다.

D 우리말에 맞게 단어 배열하기

1 Good use can be made of it

2 He seemed to have felt

1 Traveling salespeople may say [they want a smaller cell phone]. But they <u>may not have thought</u> about / [how hard that tiny phone will be used].

_{may+have+p.p.: ~였을 것이다}
_{about의 목적절(의문사절)}

Good use can be made of it / if they are aware of <u>that</u>.

_{how ~ used를 받는 대명사}

| **해석** | 돌아다니는 영업사원은 더 작은 전화기를 원한다고 말할 것이다. 그러나 그들은 생각해본 적이 없을 것이다 / 얼마나 그 작은 전화기가 많이 사용될지. 그것의 좋은 이용이 이루어질 수 있다 / 그들이 그것을 인식한다면.

| **문제 해설** | make good use of에서 동사인 make를 can과 결합하여 수동태로 만들어야 하므로 can be made good use of it의 어순으로 써야 한다.

2 Very shortly the carton seemed too small. I offered him a nest. It <u>was made of</u> a covered box,

_{be made of : ~로 만들어지다}

bedded with straw and with a round doorway cut in the front. He <u>seemed to have felt</u> inconvenient

_{seem+to have p.p. : ~였던 것 같다}

about the carton. <u>Dashing inside</u>, he chirped

_{~하면서}

happily.

| **해석** | 그 종이팩은 너무 작은것 같았다. 나는 그에게 둥지를 제공했다. 그것은 덮개가 있는 상자로 만들어졌다, 지푸라기로 바닥을 깔고 그리고 앞쪽에 잘라 둥근 문으로 만들었다. 그는 그 종이팩에 관해 불편함을 느꼈던 것 같다. 안으로 날아들어 가면서, 그는 행복하게 지저귀었다.

| **문제 해설** | seem 다음에 나오는 완료부정사는 seemed to have felt로 써야 한다.

실전 독해 PRACTICE

_{본문 68쪽}

1 ②	2 ④	3 ④

1 어법성 판단

| **전문 해석** | 음악의 역사를 바꾼 두 개의 악기가 있다. 하나는 피아노이다. 하프시코드와 같은 건반 악기는 여러 세기 동안 있어왔지만, 그것들은 다양한 음량으로 음을 연주할 수 없었다. 피아노, 즉 피아노포르테는 이 문제를 해결했다. 최초의 피아노는 1709년 무렵에 Bartolomeo Cristofori라는 이탈리아인에 의해 만들어졌다고들 믿어진다. 그는 후원자에 의해 새로운 악기를 만들도록 권유받았다. 음악을 혁명적으로 바꾼 다른 악기는 신시사이저이다. 1964년에, Robert Moog가 최초의 실용적인 신시사이저를 발명했다. 그것은 만들어진 최초의 신시사이저가 아니었지만, 이전 모델들은 주로 과학 실험을 위한 것이었다. 그 이후, 전자음이 대중음악을 지배해왔다.

| **문제 해설** | ②의 believe를 수동태로 만들 때 「It is believed that」의 형태이므로 what을 that으로 고쳐야 한다. **정답 ②**

| **오답 풀이** | ① 현재까지 계속되는 사실을 나타내므로 현재완료인 have existed를 쓰는 것은 적절하다.
③ made는 사역동사이므로 능동태에서 목적보어였던 build가 to build가 되는 것은 적절하다.
④ to부정사의 수동태이므로 to be built를 쓰는 것은 적절하다.
⑤ 현재에 지속되는 사실을 나타내므로 현재완료진행인 have been dominating은 적절하다.

| **구문 분석** | 〈7행〉 **The other** instrument [that revolutionized music is the synthesizer].

▶ **The other instrument**는 둘 중 하나를 가리키고, **that**절의

수식을 받고 있다.

2 어법성 판단

| 전문 해석 | 현금 자동 입출금기는 ATM으로 불린다. 여러분이 더 어릴 때, 여러분은 아마 그것들이 마법의 돈 기계라고 생각했을 것이다. ATM은 전화선으로 은행의 중앙 프로세서(컴퓨터)에 연결되어 있다. 사람이 카드를 그 기계에 넣으면, 그것은 뒤쪽의 자성을 띈 띠를 읽는다. 그런 다음, 그 정보는 그 카드가 유효한지 확인하기 위해 은행의 컴퓨터로 보내진다. 그런 다음, 그 사람은 PIN이라고 알려진 자신의 '신분 인식 번호'를 입력하도록 요청받는다. 여러분의 PIN은 여러분만 아는 비밀 숫자이다. 이것은 그 기계로 하여금 기계 앞에 서 있는 사람이 접속되는 계좌의 주인이라는 것을 알게 한다.

| 문제 해설 | (A) 「refer to A as B」는 'A를 B라 부르다'의 의미로 구동사는 동사만 과거분사형이 될 뿐 어순은 그대로 있으므로 referred to as를 쓰는 것이 적절하다. (B) 능동태에서 수여동사 send의 직접목적어인 the information이 주어가 된 문장이므로 is sent를 쓰는 것이 적절하다. (C) the account를 뒤에서 분사구가 수식하는데, 수동의 의미이므로 being accessed를 쓰는 것이 적절하다. **정답 ④**

| 구문 분석 | 〈7행〉 Then, the person is asked to put in her "Personal Identification Number," known as a PIN.
능동태에서 ask의 보어였던 to put이 그대로 쓰임

3 주어진 문장의 위치 찾기

| 전문 해석 | 비가 오면, 암컷 메뚜기들은 많은 알을 낳고 수천마리의 새로운 메뚜기가 태어난다. 모든 메뚜기는 한데 모이고, 곧 수천마리의 메뚜기는 함께 이동한다. 그 무렵에는 그들이 그 지역의 모든 식량을 먹어버릴 수 있다. 그곳의 모든 작물을 파괴한 다음, 그들은 다시 날아오르고 간담이 서늘한 메뚜기의 떼가 어딘가 다른 곳에 도달해 땅으로부터 식물을 모조리 발가벗긴다. 대개, 메뚜기 떼는 공중에서 독을 살포해서 살충할 수 있다. 그러나 수백만 마리들이 함께 날아다니는 때가 되면, 멈추기가 어렵다. 오늘날, 과학자들은 메뚜기의 수를 면밀히 주시한다. 과학자들이 메뚜기 수에 급격한 증가를 본다면, 메뚜기들은 통제를 벗어나기 전에 파괴될 것이다.

| 문제 해설 | 주어진 문장의 But을 보면 앞에는 메뚜기 떼의 습격을 막을 수 있다는 내용이 와야 함을 알 수 있다. 따라서 ④의

앞의 문장과 연결되는 것이 가장 적절하다. **정답 ④**

| 구문 분석 | 〈5행〉 By that time they may have eaten all the food in the area.
may+have+p.p.: ~였을 것이다

본문 70쪽

UNIT **05** 조동사

구문 유형 **25**

230 You **can grow** all the fruits and vegetables / from inside your own home.
조동사+V(능력)

여러분은 모든 과일과 채소를 기를 수 있다 / 여러분의 집 내부에서.

231 You **can go** shopping // whenever you want.
조동사+V(허가)
당신은 쇼핑하러 가도 좋다 // 당신이 원할 때마다.

232 I **can speak** / a little Arabic.
조동사+V(능력)
나는 말할 수 있다 / 약간의 아랍어를.

233 When I was young, // I **could play** the piano.
(과거) 조동사+V(능력)
어렸을 때, // 나는 피아노를 칠 수 있었다.

234 You'**ll be able to learn** / how to run fast.
(미래) 조동사+V(능력)
당신은 배울 수 있을 것이다 / 빨리 달리는 방법을.

235 Bees **can remember** / human faces.
조동사+V(능력)
벌은 기억할 수 있다 / 사람들의 얼굴을.

236 He **could write about** / what he had
(과거) 조동사+V(능력)
experienced in prison.

그는 ~에 관하여 쓸 수 있었다 / 감옥에서 그가 겪었던 것에.

237 You **can visit** the lost and found / for your
조동사+V(허가)
wallet.

당신은 분실물 보관소를 방문해도 좋다 / 당신의 지갑을
찾으러.

238 The sea lions **could have** all the fish // they
조동사+V(허가)
wanted.

바다사자는 모든 물고기를 먹을 수 있었다 // 그들이 원하
던.

239 Mass media / **have been able to give** us the
현재완료+조동사+V(능력)   I.O.   D.O.
feeling // that humans are fragile creatures.

대중 매체는 / 우리에게 (~라는) 느낌을 줄 수 있어왔다
// 인간은 연약한 생물체라는 것을.

구문 유형 **26**

240 Consumers **may feel** pressured / to buy
조동사+V(가능성)
something in a store.

소비자들은 압박을 느낄 수도 있다 / 가게에서 무언가를
구입하라는.

241 I wonder // if I **might leave** work a bit
조동사+V(허가)
earlier today.

나는 궁금하다 // 내가 오늘 조금 일찍 퇴근할 수 있을지.

242 **May I try** on / the jacket?
조동사+V(허가)
제가 입어 봐도 될까요 / 그 상의를?

243 We **may go** fishing / next month.
조동사+V(가능성)
우리는 낚시하러 갈지도 모른다 / 다음 달에.

244 My mom **might come** with me / in that case.
조동사+V(가능성)
우리 엄마는 나와 함께 갈 수도 있다 / 그 경우에.

245 Praise **may encourage** children / to continue
조동사+V(가능성)   O   O.C
an activity.

칭찬은 아이들을 격려할 것이다 / 어떤 활동을 계속하라고.

246 The woman **may be** at a loss / as to what to
┌어쩔 줄을 모르다
조동사+V(가능성)   ~에 관하여
do next.

그 여자는 어찌할 바를 모를 수 있다 / 다음에 무엇을 해야
하는지에 관하여.

247 If you take away the beaver, / a wetland
might dry out.
조동사+V(가능성)
비버를 잡아버리면, / 습지가 말라버릴 수도 있다.

248 Even though you are the best, / you **might**
not win.
조동사+not+V(가능성)
네가 아무리 최고라 해도 / 네가 이기지 못할 수도 있다.

249 Sandals **may not be** the best option / for a
조동사+not+V(추측)
snowy day.

샌들은 최고의 선택이 아닐 수도 있다 / 눈 오는 날에.

250 One **must behave** / according to one's
_{조동사+V(의무)}
beliefs.

사람은 행동해야 한다 / 자신의 신념에 따라서.

251 The mechanic **must feel** pleased / to have
_{조동사+V(확신)}
finished his work.

그 정비사는 기쁜 것임에 틀림이 없다 / 자신의 일을 끝마
치게 되어서.

252 He **must be** upset / about the false news.
_{조동사+V(확신)}
그는 마음이 상해 있음에 틀림이 없다 / 그 잘못된 뉴스에
대해서.

253 A child **should obey** / his parents and
_{조동사+V(의무)}
teachers.

어린이는 따라야 한다 / 부모님과 선생님의 말씀에.

254 I think / that you **ought to apologize** / to
_{조동사+V(의무)}
her.

나는 생각한다 / 네가 사과해야 한다고 / 그녀에게.

255 You **had better see** the principal / right now.
_{조동사+V(충고)}
너는 교장 선생님을 뵙는 게 좋을 것이다 / 지금 당장.

256 Valid experiments **must have** data / [that
_{조동사+V(의무)}
are measurable].

타당한 실험은 자료를 가지고 있어야만 한다 / 측정할 수
있는.

257 The driver **must be** irritated / to be waiting
_{조동사+V(확신)}
for over one hour.

그 운전기사는 틀림없이 짜증이 났을 것이다 / 한 시간 넘
게 기다리고 있는 것에.

258 Individuals **should act** / to preserve their
_{조동사+V(권유·권고)}
own interests.

개인은 행동해야만 한다 / 자기 자신의 이익을 보존하기
위해서.

259 They **had better investigate** the cause / of
_{조동사+V(충고)} _O
so many people being ill.

그들은 그 이유를 조사하는 것이 나을 것이다 / 그토록 많
은 사람들이 아픈.

260 Many fathers believe / that their kids **ought**
to be able to control themselves.
_{조동사+be able to+V(권유·권고)}
많은 아버지들은 믿는다 / 자신의 아이가 스스로를 통제할
수 있어야 한다고.

261 He **would go** to the cinema / when young.
_{조동사+V(불규칙적 습관)}
그는 영화를 보러 가곤 했다 / 젊었을 때.

262 I **used to write** a letter to my friend / every
_{조동사+V(규칙적 습관)}
three days.

나는 내 친구에게 편지를 쓰곤 했다 / 3일에 한 번씩.

263 We **used to go** cycling / every Sunday.
_{조동사+V(규칙적 습관)}

우리는 자전거 타러 가곤 했다 / 매주 일요일에.

264 When it was nice outside, // I **would take a walk** for thirty minutes.
조동사+V(불규칙적 습관)

바깥 날씨가 좋을 때, // 나는 30분 동안 산책을 하곤 했다.

265 When his daughter needed anything, // Kurtis **would take care of** her.
조동사+V(불규칙적 습관)

자신의 딸이 어떤 것이든 필요로 할 때, // Kurtis는 그녀를 돌보곤 했다.

266 I **used to expect** my girlfriend / to read my mind.
조동사+V(규칙적 습관)

나는 내 여자친구에게 기대하곤 했다 / 내 마음을 읽어주기를.

267 We **used to go hiking** a lot // but now that
조동사+V(규칙적 습관)
we have kids, // we seldom go.

우리는 자주 하이킹 하러 가곤 했다 // 하지만 이제 아이들이 있어서 // 좀처럼 가지 않는다.

268 Dr. Baker **would bring** a bunch of flowers
조동사+V(불규칙적 습관)
// whenever he visited a patient.

Baker 박사는 한 뭉치의 꽃을 가지고 오곤 했다 // 그가 환자를 방문할 때마다.

269 I **used to train** / with a world-class runner.
조동사+V(규칙적 습관)
나는 훈련하곤 했다 / 세계 정상급 선수와 함께.

270 I **would lose** my job in March // and have to
조동사+V(불규칙적 습관)
try to get a new one.

나는 3월이 되면 직업을 잃곤 했다 // 그리고 새로운 직업

을 얻으려고 노력해야만 하곤 했다.

271 I **used to give** a lot of money to beggars, /
조동사+V(규칙적 습관)
feeling sorry for their misfortune.

나는 많은 돈을 거지들에게 주곤 했다 / 그들의 불운에 대해 불쌍히 여기면서.

구문 유형 **29**

272 You **must have mistaken** someone else's
must have p.p.: ~했음에 틀림이 없다
bike / for mine.

당신은 다른 누군가의 자전거와 착각했음에 틀림없다 / 내 자전거를.

273 I **should have given** a bigger tip / to the
should have p.p.: ~했어야만 했는데 안해서 유감이다
waiter.

나는 팁을 더 많이 주었어야 했다 / 그 웨이터에게.

274 They are not at home. They **must have left**
must have p.p.
early.

그들은 집에 없다. 그들은 일찍 떠났음에 틀림없다.

275 They **should have informed** his parents /
should have p.p.
[that he was rude].

그들은 그의 부모님에게 알렸어야만 했다 / 그가 무례했다는 것을.

276 She **can't have found** the money / [I had
cannot have p.p.
hidden].

그녀는 돈을 찾았을 리가 없다 / 내가 숨겼던.

277 Timmy **cannot have been** silent / regarding
cannot have p.p.
his religious views.

Timmy는 침묵하고 있었을 리가 없다 / 그의 종교적인 견
해에 관하여.

278 He played for an hour, / during which time
about a thousand people / **must have passed by**.
S   must have p.p.
그는 한 시간 동안 연주했다 / 그 시간 동안 약 1,000명의
사람들이 / 지나갔음에 틀림없다.

279 Yesterday / I played in a soccer match. You
should have come.
should have p.p.
어제 / 나는 축구 경기를 했다. 네가 왔었어야만 했다.

280 The man used old shoes / [which **might
have been dumped**] / in landfills.
might have p.p.
그 남자는 오래된 신발을 사용했다 / 버려졌을지도 모르는
/ 쓰레기 매립지에.

281 The city paid $8 million / [that it **need not
have paid**] / had it negotiated a better contract.
need not have p.p.
그 도시는 8백만 달러를 지불했다 / 지불했을 필요가 없었
던 / 더 나은 협상을 했더라면.

구문 유형 30

282 I **would like to know** // if this sentence is
would like to+동사원형: ~하고 싶다
correct.
나는 알고 싶다 // 이 문장이 정확한지를.

283 I **cannot but laugh** / to hear such a funny
cannot but+동사원형: ~하지 않을 수 없다
story.
나는 웃지 않을 수 없다 / 그런 우스운 이야기를 듣고서.

284 I **couldn't help remembering** the things /
cannot help+v-ing
[my grandmother told me about my father].
나는 그것들을 기억하지 않을 수 없었다 / 할머니께서 내
아버지에 관해 내게 말씀해 주셨던.

285 I **would rather** watch a movie / **than** read a
would rather A than B
book.
나는 차라리 영화를 보겠다 / 책을 읽느니.

286 Your sister **may well get angry** / at your
may well ~
words and behavior.
너의 언니가 화를 내는 것도 당연하다 / 너의 말과 행동에.

287 You **cannot** be **too** careful / when crossing
cannot ~ too
a busy road.
당신은 아무리 조심해도 지나치지 않는다 / 혼잡한 도로를
건널 때.

288 Without careful intervention, / matters **may
well get worse**.
may well ~
세심한 개입이 없다면, / 문제가 악화되는 것은 당연하다.

289 I'd **like to talk** about an effective way / to
would like to ~
open the lines of communication / with the
audience.
나는 효과적인 방법에 관하여 말하고 싶다 / 의사소통의
말을 열 수 있는 / 청중과.

290 You **might as well invite** / all your relatives
<u>might as well ~</u>
and friends / to a meal.

너는 초대하는 것이 나을 것이다 / 너의 모든 친척들과 친구들을 / 식사에.

291 I **would rather** leave / **than** let others see
<u>would rather A than B</u>
my poverty.

나는 차라리 떠나겠다 / 다른 사람들이 내 가난을 보게 하기 보다는.

구문 독해 PRACTICE

본문 78쪽

Ⓐ 어법상 알맞은 것 고르기

1 used to
   휴가로 레바논을 방문하곤 했다

2 may
   이미 매우 정교한 언어를 사용하고 있었을지도 모른다

1 In the past, / we used to visit Lebanon for
            <u>~하곤 했다</u>
vacation. But right now / we are living here / as
                                          <u>~로서</u>
refugees.

| 해석 | 과거에 / 우리는 휴가로 레바논을 방문하곤 했다. 그러나 지금 / 우리는 여기에 살고 있다 / 난민으로.

| 문제 해설 | 과거에 '방문하곤 했다'는 의미이므로, used to가 적절하다.

2 Recent evidence suggests / [that the common
            S   V   명사절
ancestor of Neanderthals and modern people, /   S'
living about 400,000 years ago, / may have already
                                    <u>조동사+have p.p.</u>
been using pretty sophisticated language].

| 해석 | 최근의 증거는 시사한다 / 네안데르탈인과 현대인들의 공통 조상이 / 약 400,000년 전에 살았던 / 이미 매우 정교한 언어를 사용하고 있었을지도 모른다고.

| 문제 해설 | 문맥상 '~이었을지도 모른다'는 의미의 may have p.p.가 필요하므로, may가 적절하다.

Ⓑ 어법에 맞게 배열하기

1 should have trained counselors

2 would like to compare the shift

3 choices that cannot be undone

1 Every high school / should have trained
       S   <u>~했어야 했다</u>
counselors and teachers / [who will help
                              관계사절
disadvantaged students select colleges / and apply
                          <u>help+O+V1(동사원형)</u>   <u>V2(동사원형)</u>
for financial aid].

| 해석 | 모든 고등학교는 / 상담사와 선생님을 훈련시켰어야만 했다 / 장애 학생들의 대학교 선택을 돕고 / 재정 지원 신청을 도울.

| 문제 해설 | '~했어야만 했는데 못했다'는 의미의 should have p.p.를 써야 하므로, should have trained counselors의 순서가 되어야 한다.

2 I would like to [compare] the shift from analog
       <u>~하고 싶다</u>   <u>compare A to B: A를 B에 비유하다</u>
to digital film-making / [to] the shift from fresco
and tempera / to oil painting in the early Renaissance.

| 해석 | 나는 아날로그에서 디지털 영화 제작으로의 이동을 비유하고 싶다 / 프레스코화와 템페라화에서 / 초기 르네상스 시대의 유화로의 이동에.

| 문제 해설 | '~하고 싶다'는 의미의 would like to ~를 이용해서, would like to compare the shift의 순서가 되어야 한다.

3 The brain has a kind of built-in defense system /
                                              O
[that works / to make us satisfied with choices /
└ 관계절   부사적 용법(목적)
{that cannot be undone}].
관계절   조동사 V

| 해석 | 뇌는 일종의 내장된 방어 시스템을 가지고 있다 / 작용하는 / 우리가 선택에 만족하게 만들기 위해 / 돌이켜질 수 없는.

| **문제 해설** | 전치사 can이 들어간 주격 관계절을 이용하여, choices that cannot be undone이 되어야 한다.

C 어법상 틀린 것 고치기

1　③ are used to live → used to live

2　① delay → delaying

1　Some species can have a 　stronger　 influence
　　　　　　　　　　　　　　　　　비교급 표현
　than　 others / on their ecosystem. 　Take away　 the
　　　　　　　　　　　　　　　　　　　　　　명령문 ~, and S will: ~해라, 그러면 …일 것이다
sea stars / along the northwest coast / of the United
States, for instance, / 　and　 the ecosystem will
change dramatically; // in the absence of these sea
　　　　　　　　　
stars, / their favorite prey, / mussels, / takes over /
　　　　　　　　　　　　　　　　　　　　　　　S
and makes it hard for other species / [that used to
　　V2　가목적어　　　의미상 주어　　　　　　관계절　조동사
live there] / to survive.
V(동사원형)　　진목적어

| **해석** | 몇몇 종은 다른 종보다 더 강한 영향을 끼칠 수 있다 / 그들의 생태계에. 불가사리를 없애보아라 / 북서 해안을 따라서 / 예를 들어 미국의 / 그러면 생태계는 급격하게 변할 것이다 // 즉 이런 불가사리가 없으면, / 그들이 가장 좋아하는 먹잇감 / 홍합은 / 차지한다 / 그리고 다른 종이 (~하는 것을) 어렵게 만든다 / 거기에 살던 / 살아남는 것을.

| **문제 해설** | be used to do는 '~하기 위해 이용되다'는 의미로, 문맥상 '~하곤 했다'는 의미의 used to를 써야 한다. 그러므로 ③ are used to live는 used to live로 고쳐야 한다.

2　The lower income families / often cannot help
　　　　　　　　　　　　　S　　　　　　　　　　～하지 않을 수 없다
delaying their son's marriage / [when faced with
　　　　　　　　　　　　　　　　　　　　　　부사절
the cost of the wedding celebration / and the
　　　　　　전치사 with의 목적어1
problem of feeding another "mouth."] In some of
　　　　전치사 with의 목적어2
the lower income families in Peking, / the
expenditures for a wedding / might amount to
　　　　　　　　　　　　　S　　　　　　　조동사　　V(동사원형)
about a five-month income.

| **해석** | 저소득 가정은 / 흔히 아들의 결혼을 미루지 않을

수가 없다 / 결혼식 비용에 직면했을 때 / 그리고 또 다른 '입'을 먹어야 하는 문제에. 북경의 저소득 가정 몇몇에서는 / 결혼에 쓰이는 경비가 / 약 다섯 달 치 소득에 이를 수도 있다.

| **문제 해설** | help 자체는 뒤에 동사원형 또는 to부정사를 취하지만, cannot help는 뒤에 -ing 형태를 취하므로, ① delay는 delaying으로 고쳐야 한다.

D 우리말에 맞게 단어 배열하기

1　may well improve if postponed

2　you had better not watch TV

1　There is a long and honorable history of
procrastination / to suggest / [that many ideas and
　　　　　　　　　　　　　형용사적 용법　　명사절　　　S
decisions may well improve / if (they are)
　　　　　　　　　～하는 것은 당연하다
postponed].
p.p.

| **해석** | 길고 명예로운 지연의 역사가 있다 / (~을) 시사하는 / 많은 생각과 결정이 당연히 향상될 것이라는 / 연기되면.

| **문제 해설** | '당연히 ~하다'는 의미의 표현은 「may well+동사원형」이므로, may well improve if postponed로 써야 한다.

2　In the first few days / after the surgery, / you
　　　　　　　　　　　　　　　　　　　　　　　　　　　　S
had better not watch TV / because it could easily
　　　조동사　　부정　V(동사원형)
lead to eyestrain, / thus influencing the effectiveness
　　　　　　　　　　　　　　　　분사구문
of the surgery.

| **해석** | 처음 며칠 동안에는 / 수술 후, / 당신은 TV를 보지 않는 편이 좋다 / 왜냐하면 그것이 눈의 피로로 쉽게 이어질 수 있기 때문에 / 그리하여 수술의 효율성에 영향을 끼치면서.

| **문제 해설** | '~하는 편이 낫다'는 「had better+동사원형」이며, 부정형은 had better 뒤에 not을 넣어야 하므로 you had better not watch TV로 써야 한다.

실전 독해 PRACTICE

1 ①	2 ①	3 ④

1 어법성 판단

| 전문 해석 | 정신분석학자 Alfred Adler는 '인간적이라는 것은 열등감을 느끼는 것을 의미한다.'고 말했다. 아마도 그는 '인간적이라는 것은 열등하다고 여겨지는 것에 대해 매우 예민한 것을 의미한다.'라고 말했어야만 했다. 그런 감정에 대한 우리의 감수성은 높고 낮은 사회적 지위가 자신감에 끼치는 대조적인 효과를 이해하는 것을 쉽게 만든다. 사람들이 여러분을 어떻게 보느냐가 중요하다. 상위 계층이 되어 여전히 완전히 부적절한 느낌을 받는 것이, 또는 하위 계층이 돼서 자신감이 넘치는 것이 물론 가능하겠지만, 일반적으로 사회의 사다리에 높이 오르면 오를수록, 세상은 자기 의심이 가까이 못 오게 하는 데 여러분에게 더 많은 도움을 주는 것처럼 보인다. 사회의 위계가, 흔히 그런 것처럼, 능력에 따른 인류의 순위처럼 보인다면, 그러면 성공이나 실패의 외부적 표시가 모든 것을 바꾸어 놓는다.

| 문제 해설 | '~했음에 틀림이 없다'는 must have p.p.가 아니라 '~했어야 했는데 (못했다)'는 뜻의 should have p.p.가 와야 한다. 　　　　　정답 ①

| 오답 풀이 | ② 밑줄 앞의 it은 가목적어이고 to understand 이하가 진목적어이다.
③ matter는 동사로 '중요하다'는 뜻으로 How people see you가 의문사절로 주어 역할을 한다.
④ 「the 비교급 ~ , the 비교급 …」은 '~하면 할수록, 점점 더 …하다'의 뜻으로 해석한다.
⑤ the social hierarchy와 see는 수동의 의미 관계에 있으므로 is seen은 적절하다.

| 구문 분석 | 〈3행〉 Our sensitivity to such feelings / makes it easy to understand the contrasting effects / of high and low social status / on confidence.

(S — Our sensitivity to such feelings, V — makes, 가목적어 — it, 진목적어 — to understand)

〈6행〉 [While it is of course possible to be upper-class / and still feel totally inadequate, / or to be lower-class / and full of confidence], / in general / the further up the social ladder you are, / the more help / the world seems to give you / in keeping the

(부사절, 가주어 — it, 진주어1 — to be upper-class, 진주어2 — to be lower-class, the+비교급, the+비교급: ~하면 할수록, 점점 더 …하다)

self-doubts at bay.

2 어법성 판단

| 전문 해석 | '비전', '사명', '전략적 의도', 또는 '지향성의 강도'의 명칭이든 아니든, 회사의 목표는 핵심 구성원 모두에게 혜택을 줄 분명하고 도전적인 열망을 반영해야만 한다. 비전에 대한 너무 많은 진술은 최고 경영층에 의해 받아들여진 '비전의 필요조건'을 충족시키기 위해 쓰여진 시도에 불과하다. 그것들은 모든 사람들에 의해 읽혀질 수 있고, 벽에 명판(名板)에 붙여서 불멸할 수도 있어야 하지만, 그것들이 영향을 끼쳐야만 하는 행동과 가치를 가진, 방침을 따르는 사람들에게 진정한 감정적인 의미를 전혀 가지고 있지 않다. 비전의 목표, 의미, 그리고 행위 결과는 중요한 모든 사람들에게 그것들이 회사의 성공으로부터 합리적이면서도 감정적으로 혜택을 받을 것임을 전해야만 한다.

| 문제 해설 | (A) the company's purpose와 reflect의 관계가 능동의 의미 관계이므로, reflect를 쓰는 것이 어법상 적절하다. (B) 선행사 people down the line과 behaviors and values가 소유격 관계대명사로 연결되는 것이 자연스러우므로, whose가 어법상 적절하다. (C) 동사 communicate의 목적어 역할을 하는 명사절(that절)이 와야 하므로, that이 어법상 적절하다. 　　　　　정답 ①

| 구문 분석 | 〈6행〉 They may be read by all, / and may even be immortalized in plaques on the wall, // but they have no real emotional meaning / to people down the line / [whose behaviors and values // they are supposed to influence].

(= vision statements, 수동태, 조동사, 수동태, 소유격 관계대명사)

〈10행〉 The purpose, meaning, and performance implications of visions / must communicate, / to all who matter, / [that they will benefit both rationally and emotionally / from the company's success].

(S — The purpose, meaning, and performance implications of visions, 조동사 — must, V(동사원형) — communicate, 명사절)

3 연결사 추론

| 전문 해석 | 사랑은 사랑하는 사람이 원하는 것에 관한 것이 아니라, 사랑받는 사람을 위한 가장 좋은 것에 관한 것이다. 진정한 사랑은 자아가 아닌, 타자에 관한 것이다. 결과적으로, 사랑은 흔히 타자를 위해서 자기 자신의 욕망을

희생하는 것을 요구한다. 다른 사람들을 위해 희생할 수 있는 정도가 한 사람의 사랑의 척도이다. 우리는 사랑하고 싶을 수도 있지만, 우리가 사랑하려고 애를 쓴다면, 우리는 덕을 가져야만 한다. 예를 들어, 밤중에 일어나서 자신의 새로운 아이를 돌보는 아빠는 잠을 덜 자려는 욕망(거의 그렇지 않다!)에서 행동하는 것이 아니라, 자기의 새 딸과 지친 아내를 위한 사랑에서 행동하는 것이다. 그는 자기 자신을 위해서라 아니라, 다른 사람들을 위해서 행동한다.

| 문제 해설 | (A) 진정한 사랑은 자아가 아닌 타자에 관한 것이라는 문장과 사랑은 자기 자신의 욕망을 희생할 것을 요구한다는 문장 사이에는 원인과 결과의 관계가 성립하므로, Consequently (결과적으로)가 적절하다. (B) 사랑하려고 애를 쓰면 덕을 가져야 한다는 문장 다음에 아내와 딸을 위해 밤에 자다가 깨어나 딸을 돌보는 아빠의 이야기를 하고 있으므로, For example(예를 들어)이 적절하다.　　　　　정답 ④

| 오답 풀이 | ① 게다가 – 대조적으로
② 게다가 – 예를 들어
③ 그렇지 않으면 – 그러나
⑤ 결과적으로 – 그러나

| 구문 분석 | 〈4행〉 The degree / [to which one is able to sacrifice for others] / is the measure of his love.

〈7행〉 For example, / the father / [who rises in the middle of the night / to care for his new child] / is not acting out of a desire / to get less sleep(hardly!), / but out of love / for his new daughter and tired wife.

UNIT 06 가정법

구문 유형 31

292 If he **bought** the house, // he **might regret** it.

만일 그가 그 집을 산다면, // 그는 후회할 텐데.

=As he doesn't buy the house, he doesn't regret it.

293 If your parents **heard** the news, // they **would be** happy.

만일 당신의 부모님이 그 소식을 듣는다면, // 그들은 기뻐할 텐데.

294 If I **were** in your shoes, // I **couldn't accept** the proposal.

만일 내가 네 입장이라면, // 나는 그 제안을 받아들일 수 없을 텐데.

=As I am not in your shoes, I can accept the proposal.

295 If he **spoke** English more fluently, // he **could get** a better job.

만일 그가 영어를 더 유창하게 한다면, // 그는 더 나은 일자리를 구할 수 있을 텐데.

296 If I **were** a doctor, // I **would help** the poor children in Africa.

만일 내가 의사라면, // 나는 아프리카의 가엾은 어린이들을 도울 텐데.

297 If you **were** taller, // you **could reach** the

top shelf.

만일 네가 키가 더 크면, // 너는 선반의 꼭대기에 손이 닿을 수 있을 텐데.

298 If the plants **weren't** in the ecosystem, // they **would not get** essential nutrients.

만일 그 식물들이 생태계 내에 없다면, // 그것들은 필수적인 영양소를 얻지 못할 텐데.

299 If he **did not tell** Tony about it, // he **would** definitely **win** the race.

만일 그가 Tony에게 그것에 대해 말하지 않는다면, // 그는 분명히 그 경주에서 이길 텐데.

300 If you **were living** life as me, // you **would be** a lot better off.

만일 당신이 나처럼 인생을 살고 있다면, // 당신은 훨씬 더 잘 살 텐데.

구문 유형 32

301 If she **hadn't broken** her promise, // he **would have trusted** her.

만일 그녀가 약속을 깨지 않았더라면, // 그는 그녀를 신뢰했을 텐데.

= As she broke her promise, he didn't trust her.

302 If you **had been** there, // you **could have seen** the singer.

만일 네가 거기에 있었더라면, // 너는 그 가수를 볼 수 있었을 텐데.

= As you weren't there, you couldn't see the singer.

303 If he **had had** somebody to talk to, // he **wouldn't have been** so lonely.

만일 그에게 누군가 말을 걸 사람이 있었다면, // 그는 그렇게 외롭지 않았을 텐데.

304 If we **had had** one more day, // we **could have visited** the place.

만일 우리에게 하루만 더 있었더라면, // 우리는 그 장소를 방문할 수 있었을 텐데.

305 If you **had been** there, // you **could have reported** it better.

당신이 거기에 있었더라면, // 당신은 그것을 더 잘 보고할 수 있었을 텐데.

306 If you **had visited** the store three weeks earlier, // you **could have found** the item.

만일 당신이 3주 전에 그 가게를 방문했더라면, // 당신은 그 물건을 발견할 수 있었을 텐데.

307 If they **hadn't been caught** in traffic, // they **wouldn't have been** late for the meeting.

만일 그들이 교통체증에 발이 묶이지만 않았더라면, // 그들은 그 회의에 늦지 않았을 텐데.

308 If I **hadn't come** along, // he **would have** eventually **died** of starvation.

만일 내가 나타나지 않았더라면, // 그는 결국 굶어서 죽었을 텐데.

309 If only he **had managed** to walk to the village, // he **would have been rescued**.

만일 그가 그 마을까지 걸어가기만 했더라면, // 그는 구조되었을 텐데.

구문 유형 **33**

310 If I **were to be born** again, // I **would be** a world-famous actor.

만약 내가 다시 태어난다면, // 나는 세계적으로 유명한 배우가 될 텐데.

311 If it **should rain** tomorrow, // we**'ll put off** hiking.

만약 내일 비가 온다면, // 우리는 하이킹을 연기할 텐데.

312 If her son **should succeed**, // she **would be** so happy.

만약 그녀의 아들이 성공한다면, // 그녀는 무척 기쁠 텐데.

313 If the problem **should disappear**, // I **would be** so happy.

만약 그 문제가 사라진다면, // 나는 정말 기쁠 텐데.

314 If the sun **were to rise** no more, // everything in the world **would die**.

만약 태양이 더 이상 뜨지 않는다면, // 세상의 모든 것은 죽을 텐데.

315 If the consumer **were to withdraw** from the deal, // he **might foster** a rather undesirable impression.

만약 그 소비자가 거래를 철회하면, // 그는 다소 바람직하지 못한 인상을 불러 일으킬 텐데.

316 If he **should change** his mind, // we **would be** very happy.

만일 그가 그의 마음을 바꾸면, // 우리는 매우 기쁠 텐데.

구문 유형 **34**

317 If he **had not helped** them, // they **would be** greatly troubled.

만약 그가 그들을 돕지 않았더라면, // 그들은 지금 큰 곤란을 겪을 것이다.

= As he helped them, they are not greatly troubled.

318 If the telephone **hadn't been invented**, // what **would** the world **be** today?

만약 (과거에) 전화가 발명되지 않았더라면, // 오늘날 세상은 어떨까?

319 If I **had met** you earlier in my life, // I **would be** more successful now.

내 인생에서 더 일찍 당신을 만났더라면, // 나는 지금 더 성공해 있을 텐데.

= As I didn't meet you earlier in my life, I am not more successful now.

320 If she **hadn't met** the doctor, // she **would suffer** from the disease now.

만약 그녀가 그 의사를 만나지 않았더라면, // 그녀는 지금 그 병으로 고생하고 있을 것이다.

= As she met the doctor, she doesn't suffer from the disease now.

321 If you **hadn't watched** the movie, // we **could watch** it together now.

네가 그 영화를 보지 않았더라면, // 우리는 지금 그것을 함께 볼 수 있을 텐데.

= As you watched the movie, we can't watch it together now.

322 If he **had accepted** my apology, // he **would get along with** me now.

그가 내 사과를 받아들였더라면, // 그는 지금 나와 잘 지낼 텐데.

= As he didn't accept my apology, he doesn't get along with me now.

323 If I **had taken care of** my health, // I **would be** healthier now.

만약 내가 건강에 신경을 썼더라면, // 지금 더 건강할 텐데.

= As I didn't take care of my health, I am not healthier now.

구문 유형 35

324 **Were** there **no trees** on the Earth, // we **could not exist** as we do.

지구상에 나무가 없으면, // 우리는 현재의 우리처럼 존재할 수 없을 텐데.

= If there were no trees on the Earth, we could not exist as we do.

325 **Should I find** your wallet, // I **will call** you right away.

내가 네 지갑을 찾으면, // 네게 당장 전화해 줄 텐데.

= If I should find your wallet, I will call you right way.

326 **Had you come** five minutes earlier, // we **wouldn't have missed** the bus.

네가 5분 더 일찍 왔더라면, // 우리는 그 버스를 놓치지 않았을 텐데.

= If you had come five minutes earlier, we wouldn't have missed the bus.

327 **Were your feelings expressed**, // everyone **would understand** you.

당신의 감정이 표현되면, // 내 모두가 당신을 이해할 텐데.

= If your feelings were expressed, everyone would understand you.

328 **Had we consulted** an expert, // we **could have settled** the problem easily.

전문가에게 상담을 했더라면, // 우리는 그 문제를 쉽게 해결할 수 있었을 텐데.

= If we had consulted an expert, we could have settled the problem easily.

329 **Were his son treated** as a charity case, // the boy's father **would be** humiliated.

만약 그의 아들이 불우 이웃으로 다루어진다면, // 그 소년의 아버지는 모욕감을 느낄 텐데.

= If his son were treated as a charity case, the boy's father would be humiliated.

330 **Should I fail** this time, // I **would give up** the project.

내가 이번에 실패한다면, // 나는 그 프로젝트를 포기할 것이다.

= If I should fail this time, I would give up the project.

331 **I wish** / someone **told** me the truth.

좋을 텐데 / 누군가가 나에게 진실을 말해 주면.

= I'm sorry that someone doesn't tell me the truth.

332 He talks / **as if** he **owned** the company.

그는 말한다 / 마치 자신이 그 회사를 소유하고 있는 것처럼.

= In fact, he doesn't own the company.

333 She acted / **as though** she **had never met** me before.

그녀는 행동했다 / 마치 전에 나를 만난 적이 없었던 것처럼.

= In fact, she met me before.

334 **I wish** / he **were** satisfied with his new job.

좋을 텐데 / 그가 자신의 새 일에 만족하면.

= I'm sorry that he isn't satisfied with his new job.

335 He talks / **as if** he **had been waiting** for me.

그는 말한다 / 마치 그가 나를 기다리고 있었던 것처럼.

= In fact, he wasn't waiting for me.

336 **I wish** / you **had finished** the report before the deadline.

좋을 텐데 / 네가 마감일 전에 그 보고서를 끝냈다면.

= I'm sorry that you didn't finish the report before the deadline.

337 She talks / **as if** she **had never been** on a diet.

그녀는 말한다 / 마치 그녀가 다이어트를 한 적이 없었던 것처럼.

= In fact, she was on a diet.

338 Everyone was staring at her // **as if** she **were** a monster.

모든 사람들은 그녀를 노려보고 있었다 // 마치 그녀가 괴물인 것처럼.

= In fact, she isn't a monster.

339 The species must compete // just **as if** they **were** members of the same population.

그 종들은 경쟁해야 한다 // 마치 그들이 동일한 개체군의 개체들인 것처럼.

340 **Without** your help, // we **could not accomplish** this much.

네 도움이 없다면, // 우리는 이렇게 많은 것을 이루어낼 수 없을 텐데.

= If it were not for your help, we could not accomplish this much.

341 **But for** our timely aid, // they **would have**

died of hunger.

우리의 시기적절한 도움이 없었더라면, // 그들은 굶주림으로 죽었을 텐데.

= If it had not been for our timely aid, they would have died of hunger.

342 **To hear his funny jokes**, // you **couldn't help** laughing.

그의 재미있는 농담을 들으면, // 당신은 웃지 않을 수 없을 텐데.

= If you heard his funny jokes, you couldn't help laughing.

343 **Without** vitamin C, // you **would get** the disease of scurvy.

비타민 C가 없으면, // 당신은 괴혈병에 걸릴 것이다.

= If it were not for vitamin C, you would get the disease of scurvy.

344 **But for** the war, // they **could have had** a happy life.

전쟁이 없었더라면, // 그들은 행복한 삶을 살 수 있었을 텐데.

= If it had not been for the war, they could have had a happy life.

345 **But for** the ribbon on her head, // she **would be mistaken** for a boy.

그녀의 머리 위의 리본이 없으면, // 그녀는 남자아이로 착각이 될 것이다.

= If it were not for the ribbon on her head, she would be mistaken for a boy.

346 **Without** her advice, // I **would have made** a big mistake.

그녀의 조언이 없었더라면, // 나는 큰 실수를 했을 것이다.

= If it had not been for her advice, I would have made a big mistake.

347 **To judge him by his records**, // he **would win** the race.

그의 기록으로 그를 판단하면, // 그는 경주에서 우승할 텐데.

= If we judged him by his records, he would win the race.

348 **Without** competition, // we **would never know** how far we could push ourselves.

경쟁이 없다면, // 우리는 우리가 스스로를 얼마나 멀리 밀고 나갈 수 있을지 결코 알지 못할 것이다.

= If it were not for competition, we would never know how far we could push ourselves.

349 **But for** them, // orchids and humans **would not survive**.

그들이 없다면, // 난초와 인간은 살아남지 못할 것이다.

= If it were not for them, orchids and humans would not survive.

구문 독해 PRACTICE

본문 90쪽

A 어법상 알맞은 것 고르기

1 had been
만약 우리 소방관들이 현장에 제때 도착할 수 있었더라면

2 as though
마치 그녀가 하루 종일 처음으로 완전히 깊은 숨을 쉴 수 있는 것처럼 느끼면서

1 From the very beginning / the fire was fanned by strong winds, / but it would not have spread so far and so quickly, / if our firefighters had been able to arrive at the scene in time.

S 조동사의 과거형 / have p.p / S' / had p.p

| 해석 | 아주 초기부터 / 그 불은 강한 바람에 의해 부채질이 되었다, / 하지만 그것은 그렇게 멀리 그리고 그렇게 빨리 번져나가지 않았을 것이다, / 만약 우리 소방관들이 현장에 제때 도착할 수 있었더라면.

| 문제 해설 | 사건이 벌어진 시점이 과거이고 과거 사실에 반대되는 가정을 나타낸 것이므로 가정법 과거완료를 써야 한다. 가정법 과거완료의 기본 형태는 「If+S'+had p.p. ~, S+조동사의 과거+have p.p. ~」이기 때문에 'had been'이 적절하다.

2 [As soon as the wagon stopped], / Bebe jumped off / and ran down the path [that led to the river], / feeling as though she could draw a full, deep breath for the first time all day.

시간의 부사절(~하자마자) / 관계사절 / 분사구문

| 해석 | 그 짐마차가 멈추자마자, / Bebe는 뛰어 내렸다 / 그리고 강으로 난 길로 뛰어 내려갔다. / 마치 그녀가 하루 종일 처음으로 완전히 깊은 숨을 쉴 수 있는 것처럼 느끼면서.

| 문제 해설 | 사실은 그렇지 않은데 그런 것처럼 가정할 때 쓰는 가정법 표현은 even though가 아니라 as though이다.

B if를 사용하여 같은 의미가 되도록 바꾸어 쓰기

1 If they had been successful

2 (A) If it were not for ugliness
　(B) If it were not for the defective

1 They returned from the deerhunt. [Had they been successful], / they would have had heavy loads to bring back. [If their luck had been very good], / [they would have had / more than they could carry at once].

if가 생략된 가정법 과거완료 / 가정법 과거완료의 if절 / 가정법 과거완료의 주절

| 해석 | 그들은 사슴 사냥으로부터 돌아왔다. 그들이 성공

했더라면, / 그들은 무거운 짐을 가지고 돌아왔을 것이다. 그들의 운이 매우 좋았더라면, / 그들은 가지고 있었을 것이다 / 그들이 한 번에 실어 나를 수 있는 것보다 더 많은 것을.

| 문제 해설 | 가정법의 조건절에서 if가 생략되면 주어와 동사가 도치되므로, if를 다시 쓰게 되면 어순은 「S'+V」가 되어야 한다.

2 But for ugliness, / none would appreciate beauty, / nor would there be any taste in beauty. Without the defective, / the perfect things would not be appreciated, / nor would perfection be sweet.

부정어 도치 / 부정어 도치

| 해석 | 추함이 없다면, / 어떤 것도 아름다움의 진가를 알지 못할 것이고, / 또한 아름다움에 대한 어떠한 심미안도 없을 것이다. / 결함이 없다면, / 완벽한 것들은 진가를 인정받지 못할 것이고, / 또한 완벽함은 매력적이지 못할 것이다.

| 문제 해설 | but for나 without은 가정의 뜻을 포함하므로 상황에 따라 가정법 과거나 과거완료 등으로 바꾸어 쓸 수 있는데, 여기서는 주절에 가정법 과거가 쓰였고 문맥상으로도 현재 사실에 대한 반대의 의미를 나타내므로 조건절도 가정법 과거로 표현해야 한다.

C 어법에 맞게 배열하기

1 they would be surprised at
　그들은 놀랄 것이다

2 if I didn't do something soon
　내가 곧 뭔가 행동을 취하지 않으면

1 If they worked in a well-organized environment / for any length of time, / they would be surprised / at / how much more productive they are.

가정법 과거의 if절 / 가정법 과거의 주절 / be surprised at: ~에 놀라다 / 전치사 at의 목적어

| 해석 | 그들이 잘 조직된 환경에서 일을 한다면 / 어떠한 기간 동안, / 그들은 놀랄 것이다 / 그들이 얼마나 더 많이 생산적이게 되는지에.

| 문제 해설 | 조건절이 가정법 과거의 형태이고, 의미상 현재 사실에 대한 반대의 의미를 나타내므로 주절에도 가정법 과거를 써야 한다. 가정법 과거의 주절의 형태는 「S+조동사의 과거형+동사원형 ~」이다.

2 My husband remarked / [that if I didn't do
〈명사절(remark의 목적어)〉
something soon, / I would be chased around / for
〈가정법 과거의 주절〉
the rest of my days / by a 15-pound woodchuck
begging for milk].
〈현재분사구(woodchuck 수식)〉

| 해석 | 나의 남편은 말했다 / 내가 곧 뭔가 행동을 취하지
않으면, / 내가 쫓겨 다닐 것이라고 / 앞으로 남은 나날 동
안에 / 우유를 달라고 조르는 15파운드짜리 마멋에게.

| 문제 해설 | 말하던 당시 사실과 반대되는 가정을 하고 있으나,
가정법은 시제 일치의 예외이므로 전달동사가 과거라 하더라도 가
정법 과거를 그대로 써야 한다. 가정법 과거의 조건절의 형태는
「If+S'+과거형 동사~」이다.

Ⓓ 우리말에 맞게 단어 배열하기

1 we could never have beaten them

2 If it had not been for

---

1 If they had been organized, / or if one of their
〈가정법 과거완료 if절 ①〉   〈가정법 과거완료 if절 ②〉
members had possessed any leadership skills, / we

could never have beaten them / as easily as we did.
〈가정법 과거완료 주절〉

| 해석 | 만약 그들이 조직화되어 있었더라면, / 혹은 그들
집단 중 한 명이 어떠한 리더십 기술을 소유하고 있었더라
면, / 우리는 결코 그들을 이길 수 없었을 것이다 / 우리가
그랬던 것만큼 쉽게.

| 문제 해설 | 조건절이 「If+S+had p.p. ~」로 가정법 과거완료
이고 문장의 의미상 과거 사실에 대한 반대되는 가정을 나타내므
로 주절에도 가정법 과거완료를 써야 한다. 가정법 과거완료 주절
의 형태는 「S+조동사의 과거형+have p.p. ~」이다.

---

2 I have been very lucky to have significant
〈부사적 용법(원인)〉
mentors in my career. If it had not been for their
〈혼합가정법(가정법 과거완료 if절+가정법 과거 주절)〉
advice and example, / I wouldn't be where I am

today.

| 해석 | 나는 내 경력에서 중요한 스승들을 가질 수 있어
서 무척 행운이었다. 그들의 조언과 예가 없었더라면, / 나
는 오늘날의 내가 있는 곳에 있지 못할 것이다.

| 문제 해설 | 조언과 예를 얻었던 것은 과거의 사실이고 오늘날
의 내가 있는 것은 현재의 사실이므로, 조건절과 주절의 시제가 서
로 다른 경우이다. 따라서 혼합 가정법을 써야 한다. 즉, 조건절에
는 가정법 과거완료, 주절에는 가정법 과거를 써야 한다.

실전 독해 PRACTICE

1 ①	2 ④	3 ⑤

1 지칭 추론

| 전문 해석 | Louisa는 북부 산맥의 산기슭에 있는 숲에서
천천히 걸었다. 그녀는 더 무거운 짐을 나르고 있었기 때
문에 천천히 걸었다. 머리 위에, 그녀는 몇 다발의 덜 익은
바나나, 몇 개의 고구마, 숟가락, 바나나 잎, 몇 조각의 귀
한 소금에 절인 생선, 그리고 작은 요리용 기름병과 함께
텅 빈 양철로 된 요리용 기름통을 이고 있었다. Kayune
은 부젓가락(불쏘시개) 몇 개만 나르고 있었다. 그녀는 이
것을 매 번 했다. 그녀는 Louisa가 도착하기 전에 앞서 달
려가서, 부젓가락 한 묶음을 떨어뜨리고는, 개울에서 열을
식히고 나서 불을 붙이려고 애썼다. 그리고 Kayune는 이
것을 다시 하고 있었다. Louisa가 말을 했을 때, Kayune
는 마치 자신이 꿈속에 있는 듯이 느꼈다. 말을 하기가 어
려웠고 그녀는 마치 스스로에게 말을 하도록 강요하고 있
는 듯이 느꼈다. 말이 나왔을 때, 그들은 허풍을 떨었고 부
자연스럽게 시끄러웠다. 그리고 나서 어떤 생각이 그녀에
게 떠올랐다.

| 문제 해설 | ①은 Louisa를 가리키고 나머지는 모두 Kayune
을 가리킨다.   정답 ①

| 구문 분석 | 〈7행〉 She would run ahead, / drop the
                    V1   V2
bunch of fire sticks, / cool off in the stream / and
                        V3
then try to light the fire / [before Louisa arrived].
     V4   〈시간의 부사절〉

〈9행〉 [When Louisa spoke], Kayune felt [as though
        〈시간의 부사절〉
she were in a dream].
as though 가정법(= in fact, she wasn't in a dream.)

2 어법성 판단

| 전문 해석 | 적도에서 중력은 원심력보다 289배 더 크다
고 알려져 있다. 그리고 289는 17의 제곱이므로 만약 지

---

50 • Ⅱ. 서술어

구가 지금보다 17배 더 빨리 회전하면, 즉 24시간이 아니라 85분 만에 자전을 완료하면, 원심력은 완전히 상쇄될 것이다. 이런 경우에, 원심력은 중력과 동일할 것이고, 적도에 있는 물체는 무게가 없을 것이다. 하지만 지구가 자전을 85분 미만으로 완료한다면, 모든 작고 가벼운 물체는 표면으로부터 떨어져 날아갈 것이다. 그리고 만약 속도가 크게 증가된다면, 지구 표면의 더 크고 무거운 부분들이 떨어져 날아가고 지구 주위를 돌 것이다.

| 문제 해설 | ④가 포함된 문장은 가정법의 문장으로 if를 대신할 수 있는 말이 적절한데, to suppose는 if 대용어구로 부적절하다. suppose, supposing의 어구가 if 대용어구로 적절하다. **정답 ④**

| 오답 풀이 | ① 지구가 현재보다 17배 더 빨리 도는 것은 현실적으로 불가능하므로 were to 가정법을 쓴 것은 적절하다.
② 앞의 were to에 이어져 if the Earth were to complete ~의 의미이므로 적절하다.
③ 앞에 나온 단수명사인 force를 대신하는 표현이므로 단수형의 쓰임은 적절하다.
⑤ 현재 사실과는 반대되는 가정을 나타내는 가정법 과거의 문장에서 주절이므로 「조동사의 과거형+동사원형」의 표현은 적절하다.

| 구문 분석 | 〈1행〉 The force of gravity at the equator / is known to be 289 times greater than the centrifugal force; / and [as 289 is the square of 17], / it follows / [that if the Earth were to revolve 17 times faster than she now does / — that is, to complete her revolution in 85 minutes / instead of twenty-four hours / — {the centrifugal force would be entirely neutralized}].
S / *V* / 이유의 부사절 / 명사절(follow의 목적어) / were to 가정법 / 즉, 다시 말해서 / were to에 연결됨 / were to 가정법 주절

3 어법성 판단

| 전문 해설 | '내가 알았더라면, 내가 그나 그녀를 끝까지 안고 있었을 텐데.' 나는 슬픔에 빠진 사람들이 이 말을 자주 사용하는 것을 듣는다. 매우 자주, 우리가 사랑하는 이들은 우리가 잠시 동안만 자리를 비우더라도 우리가 방을 나간 직후에 죽는다. 그러면 우리는 '만약'이라는 말로 자신을 괴롭힌다. 우리는 거기에 없음으로써 어떤 식으로 그들을 버렸다고 느낀다. 매우 자주, 우리는 죽어가는 동물이 더 편해지게 할 무엇인가를 가지러 그 방에서 나왔거나, 일을 하러 가야 하거나, 그들과 함께 밤낮으로 깨어 있은 후 너무나 지쳐서 20분 정도의 낮잠을 자러 갔기 때문에 거기에 없고 그 때가 바로 그들이 떠날 때이다. 이것은

치명적일 수 있다. 죽음의 순간에 우리가 거기에 없었던 것에는 어떠한 부정적인 의도도 없었다는 사실을 우리 자신에게 상기시키는 것은 중요하다. 실제로, 만약 우리가 알았고 거기에 있을 수 있었더라면, 우리는 거기에 있었을 것이다.

| 문제 해설 | (A) 「지각동사+O+O.C」 구문으로 말은 수동적으로 되므로 spoken이 적절하다. (B) 「사역동사+O+O.C」 구문으로 목적격보어로는 형용사가 적절하다. (C) 가정법의 의미이므로 if를 써야 한다 **정답 ⑤**

| 구문 분석 | 〈5행〉 We feel / [that we've let them down in some way] / by not being there.
명사절(feel의 목적어) / 동명사의 부정

〈6행〉 Very often, we're not there [because we've left the room to get something {that we hope will make a dying animal more comfortable}].
이유의 부사절 / 부사적 용법(목적) / 관계사절 / make+O+O.C

CHAPTER Ⅱ 수능 맛보기 TEST
본문 94쪽

1 ③	2 ⑤	3 ⑤	4 ①	5 ①
6 ③	7 ④	8 ②	9 ③	

1 어법성 판단

| 전문 해설 | 여러분은 바람에 맞서 걷기 힘든 폭풍 속으로 나가본 적이 있을 것이다. 바람이 시속 60킬로미터, 즉 사람들이 시내에서 차를 모는 속도로 불고 있을 때는 모두가 계속 움직이는 것이 힘들다는 것을 알게 된다. 바람이 시속 100킬로미터에 이르면, 사람들이 휘청거리고 나무들이 뿌리째 뽑힌다. 더 심한 바람에는, 사람이 공중으로 날아가기도 하는데, 그것은 굉장히 위험하다. 허리케인과 토네이도는 자주 이런 강풍을 동반한다. 역사책에 의하면 기록된 가장 강했던 바람은 뉴햄프셔의 워싱턴 산에서 1934년 4월 12일에 불었다고 한다. 세찬 바람이 시속 372킬로미터로 불었는데, 이것은 일부 항공기들이 나는 속도이다.

| 문제 해설 | (A) to keep moving이 진목적어이므로 가목적어 it을 써야 하므로 it이 적절하다. (B) 내용상 trees가 uproot의 목적어이고 반복되는 can be가 생략되었으므로 과거분사인 uprooted를 써야 한다. (C) 주절이 현재시제라 하더라도 역사적 사실은 항상 과거로 나타내므로 were를 써야 한다. **정답 ③**

| 구문 분석 | 〈1행〉 You have probably been out in
　　　　　　　　S　　　　　　V　　　　　부사구
storms [when it is hard to walk against the wind].
부사절　　가주어　　　진주어

〈2행〉 [When the wind is blowing at about 60
　　　　부사절　　　S'　　　V
kilometers per hour — the speed that people drive
　　　└─────── 내용상 동격 ───────┘
cars in the city] — everyone finds it hard to keep
　　　　　　　　　　　　　S　　　V 가목적어 O.C　 진목적어
moving.

| Words & Phrases |
· uproot (나무·화초 등을) 뿌리째 뽑다
· gust 세찬 바람, 돌풍　 · aircraft 항공기

2 어법성 판단

| 전문 해석 | 공룡은 지구상에 너무나 오랫동안(약 1억 6
천만 년) 그리고 너무나 성공적으로 살아와서 과학자들은
왜 그들이 멸종했는지를 확실히 모른다. 그들이 여태까지
생각해낸 이론들이 많다.
· 열파이론: 지구 기후의 변화가 식물과 동물에게 너무 더
웠을지 모른다.
· 한랭전선 이론: 그 시기에 많은 운석 충돌이 있었고, 그
래서 먼지가 태양을 가렸다.
· 일광 화상 이론: 화산들이 지구를 보호하는 오존층을 태
워서, 치명적인 자외선이 들어오게 했다.
다른 이론들은 멸종이 병 때문이고, 해안선의 변화 때문이
고, 움직이는 대륙 때문이고, 공룡의 알을 먹은 포유동물
때문이라고 말한다. 현재까지, 어떤 대답이 맞는지는 분명
하지 않지만, 지질학의 연구가 발전한 미래의 언젠가는 그
것을 알게 될 것이다.

| 문제 해설 | 시간의 부사절에서는 현재시제로 미래를 대신하므
로 ⑤의 will develop를 develop로 고쳐야 한다.　　정답 ⑤

| 오답 풀이 | ① 현재까지 계속되어온 동작을 나타내므로 현재완
료인 have thought를 쓰는 것이 적절하다.
② '~였을지 모른다'라는 의미로 과거에 대한 추측을 나타내므로
may have p.p.를 쓰는 것이 적절하다.
③ 분사구문이며 능동의 의미이므로 현재분사인 letting으로 시작
하는 것이 적절하다.
④ 선행사 mammals를 수식하고 있으므로 which는 적절하다.

| 구문 분석 | 〈1행〉 Dinosaurs lived on the Earth for
　　　　　　　　　　　　　S　　　V
so long (about 160 million years) and so
successfully **that** scientists aren't sure [why they
　　　　so ~ that...: 너무 ~해서 ...하다　　　　　sure의 목적절

died out].

〈12행〉 So far, it is not clear [which answer is right],
　　　　　　　　　가주어 V1　 C　　　S1(의문사절)
but we may know it someday [when the geological
　　 S2　　 V2　　 O　　　　　　↑────┘ 관계절
studies develop].

| Words & Phrases |
· **meteorite** 운석　· **block out** 가리다
· **ultraviolet radiation** 자외선 방사　· **continent** 대륙
· **mammal** 포유류　· **geological** 지질학의

3 심경 추론

| 전문 해석 | 흰 장갑을 낀 웨이터가 커피를 식탁에 내려놓
을 때 비는 기차의 차창에 줄무늬를 그린다. 그가 식사하
고 남은 것을 그가 치우자 나는 크림과 설탕을 커피에 넣
는다. 커피는 뜨겁고 진하며, 내가 예상한 것보다 훨씬 좋
다. 바깥에는, 들에 양이 점점이 서 있는데, 계속되는 폭우
속에 회색의 혹들 같다. 우리는 깊은 계곡 위로 난 다리를
지나갔는데, 그런 다음 햇빛이 구름 사이로 나더니, 빛과
그림자를 저 아래의 에메랄드빛 비탈에 한껏 뿌렸다. 그것
은 세상의 것 같지 않은 아름다운 광경이었다. 나는 15시
간 이상 자지 않았다. 그러나 나는 마음이 편해지기 시작
했고, 커피를 홀짝이며 계곡에서 피어오르는 증기에 눈이
편안해진 기분이 들었다.

| 문제 해설 | 이 글의 필자 I는 고급스러운 식당차에서 식사를 마
치고 훌륭한 커피를 마시면서 아름다운 경치를 보고 있는데 잠을
자지 못했지만 마음이 느긋하다는 내용이 나오므로 필자 I의 심경
으로는 ⑤ '만족스럽고 상쾌해진'이 적절하다.　　정답 ⑤

| 오답 풀이 | ① 죄책감을 느끼고 미안한
② 지치고 불안한
③ 궁금하고 고마운
④ 긴장되고 기대하는

| 구문 분석 | 〈1행〉 Rain streaks the windows of the
　　　　　　　　　　　S　　 V　　　　　O
train [as the white-gloved waiter sets a cup of
　　　시간의 부사절　　　 S'　　　 V　 O
coffee on the table].

〈3행〉 The coffee is hot and strong, [even better than
　　　　　　S　　 V　　 C　　　　　　분사구(being 생략)
I had expected]. Outside, sheep dot the countryside,
　　　　　　　　　　　　　　　S　 V　　 O
humps of grey in the steady downpour.
　sheep와 동격인 명사구

〈9행〉 But I start to relax, sipping the hot coffee
　　　　　　S　 V　　　　　분사구1(~하면서)

and letting my eyes soften into the mist rising from
the valleys.
분사구2 (~하면서)

▶ sipping ~와 letting ~가 and로 이어져있다.

| Words & Phrases |
· streak (줄같이) 기다란 자국(흔적)을 내다, 줄무늬를 넣다
· hump 혹 · steady 꾸준한 · downpour 폭우
· cast 보내다 · slope 비탈

4 어법성 판단

| 전문 해석 | 오늘날의 기술은 우리에게 파리의 눈에서 별의 탄생까지, 바다의 밑바닥에서부터 매일매일 흔들리는 인간의 마음까지 모든 것을 보게 해준다. 보이지 않는 세계가 매일 보여져 가고 있다. 이런 이야기는 그것의 새로움뿐만 아니라, 대부분의 인간에게 시각이 주요 감각이자, 세상을 받아들이는 우리의 지배적인 방법이기 때문에 특별한 매력이 있다. 그러나 많은 다른 종에게서, 시각은 덜 중요하다. 예를 들어, 개는 총천연색 시각이 부족하지만 냄새를 잘 맡을 수 있다. 인간은 5백만 개의 후각 수용기가 있는 반면에, 양치기 개는 2억 2천만 개의 후각 수용기가 있다. 여러분이 개 언론인이라면, 공유할 가장 이국적이고, 희귀하고, 복잡한 냄새를 찾아내면서 돌아다닐 것이다.

| 문제 해설 | (A) 주격보어 역할을 하는 형용사가 필요하므로, visible이 적절하다. (B) not only A but also B(A뿐만 아니라 B도 역시) 구문에서 뒤에 주어와 동사의 절이 나오므로, because가 적절하다. (C) 가정법 과거 구문(if+S′+과거동사 ~, S+would+동사원형 ~)이므로, go가 적절하다. 가정법 과거 완료(if+S′+had p.p. ~ , S+would+have p.p. ~) 구문과 혼동해서는 안 된다. 정답 ①

| 구문 분석 | 〈4행〉 These stories have special appeal,
[not only] because of their novelty [but also] because,
not only A but also B: A뿐만 아니라 B도
for most human beings, vision is the primary sense,
　　　　　　　　　　　　　S　　V　　　　　C1
our dominant way to take in the world.
C2　　　　　　　　to부정사(형용사적 용법)

〈9행〉 If you were a dog journalist, you'd go around
if+S′+과거동사 ~, S+would+동사원형 ~(가정법 과거)
sniffing out the most exotic, rare, and complex
smells to share.

| Words & Phrases |
· flutter 흔들림, 떨림 · appeal 매력

· novelty 새로움, 신기함 · primary 주요한
· dominant 지배적인 · take in ~을 받아들이다
· olfactory 후각의 · receptor 수용기, 감각이
· sheepdog 양치기 개
· sniff ~ out 냄새(후각)로 ~을 찾아내다
· exotic 이국적인 · rare 희귀한

5 어법성 판단

| 전문 해석 | 나는 한 여자와 이야기를 하고 있었는데, 내가 알기로 자연의 힘과 조화를 이루는 삶을 사는 여자였다. "갈매기를 만지고 싶으세요?" 방파제를 따라 앉아 있는 새들을 바라보며 그녀가 물었다. 물론 그러고 싶었다. 몇 차례 시도해보았지만, 가까이 다가갈 때마다 새들은 날아가곤 했다. "새한테 사랑을 느껴보려고 해보세요, 그 다음 그 사랑이 광선처럼 당신 가슴 속에서 흘러넘쳐 새의 가슴에 가 닿도록 해보세요. 그러고 나서 아주 조용히 새에게 가보세요." 나는 그녀가 말한 대로 했다. 처음 두 번은 실패했지만, 세 번째는 마치 황홀경에 빠졌던 것처럼, 정말로 갈매기를 만졌다. "사랑은 불가능해 보였던 곳에 다리를 놓지요." 그녀가 말했다.

| 문제 해설 | ①의 I knew는 삽입구이고 had lived가 동사이므로, 목적격 관계대명사 whom은 주격관계대명사 who로 고쳐야 한다. 정답 ①

| 오답 풀이 | ② would는 과거의 불규칙한 습관을 나타낼 때 쓰인다.
③ allow는 목적보어로 to부정사를 취한다.
④ as if는 '마치 ~인 것처럼'이라는 뜻이다.
⑤ where 이하는 '~곳에서'라는 뜻의 부사절이다.

| 구문 분석 | 〈2행〉 "Would you like to touch a seagull?"
　　　　　　　　└~하고 싶다┘
she asked, looking at the birds [that perched along
　　　　　　　　분사구문
the sea wall].

〈7행〉 The first two times I failed, but the third
time, as if I had entered a kind of trance, I did
as if+S′+had p.p: 마치 ~였던 것처럼(가정법 과거완료)
touch the seagull.

| Words & Phrases |
· in harmony with ~와 조화를 이루어
· seagull 갈매기 · perch (새가) ~에 앉다
· sea wall 방파제 · trance 황홀경

6 무관한 문장 고르기

| 전문 해석 | Seattle의 Washington 대학교의 Patricia Kuhl은 어린아이는 우리 종의 모든 수천가지 언어에 있는 어떤 소리 차이도 들을 수 있다는 것을 보여주는 뇌파 연구를 해왔다. 그러나 청각 대뇌 피질 발달의 결정적인 시기가 닫히면, 단 하나의 문화에서 길러진 아이는 많은 이런 소리를 듣는 능력을 잃어버린다. 그러고 나면 이용되지 않는 뉴런은 뇌 지도가 그 문화의 언어로 지배될 때까지 제거된다. (그럼에도 불구하고, 많은 언어학자들은 일반적으로 뇌는 언어 습득을 돕는 타고난 구조를 가지고 있다는 것을 인정한다). 예를 들어, 6개월 된 일본 아이는 미국 아이만큼 잘 영어의 r과 l의 차이를 들을 수 있지만, 한 살이 되면 그 아이는 더 이상 그럴 수 없다. 아이가 나중에 이민을 가면, 새로운 소리를 적절하게 듣고 말하는 것에 어려움을 가질 것이다.

| 문제 해설 | 어린아이는 인간의 수천 가지 언어의 소리 차이를 들을 수 있지만, 청각 대뇌 피질 발달의 결정적인 시기가 지나면 그럴 수 없다는 내용이므로, 뇌는 언어 습득을 돕는 타고난 구조를 가지고 있다는 내용의 ③은 글의 전체적인 흐름과 관계 없다.

정답 ③

| 구문 분석 | 〈4행〉 [But once the critical period of auditory cortex development closes], an infant reared in a single culture loses the capacity to hear many of those sounds.

once 일단 ~하면(부사절) / S / 과거분사 / V / O

〈6행〉 Then unused neurons are pruned away [until the brain map is dominated by the language of its culture].

S / V(be p.p) / until: ~때까지 / S' / V'(be p.p)

〈12행〉 Should the child later immigrate, she will have difficulty hearing and speaking new sounds properly.

가정법 도치(= If the child should later immigrate) / have difficulty (in) ~ing: ~하는데 어려움을 겪다

| Words & Phrases |
· **distinction** 차이 · **critical** 결정적인, 매우 중요한
· **auditory** 청각의 · **rear** 기르다
· **neuron** 신경 세포 · **prune away** 잘라내다, 제거하다
· **dominate** 지배하다 · **innate** 타고난
· **acquisition** 습득

7 어법성 판단

| 전문 해석 | 만약 당신이 청중 앞에서, 심지어 천 명이나 되는 사람들 앞에서도 당신의 눈을 올바르게 사용해 본 적이 있다면, 틀림없이 대부분의 청자들은 마치 당신이 시간을 들여 그들에게 직접 말을 하는 것처럼 느끼면서 방을 나설 것이다. 당신의 눈으로 할 수 있는 다른 것은 청중의 (관심의) 초점을 유도하는 것이다. 청중들은 당신이 보는 곳을 본다. 만약 당신이 그들의 관심을 미디어, 슬라이드, 혹은 또 다른 사람에게 유도하고 싶다면, 당신은 몸을 돌려 그 해당 대상을 몸소 보아야 한다. 다시 (청중들과) 이어져야 할 때가 되면, 앞으로 걸어가서 그들의 관심을 다시 당신에게로 끌어 모아라.

| 문제 해설 | (A) 실제로 직접 말하는 것이 아니고 문맥상 '마치 ~인 것처럼'의 뜻이어야 하므로 as if가 적절하다. (B) 주어는 eyes가 아니라 The other thing으로 단수이므로 is가 적절하다. (C) look의 목적어가 필요한데, where는 the place where에서 the place가 생략되었다고 볼 수 있으므로 where가 적절하다.

정답 ④

| 오답 풀이 | (A) even if는 '비록 ~하더라도'의 의미이다.
(B) your eyes는 전치사 with의 목적어이므로 동사의 주어가 될 수 없다.
(C) that은 관계사로 쓰인 경우라면 선행사가 필요하고, 접속사로 쓰인 경우라면 뒤에 나온 look의 목적어가 필요하므로 조건에 맞지 않다.

| 구문 분석 | 〈1행〉 [If you've used your eyes correctly in front of an audience, even as large as a thousand people], most listeners should leave the room [feeling as if you took the time to speak directly to them].

부사절(조건) / 전치사구 / audience 보충 설명하는 형용사구 / S / V / O / 분사구문 / as if 가정법 과거

〈6행〉 [If you want to direct their attention to media, slides, or another person], you must turn your body and look at the object in question yourself.

부사절(조건) / S / V1 / V2

| Words & Phrases |
· **audience** 청중 · **direct** 유도하다, 안내하다
· **object** 대상 · **in question** 해당하는
· **reconnect** 다시 연결하다

8 어법성 판단

| 전문 해석 | Narbuc이 마지못해 두 번째 단의 꼭대기에

닿았을 때, 그는 이해했다. 이것은 그가 생각했듯이 단단한 절벽이 아니었고, 녹은 바위로 가득 찬 개방된 오목한 부분이었다. 그는 그런 것을 보리라고 생각한 적도 없었거니와, 그것의 바람이 그의 얼굴 쪽으로 불면서 열기로 피부를 조이고 아프게 했기 때문에 지금 그것을 보고 싶지도 않았다. 저 아래, 아마도 거의 사막 바닥과 수평인 곳에는 바위가 열기로 주황과 노랑으로 달아올랐고, 화염이 그것 위로 마치 석탄을 태우고 있는 것처럼 일렁이고 있었다. 그것을 만지면 불에 타 죽는 것보다 더 끔찍한 죽음이 될 것이다.

| 문제 해설 | 부정어가 문두에 있으므로 ②의 he had thought 는 도치되어 had he thought가 되어야 한다.　　　**정답 ②**

| 오답 풀이 | ① 과거분사구 filled with ~는 an open bowl을 수식한다.
③ causing 이하는 분사구문으로 바로 앞의 내용 the wind of ~ face가 의미상 주어 역할을 한다.
④ 「as if+가정법 과거」 구문으로 were burning은 어법상 적절하다.
⑤ to부정사가 가정법의 조건절 역할을 하는 가정법 과거의 쓰임이다.

| 구문 분석 | 〈2행〉 This was no solid cliff as he had
　　　　　　　　　　　　　　　　　　　~했던 대로
thought, but an open bowl filled with molten rock.
　　　　　　　　　　　　　　　　　과거분사구

〈3행〉 Never had he thought to see such, nor did he
　　　　부정어 도치(never+조동사+S)　　　부정어 도치(nor+조동사+S)
wish to see it now, for the wind of it blew toward
　　　　　　　　　　　이유의 접속사(왜냐하면)
his face, causing his skin to tighten and ache with
　　　　　　　분사구문(~하면서)
heat.

| Words & Phrases |
· **unwillingly** 마지못해　· **stair** 단　· **solid** 단단한
· **cliff** 절벽　· **bowl** 오목한 부분　· **molten** 녹은
· **tighten** 조이다　· **ache** 아프다
· **glow** 반짝이다, 달아오르다　· **flame** 화염
· **charcoal** 석탄　· **horrible** 끔찍한

9 어휘 추론

| 전문 해석 | 메모는 실제로 많은 이유로 바람직하다. 첫째, 그것은 불안을 없애고 당신이 편하게 발표에 집중하게 해 준다. 둘째, 메모는 '암기 효과'를 증가시킨다(→ 막아준다.) 이것은 화자가 너무나 많은 시간과 에너지를 기억 회복에 들여서 청중과 연결되지 못하는 경우이다. 이러한 무겁고 불필요한 부담 하에서, 화자의 목소리는 꺾이고, 눈

은 기운이 빠지며, 몸은 느릿느릿하고, 듣는 것이 힘들게 된다. 때때로 당신은 심지어 화자가 그의 이마 안쪽으로부터 자신의 이야기를 읽어가고 있는 것처럼 화자의 눈이 왼쪽 상단에서 오른쪽 상단으로 움직이는 것을 볼 수도 있다. 가장 피해야 할 효과인 것이다!

| 문제 해설 | 이 글은 메모의 바람직한 점에 대해 말하고 있는데, 기억 효과 때문에 많은 시간과 에너지를 기억 회복에 들어서 청중과 연결되지 못하는 경우로 연설에서의 부정적인 효과를 일으킨다. 따라서 그것을 증가시킨다고 하면 논리적으로 맞지 않으므로 ③의 increase를 prevent 등의 단어로 고쳐야 한다.　**정답 ③**

| 오답 풀이 | ① 글의 전체 흐름상 메모를 하는 것이 왜 좋은지 그 이유를 설명한 글이므로 desirable의 쓰임은 옳다.
② 뒤에 이어진 allow you 이하를 보면 불안을 없앤다는 것은 문맥상 옳은 표현이다.
④ 앞의 예들이 모두 화자의 신체가 부정적으로 변해감을 나타내므로 difficult의 쓰임은 자연스럽다.
⑤ memorization effect는 연설에 있어서 좋지 못한 효과이므로 피해야 할 것이라는 것은 옳은 표현이다.

| 구문 분석 | 〈4행〉 This is when the speaker is putting
　　　　　　　　　　　　　　　the time when의 의미임
so much time and energy into memory retrieval
so ~ that...: 너무 ~해서 …하다
that he fails to connect with the audience.
　　　~하지 못하다

〈8행〉 Sometimes you can even see the speaker's
　　　　　　　　　　　　　　　　지각동사+O+O.C
eyes move to the upper left or upper right, [as if he
were reading his words from the inside of his
　　　as if+가정법 과거(마치 ~인 것처럼)
forehead].

| Words & Phrases |
· **desirable** 바람직한　· **dispel** 쫓아내다, 없애다
· **memorization** 암기　· **retrieval** 회복
· **connect with** ~와 연결되다　· **burden** 짐, 부담
· **flatten** 꺾이다　· **droop** 기운이 빠지다
· **limp** 절다, 느릿느릿하다　· **forehead** 이마

CHAPTER **III** 수식어

SUMMA CUM LAUDE

본문 102쪽

UNIT **07** 형용사적 수식어구

구문 유형 **38**

350 The <u>mysterious slow-moving black dots</u> /
특징–속도–모양
disappeared soon.

그 수수께끼 같고 천천히 움직이는 검은 점들은 / 곧 사라졌다.

351 We need to teach <u>students</u> / <u>unable to pass</u>
the course.

우리는 학생들을 가르쳐야 한다 / 과정을 통과할 수 없는.

352 There is <u>nobody</u> / <u>tall enough to reach the</u>
형용사(부사)+enough+to부정사
shelf.

아무 사람도 없다 / 선반에 닿을 수 있을 만큼 큰.

353 I bought a beautiful round metal wristwatch.
(특징–모양–재료)
나는 아름답고 둥근 금속으로 된 손목시계를 샀다.

354 She drew <u>two ugly old red-haired giants</u> /
(수–특징–나이–모양)
under the tree.

그녀는 두 명의 추하고 늙고 빨간 머리를 한 거인들을 그렸다 / 나무 아래에 있는.

355 Let's serve <u>something</u> / <u>cold to the guests.</u>

뭔가 대접하자 / 손님들에게 시원한 것을.

356 We chose a <u>hotel</u> / <u>close to the station.</u>

우리는 호텔을 선택했다 / 역에서 가까운.

357 You need a <u>program</u> / <u>that will give you</u> / a
more positive and energetic life.

여러분은 프로그램이 필요하다 / 여러분에게 제공할 / 더 긍정적이고 활기찬 생활을.

358 Today, more and more parents shrug their
shoulders, / <u>saying it's okay,</u> / maybe even
분사구문(~하면서)
<u>something special.</u>

오늘날 점점 더 많은 부모들이 어깨를 으쓱한다 / 괜찮다고 말하면서 / 아마 심지어 특별한 어떤 것이라도.

359 We are looking for a <u>student</u> / <u>smart enough</u>
to solve the question.
형용사(부사)+enough+to부정사
우리는 학생을 찾고 있다 / 그 문제를 풀만큼 똑똑한.

구문 유형 **39**

360 He smiles very <u>happily.</u>
부사 수식
그는 매우 행복하게 웃는다.

361 She reads the <u>book</u> / <u>aloud.</u>

그녀는 그 책을 읽는다 / 큰 소리로.

362 Unfortunately, / we had to lay off some
_{문장 전체 수식}
employees.

유감스럽게도 / 우리는 일부 직원들을 일시적으로 해고해야 했다.

363 They would sometimes play soccer / here
_{조동사 뒤, 일반동사 앞}
after class.

그들은 가끔 축구를 하곤 했다 / 방과 후에 여기에서.

364 They gladly accepted the offer.
_{동사 수식}
그들은 기꺼이 그 제안을 받아들였다.

365 Surprisingly, the two men turned out / to be
_{문장 전체 수식}
twins.

놀랍게도, 그 두 남자는 밝혀졌다 / 쌍둥이로.

366 My cousin speaks fluently in Spanish.

내 사촌은 스페인어를 유창하게 (말)한다.

367 We hope / you would consider contributing
generously / to our fund.
_{동명사 수식}
우리는 바란다 / 여러분이 후하게 기부하는 것을 고려하기를 / 우리의 기금에.

368 My mother would seldom scold me, // but
_{조동사 뒤, 일반동사 앞}
this time was different.

우리 어머니는 거의 나를 꾸짖지 않으셨다 // 하지만 이번에는 달랐다.

369 Their writing is usually embedded / in a
_{be동사와 과거분사 사이}
context of others' ideas and opinions.

그들의 글은 대개 끼워 넣어진다 / 다른 사람들의 생각과 견해의 맥락 속에.

370 Ironically, the stuff that gives us life /
_{문장 전체 수식}
eventually kills it.

아이러니하게도 우리에게 삶을 주는 그 물질은 / 결국 그것을 죽인다.

구문 유형 **40**

371 He left / without notice, // so we were
shocked.

그는 떠났다 / 알리지 않고 // 그래서 우리는 놀랐다.

372 A man / with snow-white hair / started to
talk.

한 남자가 / 눈처럼 흰 머리를 한 / 말을 하기 시작했다.

373 An old gray building was / beside the store.
_{be동사의 보어}
오래된 회색 건물이 있었다 / 그 가게 옆에.

374 He worked / in his office / until 9 p.m. last
_{부사구 역할}
night.

그는 일했다 / 그의 사무실에서 / 어젯밤 9시까지.

375 The woman in the waiting room / looked
_{형용사구 역할}
calm and confident.

대기실의 그 여성은 / 침착하고 자신있어 보였다.

376 The documentary film was / in the storage
room.
보어 역할

그 기록영화는 있었다 / 창고에.

377 Ahead of us / lay a lot of obstacles, // but we
부사구 역할
were positive.

우리 앞에 / 많은 장애물이 놓여 있었다 // 하지만 우리는
긍정적이었다.

378 The soldiers moved at an alarming speed, //
부사구 역할
so they could arrive before dawn.

병사들은 놀라운 속도로 움직였다, // 그래서 그들은 동트
기 전에 도착할 수 있었다.

379 Once a song was in heavy rotation on the
보어 역할
radio, // it had a high probability of selling.

일단 노래가 라디오의 강력한 회전 속에 있으면(라디오에
서 자주 들리면) // 그것은 높은 판매 가능성을 가졌다.

구문 유형 **41**

380 I have tons of work / to finish by six.
나에게는 많은 일이 있다 / 여섯 시까지 끝내야 할.

381 The student needs a counselor / to talk with.
to부정사＋전치사
그 학생은 상담사를 필요로 한다 / 함께 이야기할.

382 I'm working on the report / to present at
tomorrow's meeting.

나는 보고서를 작업중이다 / 내일 회의에서 발표할.

383 He became the first person / to understand
the idea.

그는 첫 번째 사람이 되었다 / 그 아이디어를 이해한.

384 The tribe was looking for a shelter / to live
in.

그 부족은 피난처를 찾고 있었다 / 들어가서 생활할.

385 The man raised an issue / to take into
account.

그 남자는 어떤 사안을 제기했다 / 고려해 볼.

386 There are some things / to be made clear.
수동태
몇 가지가 있다 / 분명하게 되어질.

387 There are hundreds of great people / to
imitate and copy.

수백 명의 위대한 사람들이 있다 / 모방하고 따라할.

388 In our efforts to be the good child, / many of
us fall into the trap of / trying to please others.

좋은 아이가 되려는 우리의 노력에서 / 우리 중 많은 수가
함정에 빠진다 / 다른 사람들을 즐겁게 하려고 노력하려는.

389 There is an important distinction / to be
made / between denial and restraint.
수동태
중요한 구별점이 있다 / 이루어져야 할 / 거부와 제지 사

이에서.

구문 유형 42

390 Sometimes we don't notice / moving objects.

가끔 우리는 알아차리지 못한다 / 움직이는 물체들을.

391 I stared at the people / moving behind him.

나는 사람들을 응시했다 / 그의 뒤에서 움직이는.

392 The roaring lions / made my blood chill.

포효하는 사자들은 / 내 피를 얼어붙게 만들었다.

393 I heard the sleeping man / saying something in his sleep.

나는 자고 있는 남자의 (~을) 들었다 / 자면서 뭐라고 말하는 것을.

394 The boat moving fast / was called a "Wig Ship."

빠르게 움직이는 그 보트는 / '위그선'이라고 불렸다.

395 I saw dots / moving slowly on the wall of my bedroom.

나는 점들을 보았다 / 내 방 벽에서 천천히 움직이는.

396 A company has to try to serve the public efficiently / and in a pleasing manner.

회사는 대중에게 효율적으로 서비스하려 노력해야 한다 / 그리고 기분 좋은 태도로.

397 A man / selling "nonbreakable" pens / suddenly finds / [that the one {he is demonstrating with} breaks in half].

finds의 목적절 (the one을 수식하는 관계절)

한 사람이 / '부러지지' 않는 펜을 판매하는 / 갑자기 발견한다 / 그가 시범을 보이고 있던 펜이 반으로 부러지는 것을.

구문 유형 43

398 The damaged road needs / repairing urgently.

그 손상된 도로는 필요로 한다 / 긴급히 수리하는 것을.

399 We had to the repair the houses / damaged by the earthquake.

우리는 집들을 정비해야 했다 / 지진으로 손상된.

400 The stunned audience / remained calm, waiting for the next remark.

깜짝 놀란 청중은 / 다음 말을 기다리며 조용히 있었다.

401 There is a theory / [that a broken window in the street / leads to other crimes].

a theory의 동격절

(~라는) 이론이 있다 / 거리의 깨진 창문 하나는 / 다른 범죄를 불러온다는.

402 He pointed at a window / broken by the wind during the night.

그는 창을 가리켰다 / 밤사이 바람에 깨진.

403 She could buy / half a loaf of oversweetened

white bread.

그녀는 살 수 있었다 / 설탕이 과하게 들어간 흰 빵 반 덩 어리를.

404 Rumors / published on the Internet now / have a way of immediately becoming facts.

(~한) 소문은 / 요즘 인터넷에 공표된 / 즉시 사실이 되어 간다.

405 The actual time / spent with the dolphins / is about forty minutes.

실제 시간은 / 돌고래들과 보내는 / 약 40분이다.

구문 독해 PRACTICE

Ⓐ 어법상 알맞은 것 고르기

1 to know
(A) 당신의 글(작업)을 다시 읽는 습관
(B) 단어들이 잘못되어 보일 때를 아는 기술

2 called
(A) 양쪽에서 동등하게 잘하는
(B) 두 가지 주요한 형태의 근섬유를 포함한다

1 So, get in the habit / of rereading your work and looking up words / [that the spell checker does not pick up. You need to develop the skill / to know when words look wrong. Never hand something in // until you have checked it.
현재완료

| **해석** | 그러니 습관을 가지시오 / 글을 다시 읽고 (~한) 단어들을 조사하는 / 철자법 검사 프로그램이 발견하지 못하는. 그 기술을 개발할 필요가 있다 / 단어들이 잘못되어 보일 때를 아는. 결코 어떤 것을 제출하지 마시오 // 확인하기 전까지.

| **문제 해설** | to know는 to부정사의 형용사적 용법으로 the skill을 뒤에서 수식하므로 to know가 적절하다.

2 Why is it difficult to find a runner / [who competes equally well] in both 100-m and 10,000-m races? The primary reason is / [that our muscles contain two main types of muscle fibers], / called slow and fast muscle fibers.
관계절
보어절
과거분사(수동의 의미)

| **해석** | 왜 (~한) 주자를 찾는 것이 어려울까(?) / 100미 터 경주와 10,000미터 경기를 모두 똑같이 잘하는. 주된 이유는 (~)이다 / 우리의 근육이 두 가지 주요한 형태의 근섬유를 포함하고 있기 때문이다 / 지근섬유와 속근섬유 라고 불리는.

| **문제 해설** | 수동의 의미를 나타내는 called를 쓰는 것이 적절 하다.

Ⓑ 어법에 맞게 배열하기

1 A monkey with good color vision

2 the capability to do multiple things

1 Consider a monkey / searching for fruit in the forest. A monkey / with good color vision / easily detects red fruit / against a green background, / but a color-blind monkey would find it / more difficult to find the fruit.
분사구
전치사구
가목적어
진목적어

| **해석** | 원숭이를 생각해 보라 / 숲속에서 과일을 찾는. 원 숭이는 / 좋은 색각을 가진 / 빨간 과일을 쉽게 탐지한다 / 초록색 배경 속에서 / 그러나 색맹인 원숭이는 알게 될 것이 다 / 그 과일을 찾는 것이 더 어렵다는 것을.

| **문제 해설** | 한 단어 이상으로 이루어진 수식어구는 명사의 뒤 에서 수식한다. 따라서 a monkey 다음에 수식어구인 with good color vision으로 쓰는 것이 적절하다.

2 We switch from one task to the other, / and
go와 병렬구조

60 · Ⅲ. 수식어

then `go` back. Our brains don't have the capability / to do multiple things at once. Our brains can process only three or four pieces of information / at most.

| 해석 | 우리는 한 가지 과업에서 다른 것으로 바꾼다 / 그런 다음 돌아간다. 우리의 뇌는 그런 능력을 가지고 있지 않다 / 여러가지 일을 한 번에 하는. 우리의 뇌는 서너 개의 정보만 처리할 수 있다 / 고작해야.

| 문제 해설 | the capability를 선행사로 하는 to부정사구 형태로 쓰는 것이 적절하다.

C 어법상 틀린 것 고치기

1 ③ rude → rudely

2 ③ loves → loving

1 Cats believe // it's rude to stare. (가주어) (진주어) Polite, well-educated cats squeeze their eyes closed and glance away / as a friendly greeting. (~로써) This is why / people who dislike cats (and so don't look at them) / are often approached by a cat − // they're not staring rudely.
(often의 위치: be동사 뒤 일반동사 앞)

| 해석 | 고양이들은 믿는다 // 빤히 쳐다보는 것이 무례하다고. 예의바르고, 잘 교육받은 고양이들은 눈을 꼭 감고 먼 곳을 응시한다 / 친근한 인사로써. 이것이 (~한) 이유이다 / 고양이를 싫어하는 사람들이 (그리고 그들을 쳐다보지 않는) / 고양이에게 자주 접근을 받는 // 그들은 무례하게 쳐다보지 않기 때문이다.

| 문제 해설 | staring을 수식하는 부사가 와야 하므로 ③ rude는 rudely로 고쳐야 한다.

2 The male mugger, an Indian crocodile, / (동격) sometimes crushes the eggs that are about to hatch, (일반동사 앞) / very gently in his mouth, to help his babies into (부사적 용법(목적)) the world. With the female, he escorts them / down to the water. This loving father / then helps to guard them.

| 해석 | 수컷 악어인 인도 악어는 / 가끔 부화할 때가 된 알을 눌러 부순다 / 새끼들이 세상으로 나오는 것을 도우려고 입 안에서 매우 부드럽게. 그는 암컷과 함께 그들을 호위한다 / 물 쪽으로. 이 사랑이 가득한 아버지는 / 그런 다음 그들을 보호하는 것을 돕는다.

| 문제 해설 | father를 수식해야 하므로 ③ loves는 loving으로 고쳐야 한다.

D 우리말에 맞게 단어 배열하기

1 to successfully release himself

2 simply makes you feel great

1 Whenever he feels threatened, / he turns back (whenever로 유도되는 부사절) toward the safety of his parents' love and authority. In other words, it is impossible for a child to (가주어) (의미상 주어) successfully release himself / unless he knows (진주어) (~가 아니라면) exactly where his parents stand, / both literally and figuratively.

| 해석 | 그(아이)가 위협을 받는다고 느낄 때마다 / 아이는 부모의 사랑과 권위라는 안전한 곳으로 되돌아온다. 다시 말해, 아이가 스스로를 성공리에 해방시키는 것은 불가능하다 / 부모가 어디에 있는지 정확하게 알지 못하면 / 문자 그대로 또 비유적으로.

| 문제 해설 | successfully는 부사로써 동사를 수식하므로 release 앞에 쓰는 것이 일반적이다.

2 You're not after "good swing" rewards; // you're after a better tennis game. So feedback [that simply makes you feel great] / will not help you develop tennis skills in the long run.

| 해석 | 여러분은 '스윙이 좋군요.'라는 보상을 추구하는 것이 아니라 // 테니스 경기를 더 잘 하게 되는 것을 추구한다. 그래서 여러분을 단순히 기쁘게 만들어 주는 피드백

은 / 결국에는 여러분이 테니스 기술을 발전시키는 데 도움이 되지 않을 것이다.

| 문제 해설 | 부사 simply는 사역동사 makes를 수식하고 있으므로 simply makes you feel great의 어순이 적절하다.

실전 독해 PRACTICE

본문 112쪽

1 ②	2 ②	3 ⑤

1 어법성 판단

| 전문 해석 | 시인들은 그리스 왕인 Menelaus의 아름다운 부인인 Helen이 어떻게 Troy 왕의 아들인 Paris에 의해 유인되어 도망갔는지에 관해 말한다. Helen을 다시 찾아오기 위해 격노한 그리스인들은 Troy를 공격했다. 이것이 기원전 1100년에 전설적인 트로이 전쟁을 일으켰다. 트로이 전쟁 동안, 그리스인들은 트로이 시를 둘러쌌다. 그들은 성벽 밖에서 10년 동안 진을 쳤지만 돌파할 수 없었다. 그래서 그들은 나무로 거대하고 속이 빈 말을 만들고 병사들을 일부 그 안에 숨기고 배를 타고 멀리 떠나는 척 했다. 호기심에 가득 찬 트로이 사람들은 그 말을 그들의 도시에 끌고 들어갔다. 밤에 그 말 안에 숨어 있던 그리스 병사들은 나와서 나머지 군대를 들어오게 하려고 성문을 열었다. 트로이는 함락되고 파괴되었다.

| 문제 해설 | infuriate는 '화나게 하다'의 의미인데, 이것이 분사인 infuriated가 된 형태이다. 단독으로 Greeks를 수식하고 있으므로 Greeks의 앞으로 가서 the infuriated greeks가 되어야 적절하다. **정답 ②**

| 오답 풀이 | ① tell의 목적어인 의문사절을 이끌고 있으므로 how를 쓰는 것은 적절하다.
③ 형용사는 and가 없이도 연결될 수 있다.
④ '~해서'의 의미로 사용된 분사구문으로 앞에 Being이 생략된 형태이므로 적절하다.
⑤ hiding ~ horse는 the Greek soldiers를 수식하는 분사구이며 능동의 의미이므로 hiding을 쓰고 명사구인 the Greek soldiers를 뒤에서 수식하는 것은 적절하다.

| 구문 분석 | 〈4행〉 During the Trojan War, / the
　　　　　　　　전치사 During + 명사구
Greeks surrounded the city of Troy.
　　　　　　　　　　　　　동격의 of
〈6행〉 So, they built a huge, hollow horse / out of
　　　　　　　　병렬구조

wood, / hid some soldiers inside it, / and pretended to sail away.

2 어법성 판단

| 전문 해석 | 많은 사람들이 왜 자신 들이 행복하지 않은지를 궁금해 한다. 흔히, 그것은 그들이 과거로부터 모든 종류의 짐을 질질 끌고 다니기 때문이다. 그들이 감정적인 경험을 보관하는 가방이 있다고 생각해보자. 누군가가 그들을 지난 주에 화나게 했고, 그래서 그들은 그 고통을 가방에 넣는다. 한 달 전에 그들은 버럭 화를 냈고, 무례한 말을 했고 그리고 그들은 그것도 가방에 쑤셔 넣는다. 그들은 그 분노와 의혹이 항상 간수되도록 한다. 자라면서, 그들은 적절히 대우받지 못했다. 그들은 그 쓰레기로 가득한 옷가방에 그걸 또 넣는다. 그들은 짐을 모은 것으로 허리가 굽었고 그런 다음 자신들이 왜 풍요롭고 충만한 삶을 살 수 없는지 궁금해 한다.

| 문제 해설 | (A) a bag을 뒤에서 수식하는 형용사구이므로 to carry가 적절하다. (B) -thing으로 끝나는 명사는 뒤에서 수식하므로 something rude가 적절하다. (C) 형용사구인 full of junk가 that suitcase를 뒤에서 수식하므로 full이 적절하다.
정답 ②

| 구문 분석 | 〈7행〉 They keep / that anger and doubt
　　　　　　　　　　　　　　　　　　　　　O
/ stashed all the time.
　　O.C

〈8행〉 Growing up, / they weren't treated right.
　분사구문(~할 때)

3 내용 일치 파악

| 전문 해석 | Jim Paluch에 의하면 J.P. Horizon의 가장 인기 있는 세미나는 '원탁 올림픽'이다. 회사의 중요한 의제들을 토론하는 사람들로 구성된 팀에 기초하는 그 행사는 적게는 20명에서 많게는 300명의 구성원에 이르는 팀에까지 맞춰 고안될 수 있다. 각각의 팀은 함께 아이디어를 공유하고 행동의 계획을 자유연상하는 사람들로 구성된다. 탁자는 축제와 같은 분위기를 더하기 위해 풍선, 사탕, 풍선껌, 큰 그릇에 담긴 팝콘으로 장식된다. 각각의 주제가 토론되고 나면 팀들은 자리에서 일어난 후 짧은 운동 행사(농구, 축구나 파이 던지기)에서 경쟁한다. 운동 행사와 회사 주제의 토론을 번갈아가면서 하는 것은 모든 사람들의 우뇌를 깨어나게 하는 데 도움이 된다. 또한 그들은 진정한 동지애를 개발할 수도 있다!

| 문제 해설 | 마지막 문장에 '우뇌를 깨어나게 하는 데 도움이 된다.'라는 내용은 있으나 '졸음에서 깨어나게 한다'는 내용은 제시되지 않았으므로 ⑤는 글의 내용과 일치하지 않는다.　정답 ⑤

| 구문 분석 | 〈2행〉 The event, [based on teams of people discussing important company issues], / can be designed for groups / as small as twenty or as large as three hundred.

분사구문
~만큼 작은
~만큼 큰

본문 114쪽

UNIT 08 to부정사의 부사적 수식

구문 유형 44

406 We stood up / **to show respect to him**.
우리는 일어났다 / 그에게 존경을 표하기 위해서.

407 I called you / **to ask / if you loved me**.
나는 너에게 전화했다 / 물어보기 위해서 / 네가 나를 사랑했는지를.

408 He went abroad / **in order to get a doctor's degree**.
그는 해외에 나갔다 / 박사 학위를 따기 위해서.

409 He went to the National Library / **to collect some data**.
그는 국립 도서관에 갔다 / 자료를 좀 모으기 위해서.

410 You need to think positively / **so as to succeed**.
너는 긍정적으로 생각해야 한다 / 성공하기 위해서는.

411 I'm doing my best / **to make ends meet**.
나는 최선을 다하고 있다 / 수입과 지출을 맞추기 위해서.

412 Always pray / **so as not to fall into temptations**.
항상 기도하라 / 유혹에 빠지지 않기 위해.

413 Lone animals rely on their own senses / **to defend themselves**.
혼자 있는 동물들은 자기 자신의 감각에 의존한다 / 그들 스스로를 방어하기 위해서.

414 I settled in / **to watch the film labeled HATTIE-1951**.
나는 자리를 잡았다 / HATTIE-1951이라는 딱지가 붙은 영화를 보려고.

415 He did not have to keep his sea lions hungry / **in order to make them perform**.
그는 그의 바다사자들을 배고프게 둘 필요가 없었다 / 그들을 공연하게 만들기 위해서.

구문 유형 45

416 I am **happy** / **to hear good news from you**.
감정 형용사　　원인

나는 기쁘다 / 너에게서 좋은 소식을 들어서.

417 She was **relieved** / **to know** / **that she**
<u>감정 형용사</u>　　<u>원인</u>
might soon have a house.

그녀는 안도했다 / 알고서 / 그녀가 곧 집을 가질 수도 있
다는 것을.

418 He **must be** a gentleman / **to say such a**
　　<u>~임에 틀림없다</u>　　　　　<u>판단의 근거</u>
nice thing.

그는 신사임에 틀림이 없다 / 그런 멋있는 것을 말하는 것
으로 보아.

419 He was very **happy** / **to hear** of his
　　　　　　<u>감정 형용사</u>　<u>원인</u>
daughter's birth.

그는 매우 기뻤다 / 자기 딸이 태어났다는 소식을 듣고.

420 **What a fool I am** / **to refuse the request**!
　　　<u>감탄문</u>　　　　<u>판단의 근거</u>
나는 얼마나 바보인가 / 그 요청을 거절하다니!

421 You'd be **shocked** / **to learn** what a bloody
　　　　　　<u>감정 형용사</u>　<u>원인</u>
history it has.

너는 충격 받을 것이다 / 그곳이 얼마나 피비린내 나는 역
사를 가지고 있는가를 알면.

422 I am **glad** / **to see** that your children are
　　　<u>감정 형용사</u>　<u>원인</u>
doing well at school.

나는 즐겁다 / 당신의 아이들이 학교에서 잘하고 있다는
것을 알아서.

423 He felt **relieved** / **to leave** this hospital
　　　　　<u>감정 형용사</u>　<u>원인</u>
completely.

그는 안도감을 느꼈다 / 이 병원을 완전히 떠난다는 것에.

424 The woman **cannot be** a teacher / **to say**
　　　　　　　<u>~일리가 없다</u>　　　<u>to부정사(판단)</u>
such a rude thing.

그 여자는 선생일 리가 없다 / 그런 무례한 말을 하는 것을
보니.

425 I was **surprised** / **to see trainers on their**
　　　　<u>감정 형용사</u>　<u>원인</u>
lunch hour sunbathing / **with their sea lions**.

나는 깜짝 놀랐다 / 점심시간에 조련사들이 일광욕하는 것
을 보고는 / 그들의 바다사자들과.

<u>구문 유형</u> **46**

426 She awoke / **to find** herself famous / over
　　　　<u>무의지 동사</u>　<u>결과</u>
night.

그녀는 깨어났다 / 자기 자신이 유명해졌음을 알았다 / 하
룻밤 사이에.

427 I went there / **only to find** / all the tickets
　　　　　　　　<u>결과</u>
were sold out.

나는 거기에 갔다 / 그러나 결국 알았을 뿐이었다 / 모든
표가 팔렸다는 것을.

428 You **would be** foolish / **to set the man free**.
　　　<u>가정법 동사</u>　　<u>조건</u>
너는 어리석을 것이다 / 그 사람을 풀어준다면.

429 **To hear him talk**, / you **would think** him
　　　<u>조건</u>　　　　　　<u>가정법 동사</u>
to be a great teacher.

그가 말하는 것을 들으면, / 너는 그가 훌륭한 선생님이라
고 생각할 것이다.

430 The boy **grew up** / **to be a famous composer**.
　　　　　<u>무의지 동사</u>　<u>결과</u>

그 소년은 자라서 / 유명한 작곡가가 되었다.

431 You **would be punished** / **to deceive others**.
<u>가정법 동사</u>   <u>조건</u>
너는 벌 받을 것이다 / 다른 사람들을 속이면.

432 Statistics show / that very few people **live** /
<u>무의지 동사</u>
to be a hundred.
<u>결과</u>
통계수치는 보여준다 / 매우 극소수의 사람들이 산다 /
100살이 되어서도.

433 I went to the left, / **only to find** / myself
<u>결과</u>
facing a blocked passage.
나는 좌회전을 했는데, / 결국 알게 되었다 / 나 자신이 막
힌 통로에 서 있다는 것을.

434 <u>To use Poe's own phrase</u>, / the process of
<u>조건</u>
writing contributes to "the logicalization of
thought."
Poe의 말을 인용하면, / 글쓰기 과정은 '생각의 논리화'에
기여한다.

435 <u>To oversimplify</u>, / basic ideas bubble out of
<u>조건</u>
universities and laboratories / in which a group of
researchers work together.
아주 간단히 말하면, / 기본적인 생각들은 대학과 실험실
에서 보글보글 끓어 오른다 / 한 집단의 연구자들이 함께
일하는.

구문 유형 47
_____

436 This tap water is safe / **to drink**.

이 수돗물은 안전하다 / 마시기에.

= It is safe **to drink** this tap water.

437 This conflict is hard / **to resolve**.

이 갈등은 어렵다 / 해결하기에.

= It is hard **to resolve** this conflict.

438 The man is comfortable / **to work with**.

그 사람은 편안하다 / 함께 일하기에.

= It is comfortable **to work** with the man.

439 This equation is difficult / **to solve**.

이 방정식은 어렵다 / 풀기에.

= It is difficult **to solve** this equation.

440 This river is very dangerous / **to swim in**.

이 강은 매우 위험하다 / 수영하기에.

441 The president is not difficult / **to please**.

그 회장은 어렵지 않다 / 기쁘게 하기에.

442 You're too exhausted / **to deal with your
kids**.

너는 너무 지쳐 있다 / 너의 아이들을 다루기에는.

443 The scientist was too subjective / **to reduce
bias in his experiment**.

그 과학자는 너무 주관적이었다 / 그의 실험에서 편견을
줄이기에는.

444 One is never too old / **to learn new tricks**.

사람은 결코 너무 나이 먹은 게 아니다 / 새로운 기술을 배우기에는.

445 It is an emotion / we find hard **/ to resist or control**.

그것은 감정이다 / 우리가 어렵다는 것을 알게 된 / 저항하거나 통제하기에.

구문 유형 **48**

446 My youngest sister is not old **enough / to go** to school.

내 막내 여동생은 충분히 나이가 많지 않다 / 학교에 가기에.

= My youngest sister is **so** young **that** she can't go to school.

447 She was wise **enough / to consider** the difference.

그녀는 충분히 현명했다 / 그 차이를 고려하기에.

448 No man is rich **enough / to buy** back his past.

어떤 사람도 충분히 부자는 아니다 / 그의 과거를 되사기에.

449 He was foolish **enough / to ignore** her advice.

그는 충분히 어리석었다 / 그녀의 조언을 무시할 만큼.

450 My kid is old **enough / to read** Harry Potter.

내 아이는 충분히 나이 먹었다 / 'Harry Potter'를 읽을 만큼.

451 His judgment was good **enough / to keep** me out of trouble.

그의 판단은 충분히 훌륭했다 / 나를 곤란에서 빠져 나가게 할 만큼.

452 Dave is intelligent **enough / to solve** difficult mathematical problems.

Dave는 충분히 똑똑하다 / 어려운 수학 문제를 풀 만큼.

453 It takes the tree about four years / before it is mature **enough / to produce** good fruit.

나무는 약 4년이 걸린다 / 그것이 충분히 성숙하기 전에 / 좋은 열매를 생산할 만큼.

구문 유형 **49**

454 **To tell the truth,** / I don't like playing.

사실대로 말하면, / 나는 노는 것을 안 좋아해.

455 The man is, **/ so to speak, /** a bookworm.

그 남자는, / 말하자면, / 책 벌레이다.

456 **To make matters worse,** / he had a car accident.

설상가상으로, / 그는 자동차 사고를 당했다.

457 **Needless to say,** / family is above all.

말할 필요도 없이, / 가족이 무엇보다 위다.

458 To be frank with you, / I cannot accept your suggestion.

솔직히 말해서, / 나는 너의 제안을 받아들일 수 없다.

459 To make a long story short, / it's a waste of time.

간단히 말해서, / 그것은 시간 낭비다.

460 To begin with, / let's investigate the cause of the accident.

우선, / 사고의 원인을 조사합시다.

461 A great writer is, / so to speak, / a second government in his country.

훌륭한 작가는, / 말하자면, / 자신의 나라에서 두 번째 정부이다.

462 Needless to say, / the bathroom has a spacious bathtub.

말할 필요도 없이, / 화장실에는 넓은 욕조가 있다.

463 To tell the truth, / the liar is among us.

사실대로 말하자면, / 거짓말쟁이는 우리 중에 있다.

464 To be sure, / he's the perfect man for the position.

확실히, / 그는 그 지위에 딱 맞는 사람이다.

465 To make matters better, / their sandwiches are delicious.

금상첨화로, / 그들의 샌드위치는 맛있다.

본문 122쪽

구문 독해 PRACTICE

A 어법상 알맞은 것 고르기

1 to get
감상자들이 어떤 종류의 경험을 갖도록 하기 위해서

2 to go
병원에 가기에 너무 가난하다

1 Artists create artistic works / [to get viewers to have certain kinds of experiences].

get+O+to부정사: ~가 …하게 하다

| 해석 | 예술가들은 예술 작품을 창조한다 / 감상자들이 어떤 종류의 경험을 갖도록 하기 위해서.

| 문제 해설 | 문맥상 '~하기 위해서'라는 의미이므로, to get이 적절하다.

2 Every year they went to Africa / [to treat people / {who were too poor to go to a hospital}].

| 해석 | 매년 그들은 아프리카에 갔다 / 사람들을 치료하려고 / 병원에 가기에 너무 가난했던.

| 문제 해설 | '~하기에 너무 …하다'라는 의미이므로, to go가 적절하다.

B 어법에 맞게 배열하기

1 only to fail in the face of customer disinterest

2 make things easy to understand

1 He overcame all technical challenges, only to fail in the face of customer disinterest.

부사적 용법(결과)

| 해석 | 그는 모든 기술적인 도전거리를 극복했지만, 결국 고객의 무관심 앞에서 실패했다.

| 문제 해설 | '~했으나 결국 …하다'는 의미의 결과 용법이므로, only to fail in the face of customer disinterest로 배열해야 한다.

2 Good writers know how to communicate. They make things easy to understand.
           형용사 수식

| 해석 | 좋은 작가는 소통하는 방법을 알고 있다. 그들은 사물을 이해하기 쉽게 만든다.

| 문제 해설 | 형용사를 수식하는 부사적 용법의 to부정사이므로, make things easy to understand로 써야 한다.

C 어법상 틀린 것 고치기

1 ③ to stand → standing

2 ③ using → to use

1 I notice [that {even when it's pouring rain
                  명사절   부사절
outside}, / my dogs, Blue and Celeste, are still
excited to go for a walk]. As one as I open the
감정 형용사   원인   ~하자마자
front door / to look outside / they're beside me in a
                목적
flash, / standing expectantly, / (being) ready for an
            분사구문1   분사구문2
adventure.

| 해석 | 밖에 비가 퍼붓고 있을 때조차도 나는 알아 차린다, / 내 개들, Blue와 Celeste는 여전히 산책을 나가려고 흥분해 있다는 것을. 내가 앞문을 열자마자 / 밖을 보려고, / 그들은 순식간에 내 옆에 와 있다, / 기대하며 서 있으며, / 모험을 나갈 준비를 하면서.

| 문제 해설 | 동사 are가 있는 상황에서 동시동작의 부대상황을 나타내는 분사구문이 필요하므로, ③의 to stand는 standing으로 고쳐야 한다.

2 Newton imagined / [that masses affect each
                          명사절   현재시제(과학적 진리)
other by exerting a force], while in Einstein's theory
                              접속사(반면에)

/ the effects occur through a bending of space and
            현재시제(과학적 진리)
time / and there is no concept of gravity as a force.
            현재시제(과학적 진리)
Either theory could be employed to describe, / with
둘 중 하나   부사적 용법(목적)
great accuracy, / the falling of an apple, / but

Newton's would be much easier to use.
= Newton's theory   비교급 강조

| 해석 | Newton은 상상했다 / 질량이 각각에게 힘을 가함으로써 영향을 끼친다고, / 반면에 Einstein의 이론에서는 / 그 결과는 공간과 시간의 구부러짐을 통해 일어나고 / 그리고 힘으로서의 중력의 개념이 없다. 둘 중 어느 이론도 묘사하기 위해서 이용될 수 있다, / 매우 정확하게, / 사과가 떨어지는 것을, / 하지만 Newton의 이론이 사용하기에 훨씬 더 쉬울 것이다.

| 문제 해설 | '~하기에'라는 의미로 형용사를 수식하는 용법의 to부정사이므로 ③의 using은 to use로 고쳐야 한다.

D 우리말에 맞게 단어 배열하기

1 for a great company to satisfactorily serve the public

2 if something was too good to be true

1 In order, therefore, for a great company to
    in order to+동사원형: ~하기 위해서   의미상의 주어
satisfactorily serve the public, / it must have a

philosophy / and a method of doing business /

[which will allow and insure / {that its people serve
  관계절   명사절
the public / efficiently and in a pleasing manner}].

| 해석 | 그러므로 큰 회사가 만족스럽게 대중에게 봉사하기 위해서는, / 그것은 철학을 가지고 있어야만 한다 / 그리고 사업을 하는 방식을 / 허락하고 보장할 / 그 회사의 사람들이 대중에게 서비스를 제공하는 / 능률적이고 즐거운 방식으로.

2 Eli Canaan had always been told / [that if
                              수동태   명사절
something was too good to be true, / chances were
                    형용사 수식   아마도
/ it wasn't going to be good or true].

| 해석 | Eli Canaan은 항상 들었다 / 무엇인가가 사실이

기에 너무 좋다면, / 아마도 / 그것은 좋거나 사실이 아닌 거라고.

| 문제 해설 | 형용사를 수식하는 to부정사의 용법을 이용하여 if something was too good to be true의 어순으로 써야 한다.

실전 독해 PRACTICE

1 ③   2 ②   3 ③

1 어법성 판단

| 전문 해석 | Becky는 '경계선 장애' 진단을 받았다. 그녀는 태어났을 때 그녀에게 일어났던 것을 이해할 만큼 충분히 똑똑했다. 그녀는 수학 계산을 할 만큼 충분히 똑똑하지는 않았다. Becky가 약 열 살 때 우리 부모님이 고용한 가정교사는 우리에게 Becky가 1시간을 수업 하는 중에 여러 가지 문제를 해결하기에 충분히 오랫동안 어떤 개념을 이해할 수는 있지만, 다음 주가 되면 자신이 배웠던 것을 잊어버리고 무에서 다시 시작할 거라고 말했다. 그녀의 초등학교는 그냥 그녀를 지나쳐버리고 있었다. 다시 말해, 그 당시 '특별한' 프로그램이 없었고, 그녀가 속한 곳에서 어느 누구도 그녀와 무엇을 해야 할지를 알지 못했다. Becky의 삶은 우리 대부분이 이해할 수 없는 방식으로 외로웠다.

| 문제 해설 | ③이 속한 문장의 주어는 A tutor이고 us가 간접목적어 that이하가 직접목적어가 되는 문장 구조이므로 telling이 아니라 told가 되어야 한다. **정답 ③**

| 오답 풀이 | ① what은 선행사를 포함하는 관계대명사이다.
② 「형용사+enough+to-v」는 '~하기에 충분히 …한'이라는 뜻이다. to부정사는 여기서 부사적 용법으로 부사 enough를 수식하는 역할을 한다.
④ 「what+to+동사원형」은 「what+S+should+동사원형」으로 '무엇을 해야 할지'의 뜻으로 해석한다.
⑤ that은 ways를 선행사로 하는 관계대명사이다.

| 구문 분석 | 〈4행〉 A tutor [(whom) my parents hired
　　　　　　　　　　　S　↑──┘ 관계절
{when Becky was about ten years old}] told us
부사절　　　　　　　　　　　　　　　　V　I.O
[that Becky could grasp a concept long enough to
D.01

work out several problems in the course of an hour-
부사적 용법
long session], but [that by the next week she'd have
　　　　　　　　　　　　　　D.02
forgotten what she'd learned and have to start from
scratch].

〈11행〉 Becky's life has been lonely in ways [that
　　　　　S　　　V(현재완료)　　　　　　　↑──┘관계절
most of us could not comprehend].

2 어법성 판단

| 전문 해석 | 꽤 오랫동안, 나는 다양한 방식으로 한 사람의 행동이 우리의 환경에 긍정적인 차이를 만들 수 있다는 생각을 강조하려고 노력해왔다. 개인은 우리 행성의 전반적인 생태계의 건강에 매우 중요한 역할을 하며, 우리 모두가 우리의 공통된 가정(지구)을 살기에 더 좋은 장소로 만들기 위해 할 수 있는 일이 매우 많다. 나와 많은 다른 사람들이 가정의 에너지 이용, 음식, 쓰레기, 그리고 수송에 관련하여 내리는 선택에서, 그 어떤 것도 차이를 내기에 너무 작은 것은 없다는 것과, 어떤 긍정적인 발걸음도, 크든 작든, 도움이 된다는 것을 배웠다. 우리가 매일 할 수 있는 그런 수 천 가지의 일 중에서, 여러분이 모든 것을 다 할 필요는 없다는 것을 기억하는 것이 중요하다. 어떤 것이든 도움이 된다!

| 문제 해설 | (A) the idea의 구체적인 내용을 설명해야 하고, 뒷부분이 완전한 문장 성분을 갖추고 있으므로, 관계대명사 which가 아닌 접속사 that이 와야 한다. (B) 부사적 용법으로 목적의 뜻을 가지는 to부정사가 와야 하므로, to make가 적절하다. (C) '~하기에 너무 …한'의 뜻이 되려면 enough가 아니라 too가 와야 한다. enough는 「형용사+enough+to-v」의 어순을 취한다. **정답 ②**

| 구문 분석 | 〈3행〉 Individuals play a vital role in the health of our planet's overall ecosystem, and there
　　　　　　　　　　　　　　　　　　　　　　　　　　　　　　　유도 부사
are many things [(that) all of us can do {to make
 V　　 S　　　　　관계절　　　　　　　　　부사적 용법(목적)
our common home a better place to live in}].
　　　　　　　　　　　　　　↑──┘ 형용사적 용법

〈6행〉 In choices [(that) I and many others have
　　　　　　　　　　　　　관계절
made {involving home energy use, food, waste,
　　　　분사구문
and transportation}], I've learned [that nothing is
　　　　　　　　　　　　　　　　　　　　　　명사절1
too small to make a difference], [that any positive
　　↑──┘ 부사적 용법　　　　　　　　　명사절2
step, large or small, is helpful].

UNIT **08** to부정사의 부사적 수식 • **69**

3 어휘 추론

| 전문 해석 | 우리는 흔히 의사소통을 구어나 문어로 생각하지만, 비언어적 의사소통, 다시 말해 그 과정의 신체적인 구성 요소는 마찬가지로 중요하다. 예를 들어, 어느 손님이 그 날 두 번째 열쇠를 잃어버린 일을 알리기 위해 안내 데스크로 온다. 안내 데스크 직원은 "새로운 열쇠를 만들게 되어 기분 좋습니다, Smith씨."라고 말한다. 그와 동시에 그는 인상을 찌푸리고 머리를 흔든다. 그의 좌절감은 언어적으로 표현되지는 않지만, 비언어적으로 새어 나온다. 그 손님은 틀림없이 이런 부정적인 느낌을 간과할(→발견할) 것이다. 우리는 우리의 분노나 불신을 언어적으로 표현하지 않음으로써 감추려고 노력할지 모르지만, 결국 이런 감정들이 신체적으로 드러난다는 것을 알게 된다. 이런 비언어적인 유출은 우리가 무엇인가를 언어적으로 말하는 동안 우리의 진정한 감정이 신체적으로 표현될 때 생긴다.

| 문제 해설 | 말로는 기쁘다고 했지만 좌절감이 비언어적인 신체에 나타나서 손님이 그런 감정을 알아차린다는 문맥이므로, ③ overlook은 spot 또는 discover 정도로 고쳐야 한다.   **정답 ③**

| 구문 분석 | 〈1행〉 We often think of communication
(think of A as B: A를 B로 생각하다)
as spoken or written language, but nonverbal
communication, the physical component of the
(동격)
process is just as important (as spoken or written
(마찬가지로)
language).

〈8행〉 We may try to conceal our anger or distrust
by not expressing them verbally, only to find [that
(by ~ing: ~함으로써)   (부사적 용법(결과))   (명사절)
these feelings are revealed physically].

UNIT 09 분사구문

구문 유형 50

466 Answering the phone, / he was drinking
While he was answering the phone
coffee.

전화를 받으면서 / 그는 커피를 마시고 있었다.

467 Seeing the police officer, / the thief ran
As soon as the thief saw the police officer
away.

그 경찰관을 보자마자 / 그 도둑은 도망갔다.

468 Having some money, / I could take a taxi.
As I had some money
돈이 좀 있었기 때문에 / 나는 택시를 탈 수 있었다.

469 Becoming responsible for your life, / you
When you become responsible for your life   S
can become fully human.
V
당신이 자신의 인생을 책임지게 될 때 / 당신은 완전한(원숙한) 인간이 될 수 있다.

470 You can do exercises / while watching your
while you are watching your ~
favorite TV show.

당신은 운동을 할 수 있다 / 당신이 가장 좋아하는 TV쇼를 보면서.

471 Public libraries are important, / promoting
literacy and a love of reading.
because they promote literacy and ~
공공 도서관은 중요하다 / 교양과 독서에 대한 사랑을 장려하기 때문에.

472 Focusing on how far they have to go /
<u>Because people focus on how far they have to go ~</u>
instead of how far they've come, / people give up.
                                    S   V

얼마나 가야하는지에 초점을 맞추기 때문에 / 얼마나 왔는
지 대신에 / 사람들은 포기한다.

473 The satellite-based global positioning
system (GPS) helps / you navigate while driving.
                               while you are driving

인공위성 기반 전 지구 위치 파악 시스템(GPS)은 돕는다
/ 당신이 운전을 하는 동안 장소를 찾는 것을.

474 Making better decisions / when picking out
                              when you pick out jams ~
jams or bottles of wine / is best done with the
emotional brain.

더 나은 결정을 내리는 것은 / 잼이나 와인을 고를 때 / 감
정적 두뇌를 사용하면 가장 잘 이루어진다.

구문 유형 **51**

475 Grown mainly for its root, / sweet potato
         Though sweet potato is grown mainly for~
has other uses as well.

주로 뿌리용으로 재배되지만 / 고구마는 또한 여러 다른
용도를 갖고 있다.

476 Not able to sleep well over a long period of
                    If you are not able to sleep well ~
time, / you have to consult your doctor.

오랜 기간 동안 숙면을 취할 수가 없으면 / 당신은 의사의
진찰을 받아야 한다.

477 Not satisfied with the job, / he worked very
        Though he was not satisfied with the job
hard.

그 일자리에 만족하지는 않았지만 / 그는 매우 열심히 일
했다.

478 Living near her house, / he has rarely seen
             Though he lives near her house,
her.

그녀의 집 근처에 살지만 / 그는 그녀를 거의 보지 못하다.

479 Recovering from the surgery, / you can eat
            If you recover from the surgery
anything you want.

수술에서 회복하면 / 당신이 원하는 것은 어떤 것이라도
먹을 수 있다.

480 Loving her so much, / he couldn't help
          Although he loved her so much
leaving her.

그녀를 너무나도 사랑했지만 / 그는 그녀를 떠날 수밖에
없었다.

481 Given the choice between working hard and
                If people are given the choice ~
not doing so / people may prefer the former.

열심히 일하는 것과 그렇게 하지 않는 것 사이에 선택이
주어진다면 / 사람들은 아마도 전자를 선호할 것이다.

482 Yams must be cooked, / as they are poisonous
if eaten raw.
if they are eaten raw
얌은 요리가 되어야 한다 / 왜냐하면 날것으로 먹으면 독
이 있기 때문이다.

483 Keeping up with the rest of your peers, /
             If you keep up with the rest ~
you'll feel well adjusted, competent, and a part of
the group.

만일 여러분이 다른 또래 친구들과 보조를 맞추어 가고 있

다면, / 여러분은 잘 적응하고 있고, 유능하며, 그 집단의 일부라고 느낄 것이다.

심판은 그 선수에게 달려갔다 / 호각을 불면서.

구문 유형 **52**

484 He was kneeling on one knee, / <u>looking down from a higher rock</u>.
while he was looking down from a higher rock
그는 한쪽 무릎을 꿇고 있었다 / 더 높은 바위에서 내려다보면서.

485 The boy started running up the aisles, / <u>shouting loudly</u>.
and he shouted loudly
그 소년은 복도를 뛰어가기 시작했다 / 크게 소리를 지르면서.

486 <u>Looking at his mom</u>, / he asked what he should do next.
While he was looking at his mom
그의 엄마를 바라보면서 / 자신이 다음에 무엇을 해야 할지 물었다.

487 <u>Standing on the deck</u>, / they watched the sun rising.
While they were standing on the deck
갑판에 서서 / 그들은 태양이 떠오르는 것을 보았다.

488 Some boys emerge from the woods, / <u>running toward the horse</u>.
and they run toward the horse
몇 명의 소년들이 숲으로부터 나타나서 / 그 말을 향해 달려간다.

489 The referee ran to the player, / <u>blowing a whistle</u>.
while he was blowing a whistle

490 I watched her come into my house, / <u>calling my name</u>.
while she was calling my name
나는 그녀가 내 집으로 들어오는 것을 보았다, / 내 이름을 부르면서.

491 She stopped several times, / <u>standing alone in the darkness</u>.
and she stood alone ~
그녀는 여러 번 멈추어 서서 / 어둠 속에 홀로 서 있었다.

492 During droughts the root shrinks, / <u>dragging the stem underground</u>.
and it drags the stem underground
가뭄 기간에는 뿌리가 오그라들어 / 줄기를 땅속으로 끌어당긴다.

493 The associated energy costs are high, / <u>causing a negative impact on the environment</u>.
and they cause a negative impact ~
관련된 에너지 비용이 증가하게 되어 / 환경에 부정적인 영향을 미친다.

구문 유형 **53**

494 <u>Having finished his internship</u>, / he got a job.
After he had finished his internship
그의 실습을 끝내고 나서 / 그는 일자리를 얻었다.

495 <u>Designed by a famous architect</u>, / the museum attracts architecture lovers from around the world.
As the museum was designed by a famous architect

유명한 건축가에 의해 디자인되었기 때문에 / 그 박물관은 전 세계의 건축 애호가들을 끌어 들인다.

496 Having visited you last month, / I'm sure I
<u>As I visited you last month</u>
can find your house easily.

지난달에 당신을 방문했기 때문에 / 나는 틀림없이 당신의 집을 쉽게 찾을 수 있을 것이다.

497 Invited to Kate's wedding ceremony, / I was
<u>As I was invited to Kate's wedding ～</u>
very happy.

Kate의 결혼식에 초대를 받았기 때문에 / 나는 무척 기뻤다.

498 Not having heard about him, / you may not
<u>If you didn't hear about him</u>
know how famous he is.

그에 대해 듣지 않았다면 / 당신은 그가 얼마나 유명한지 모를 것이다.

499 Having read the book, / I know what the
<u>As I read the book</u>
book is about.

그 책을 읽었기 때문에 / 나는 그 책이 무엇에 관한 것인지 안다.

500 Not having had much experience in the
<u>As I had not had much experience ～</u>
kitchen, / I depended on cookbooks.

부엌에서의 경험이 많지 않았기 때문에 / 나는 요리책들에 의존했다.

501 Caught in a shower, / we ran into a nearby
<u>As we were caught in a shower</u>
building.

소나기를 만나서 / 우리는 근처의 한 건물로 뛰어 들어갔다.

502 Having returned to France, / Fourier began
<u>After Fourier had returned to France</u>
his research on heat conduction.

프랑스에 돌아온 후 / Fourier는 열전도에 대한 그의 연구를 시작했다.

503 If the coin is tossed and the outcome is concealed, / people will offer lower amounts / when asked for bets.
<u>when they are asked for bets</u>
동전이 던져졌고 그 결과가 감춰진다면 / 사람들은 더 적은 금액을 걸려 한다 / 내기를 걸라는 요청을 받았을 때.

<u>구문 유형</u> **54**

504 The weather permitting, / I'll act as a guide
<u>If the weather permits</u>
for your expeditions.

날씨가 좋으면 / 나는 당신의 탐험을 위한 가이드 역할을 하겠다.

505 The matter settled peacefully / he went to
<u>After the matter was settled peacefully</u>
his office.

그 문제가 평화롭게 해결되고 나서 / 그는 자신의 사무실로 돌아갔다.

506 Nothing seen in the darkness, / they felt
<u>As nothing was seen ～</u>
more and more terrified.

어둠 속에서 아무것도 보이지 않았기 때문에 / 그들은 점점 더 겁에 질렸다.

507 Though not having visited the place myself,
<u>Though I didn't visit ～</u>
/ I know it very well.

직접 그 장소에 가 보지는 않았지만 / 나는 그곳을 매우 잘 알고 있다.

508 The dog having died at sea, / I presumed it
<u>As the dog had died at sea</u>
had been buried there.

그 개는 바다에서 죽었기 때문에 / 나는 그것이 거기에 묻
혔다고 생각한다.

509 Good ideas are good ideas, / <u>even if invented</u>
<u>even if they are invented ~</u>
by a tyrant.

훌륭한 생각은 훌륭한 생각이다 / 폭군에 의해 만들어졌더
라도.

510 These squirrels developed a social resource /
<u>while playing.</u>
<u>while they were playing</u>
이 다람쥐들은 사회적인 자산을 형성했다 / 놀이를 하면서.

511 We can even use science / <u>when painting</u>
<u>when we paint pictures</u>
pictures.

우리는 심지어 과학을 이용할 수 있다 / 그림을 그릴 때에.

구문 유형 55

512 Strictly speaking, / many useful theories are
<u>When we speak strictly</u>
false.

엄밀히 말해서 / 많은 유용한 이론들은 거짓이다.

513 I sat on the bench / <u>with my heart broken.</u>
                              with   └─수동 관계(p.p.)─┘
나는 벤치에 앉았다 / 슬픔에 잠겨서.

514 Generally speaking, / traveling is all about
<u>When we speak generally</u>

visiting new and exciting places.

일반적으로 말해서 / 여행이란 새롭고 흥미로운 장소를 방
문하는 것에 관한 모든 것이다.

515 Frankly speaking, / education helps bring
<u>When we speak frankly</u>
out the best in a person.

솔직히 말해서 / 교육은 어떤 사람 안에 있는 최고의 것을
끌어내는 것을 돕는다.

516 Judging from his appearance, / he appeared
<u>When we judge from ~</u>
to be from a middle-class background.

그의 겉모습으로 판단하건데 / 그는 중산층 출신인 것처럼
보였다.

517 He leaned against the fence / <u>with his arms</u>
                                      with+목적어+p.p.
folded.

그는 울타리에 기댔다 / 팔짱을 낀 채로.

518 Generally speaking, / a kingdom is the area
<u>When we speak generally</u>
and people / over which a king reigns.

일반적으로 말해서 / 왕국이란 그 지역과 사람들이다 / 왕
이 통치하는.

519 She was looking at him / <u>with her eyes full</u>
                                  with+목적어+형용사
of tears.

그녀는 그를 바라보고 있었다 / 눈에 눈물이 가득한 채로.

520 Seeing that his voice is shaking, / he must
<u>When we see that</u>
be lying.

그의 목소리가 떨리는 것으로 보아 / 그가 거짓말을 하고
있음이 분명하다.

구문 독해 PRACTICE

본문 134쪽

A 어법상 알맞은 것 고르기

1 Given
   더 혁신적인 접근법과 더 전통적인 접근법 사이에서 선택이 주어진다면

2 getting
   문체는 고려하지 않고 여러분의 생각을 종이 위에 쓰면서

1 Given the choice / between the more innovative
분사구문(= If I am given the choice ~)
and traditional approaches to Korean cooking, / I'll

take the traditional versions of Korean dishes /

almost every time.

| 해석 | 선택이 주어진다면 / 한국 요리에 대한 더 혁신적인 접근법과 더 전통적인 접근법 사이에서 / 나는 한국 요리의 전통적인 버전을 택할 것이다 / 거의 항상.

| 문제 해설 | 생략된 주어는 I이고 If I am given ~의 의미이며 주어와 분사는 수동의 관계에 있으므로 Given이 적절하다.

2 One of the best ways to write a book / is to write
   S   V   C
it as quickly as possible, / getting your thoughts
                           분사구문(= while you're getting your thoughts ~)
onto paper / without regard to style.

| 해석 | 책을 쓰는 가장 좋은 방법 중의 하나는 / 가능한 한 빨리 책을 쓰는 것이다 / 여러분의 생각을 종이 위에 쏟아 놓으면서 / 문체는 고려하지 않고.

| 문제 해설 | 생략된 주어는 you이고 while you're getting your thoughts ~의 의미이며 주어와 분사의 관계는 능동이므로 getting이 적절하다.

B 어법상 틀린 것 고치기

1 ① live → living

2 ③ considered → considering

3 ② enjoy → enjoying

1 Though living longer than previous generations,
   분사구문(= Though America's seniors live longer than ~)
/ 80% of America's seniors suffer from chronic
       S(복수형)   V(복수형)
illnesses / such as heart disease, obesity, or

Alzheimer's.

| 해석 | 비록 이전 세대들보다 더 오래 살지만 / 미국의 노인들 중 80%는 만성 질병에 시달린다 / 심장병, 비만, 혹은 알츠하이머병과 같은.

| 문제 해설 | ①은 접속사는 있는데 주어가 없는 경우이므로 주어가 생략된 분사구문이 되어야 한다. 생략된 주어는 America's seniors로 볼 수 있다. 주어와 분사의 관계는 능동이기 때문에 ① live를 living으로 고쳐야 한다.

2 The speech he made, / did make an impression
   S   관계사 생략   V(강조)
on the audience, / considering his age and
                   분사구문(= if we considered his age ~)
experience.

| 해석 | 그가 했던 연설은 / 청중들에게 대단한 인상을 주었다 / 그의 나이와 경험을 고려해 본다면.

| 문제 해설 | consider의 생략된 주어는 일반인인 we 혹은 they이며 주어와의 관계를 능동으로 볼 수 있으므로 ③ considered를 considering으로 고쳐야 한다.

3 Audiences smell orange orchards and pine

forests / while enjoying a simulated hang-gliding
          분사구문(= while they are enjoying a simulated ~)
experience across the countryside.

| 해석 | 관객들은 오렌지 과수원과 소나무 숲의 냄새를 맡는다 / 전원을 가로지르는 가상의 행글라이딩 체험을 즐기는 동안.

| 문제 해설 | ②는 접속사는 있는데 주어가 생략된 경우이므로 분사구문으로 써야 하고, 생략된 주어가 audiences로 분사와는 능동의 관계이므로 ② enjoy를 enjoying으로 고쳐야 한다.

C 분사구문으로 바꾸어 쓰기

1 looking at sociable robots and digitized friends

2 Having begun to awaken the health within

1 These days, if one looks at sociable robots and
<u>조건의 부사절</u>
digitized friends, / one might assume / [that what
<u>명사절(assume의 목적어)</u>
we want is to be always in touch and never alone, /
<u>관계사절(that절의 주어)</u>
no matter who or what we are in touch with].
<u>부사절(= whoever or whatever ~)</u>

| **해석** | 오늘날 우리가 친교 로봇과 디지털화된 친구를 바라본다면, / 생각할 것이다 / 우리가 원하는 것은 홀로 있지 않고 늘 연락을 주고받는 것이라고 / 누구 또는 무엇과 연락한다 할지라도.

| **문제 해설** | 분사구문은 접속사와 주어를 생략하고 동사를 분사로 고쳐서 만드는 것이고, 주어와 동사의 관계가 능동이므로 현재분사 형태인 looking으로 시작하는 것이 적절하다.

2 As I had begun to awaken the health within, /
<u>이유의 부사절</u>
thanks to my discovery of rock climbing, / I
<u>삽입어구(~ 덕분에)</u>
decided to explore my options in the outdoor
adventure world.

| **해석** | 내가 마음속에서 건강을 깨닫기 시작했기 때문에 / 암벽 등반을 발견한 덕분에 / 나는 야외의 모험 세상에서 내가 선택할 수 있는 것들을 탐험해 보기로 결심했다.

| **문제 해설** | 종속절의 시제가 주절의 시제보다 앞설 때는 완료 분사구문인 having p.p.를 이용해야 한다.

D 우리말 뜻에 맞게 주어진 단어 배열하기

1 helping the readers to reflect on and
reevaluate

2 leaning back with his arms crossed

1 The research found / [that reading the more
<u>that절의 주어</u>
<u>명사절(find의 목적어)</u>
challenging version of poetry, / in particular, /
increases activity in the right hemisphere of the
<u>that절의 동사</u>
brain, / helping the readers to reflect on and
<u>분사구문(= and it helps the readers ~)</u>
reevaluate their own experiences / in light of [what
they have read].
<u>관계사절</u>

| **해석** | 연구는 발견했다 / 더 어려운 형태의 시를 읽는 것이 / 특히 / 우뇌의 활동을 증가시킨다는 것을 / 독자들이 자신의 경험을 되돌아보고 재평가하도록 도우며 / 자신이 읽은 것에 비추어.

| **문제 해설** | 앞에 접속사가 없으므로 연속동작의 분사구문으로 영작하면 된다. 즉 and it helps의 의미이므로 접속사와 주어를 생략하고 주어와 동사의 관계가 능동이므로 동사를 현재분사로 만든 구문을 이용한다.

2 Hoping to discuss the situation more rationally,
<u>분사구문(= As Martin hoped to discuss ~)</u>
/ Martin got out of the bed and sat in a chair, /
leaning back with his arms crossed in front of his
<u>분사구문(= and he was leaning back while his arms were crossed ~)</u>
wife.

| **해석** | 그 상황에 대해 더 이성적으로 논의하려는 바람에서 / Martin은 침대 밖으로 나와서 의자에 앉았다 / 아내의 앞에서 팔짱을 낀 채로 뒤로 기대면서.

| **문제 해설** | while Martin was leaning back with ~의 의미이므로 우선 접속사와 주어 등을 생략하고 leaning back으로 시작해야 한다. 그리고 with의 목적어인 arms와 cross는 수동의 관계이므로 cross는 과거분사인 crossed로 써야 한다.

실전 독해 PRACTICE

| 1 ③ | 2 ③ | 3 ③ |

1 어법성 판단

| **전문 해석** | 여성들은 남성들보다 실제로 더 배려하고 친구가 되기 쉬울까? 성 고정관념에서는 그들이 그러하다고 말하지만, 남성들이 배려하지 않고 친구가 되기 쉽지 않다고 누가 말할 수 있을까? 수컷 비비원숭이들은 그들 자신의 새끼가 아닌 새끼들을 정기적으로 돌보며, 인간을 포함한 많은 종에서 수컷들이 아이를 돌보는 행동을 많이 볼 수 있다. 많은 수컷들은 다른 강한 수컷들과 대면하면 달아나거나 싸우지 않는다. 그들은 복종의 표시와 더불어 비위를 맞춘다. 그리고 스포츠 팀들 간에서 쉽게 알아볼 수 있는 '수컷의 유대'는 때때로 영장류에서도 보인다. 예를 들어 그들의 사회적 집단에서 고립된 수컷들은 다양한 신

76 • Ⅲ. 수식어

체적이고 감정적인 문제를 겪는 경향이 있다.

| 문제 해설 | (A) when they are faced with other ~를 분사구문으로 고친 것이므로 being이 생략되고 faced만 남은 형태가 적절하다. (B) 주어는 the "male bonding"으로 단수이므로 단수형 동사인 is가 적절하다. (C) isolate는 '고립시키다'는 뜻을 갖는 단어인데, 문맥상 수동인 '고립된 수컷'이라는 뜻이므로 과거분사인 isolated가 적절하다. **정답 ③**

| 구문 분석 | 〈7행〉 And the "male bonding" / [that is easily recognizable among sports teams] / is sometimes seen in primates.

S / 관계사절 / V

〈9행〉 For example, / males isolated from their social group / tend to suffer from a range of physical and emotional problems.

S / 과거분사구 / V / ~로 고생하다

2 주어진 문장의 위치 찾기

| 전문 해석 | 혼자서 공차기 연습을 할 수 있는 많은 방법들이 있다. 많은 선수들이 벽이나 다른 표면에 대고 공을 차는 연습을 하는데, 그러고 나서 공이 그들에게 돌아올 때 다양한 공차기를 연습한다. 또한 벽에 목표물을 두고서 공을 차는 사람들도 많다. 이것은 당신이 축구 훈련을 통해 축구공에 대한 더 훌륭한 제구력을 얻기를 바랄 때 사용하기에 훌륭한 방법이다. 당신의 축구 훈련을 위해 축구공을 차는 연습을 할 때 몇 가지 요소를 완수하는 것은 중요하다. 첫 번째로는 경기에서 기본적인 공차기를 이해하는 것이다. 두 번째는 공차기 연습을 하는 동안 균형을 유지할 수 있는 것이다. 세 번째는 축구 훈련을 위해 공차기 연습을 하는 동안 효과적으로 공을 통제할 수 있는 것이다.

| 문제 해설 | 주어진 문장은 축구공을 차는 연습을 할 때 완수해야 할 몇 가지 중요한 요소가 있음을 소개하고 있는 내용이므로 이것은 세 가지 구체적인 요소를 설명하기 시작하는 문장 앞인 ③에 들어가는 것이 가장 적절하다. **정답 ③**

| 구문 분석 | 〈1행〉 It is important / to fulfill a few elements / when practicing kicking a soccer ball / for your soccer training.

가주어 / 진주어 / 분사구문(= when you practice ~)

〈4행〉 Many players practice kicking a ball / against a wall or other surface / and then practice various kicks / as it comes back to them.

S / V1 / V2 / 시간의 부사절(~할 때)

3 어법성 판단

| 전문 해석 | 사람들은 Terry를 응원하고 있었다. 그의 아버지는 밴을 타고 그를 따라가고 있었다. 그가 달릴 때 그의 곱슬머리가 찰랑찰랑 움직이면서 그의 아름다운 얼굴은 성공하기 위한 강한 결의에 차 있었다. 그는 한쪽 다리로만 깡충깡충 뛰는 방식을 취했다. 그는 자신의 인공 다리에 큰 문제가 있었다. 매일 전 국가가(국민들이) 그의 진행 상태를 듣기 위해 라디오에 귀를 기울였다. 그의 암이 재발하고 달리기를 끝내지 못한 채 그가 죽었을 때, 온 국가가 애도했다. 오늘날 캐나다 전역에 있는 모든 마을과 시에서는 매년 봄에 암 기금 모금을 위해 Terry Fox 걷기 대회를 연다. 그를 기리기는 차원에서 그것은 "희망의 마라톤"이라고 불린다.

| 문제 해설 | ③의 주어가 없으므로 ③은 어법상 분사구문으로 쓰는 것이 적절하다. 분사구문의 부정형은 분사구문 앞에 not을 붙이므로 not having finished로 고쳐야 한다. **정답 ③**

| 오답 풀이 | ① determine은 '결심하다'라는 뜻으로 과거분사로 쓰이면 감정의 상태인 '단호한'이라는 뜻을 나타낸다.
② 「with+목적어+분사」의 분사구문으로 while his curly hair was bouncing around의 뜻이므로 이것을 분사구문으로 나타낸 with his curly hair bouncing around는 적절하다.
④ every가 수식하는 명사구가 주어이므로 단수형 동사인 has의 쓰임은 적절하다.
⑤ '~하기 위해서'라는 목적의 의미를 갖는 부사적 용법의 부정사이므로 적절하다.

| 구문 분석 | 〈2행〉 His beautiful face was so determined to succeed / with his curly hair bouncing around / [when he ran].

with+목적어+분사 / 시간의 부사절

〈6행〉 [When his cancer came back and / he died not having finished his race], / the whole country mourned.

분사구문(= while he had not finished his race)

CHAPTER **III** 수능 맛보기 **TEST** 본문 138쪽

| 1 ⑤ | 2 ① | 3 ② | 4 ⑤ | 5 ② |
| 6 ② | 7 ④ | 8 ⑤ | 9 ④ | |

1 어법성 판단

| 전문 해석 | 나는 책상으로 가서 앉은 다음 뉴욕 타임즈를 읽기 시작했다. Terri는 다른 책상에 앉아서 컴퓨터 작업을 하기 시작했다. 내가 스포츠란을 읽기 시작할 무렵 Central Stores로부터 물건이 도착했고 Terri는 그가 부엌 안으로 식료품을 들여 놓게 했다. 그녀가 그 물건들을 넣고난 후 그녀는 자신의 책상으로 돌아가서 서류 한 부를 출력했다. 내가 안내 광고를 대충 다 읽었을 때, 그녀는 또 다른 서류를 출력했다. 신문을 다 읽고 나서 나는 "오늘 아침 EMON으로부터 온 새 소식은 뭔가요?"라고 물었다.

| 문제 해설 | (A) went, took과 함께 and로 병렬구조를 이루고 있으므로 과거형 동사 started가 어법상 적절하다. (B) '사역동사 (have)+목적어+목적격보어'의 구조에서 목적어(him)와 목적격보어(bring)가 의미상 능동의 관계이므로 동사원형인 bring이 어법상 적절하다. (C) 접속사와 주어가 없는 상황이므로 분사구문이 되어야 하고, 생략된 주어가 I로 동사와 능동의 관계를 이루고 있고, 신문을 다 읽은 것은 질문을 하기 전의 상황이므로 완료 분사구문의 형태인 Having finished가 적절한 표현이다. **정답 ⑤**

| 구문 분석 | 〈3행〉 About the time [I was into the sports section], / the stuff from Central Stores arrived and Terri had him bring the groceries into the kitchen.
(선행사 / 관계사절(앞에 when 생략) / S1 / V1 / S2 / 사역동사 O / O.C)

〈5행〉 [After she had put those items away], / she returned to her desk and printed out a copy of a document.
(시간의 부사절 / S / V1 / V2)

| Words & Phrases |
· take a seat 앉다 · section 난, 부문
· stuff 물건 · grocery 식료품
· print out 출력하다 · document 서류
· skim 대충 읽다 · classified ad (신문의) 안내 광고

2 어법성 판단

| 전문 해석 | 거의 모든 배움은 시행착오를 통해서 성취된다. 실수가 막아지면, 배움도 역시 막아진다. 실수를 함으로써 인간은 효과가 있는 것과 효과가 없는 것을 배운다. 결국, 몇 차례의 첫 실패를 겪은 후에, 학습자는 자신의 기술을 미세 조정하고 가까이에 있는 과제를 정복한다. 지지하지만 간섭을 하지 않는 방식으로, 뒤에 떨어져서 실패가 일어나도록 하는 것은 아이에게 진취성, 지략, 그리고 효과적인 문제 해결 기술을 계발할 여지를 준다. 그것은 또한 아이가 사회적, 학구적, 감정적 등등의 어떤 기술의 배움에 내재하는 좌절감에 대처하게 해준다. 그렇게 해서 아이들이 인내하는 법을 배우고, 우리 모두가 경험에서 알고 있듯이, 인내심이 모든 성공 이야기의 주된 요소이다.

| 문제 해설 | 「nor+동사+주어」는 '~도 역시 아니다'라는 부정의 뜻이므로, ① nor는 so로 고쳐서 '~도 역시 그렇다'의 긍정의 의미인 「so+동사+주어」가 되어야 한다. **정답 ①**

| 오답 풀이 | ② and로 연결되어 fine-tunes와 병렬구조를 이뤄야 하므로, masters는 어법상 적절하다.
③ 명사 room을 수식하는 to부정사의 형용사적 용법으로 쓰였다.
④ 앞에 which is 또는 that is가 생략되어 the frustration을 수식하므로, inherent는 어법상 적절하다.
⑤ that's how ~는 '그렇게 해서 ~하다'는 뜻으로 해석한다.

| 구문 분석 | 〈2행〉 By making mistakes, / one learns what works / and what doesn't.
(by -ing: ~함으로써 / S / V / 관계대명사 / 대동사(= doesn't work))

〈5행〉 Standing back / and letting that failure occur, / in a supportive but noninterfering way, / gives a child room / to develop initiative, resourcefulness, and effective problemsolving skills.
(S1 / S2 / O / O.C(동사원형) / V / 형용사적 용법)

| Words & Phrases |
· accomplish 성취하다 · trial and error 시행착오
· initial 처음의 · fine-tune 미세 조정을 하다
· at hand 가까이에 있는 · interfere 간섭하다
· initiative 진취력 · resourcefulness 지략
· come to grips with ~에 대처하다
· inherent 내재하는 · and so on 기타 등등
· persevere 인내하다, 참다 · perseverance 인내심

3 어법성 판단

| 전문 해석 | 여러분의 피부는 일광 화상을 입으면 스스로 치유할 능력을 갖추고 있다. 일광 화상을 입으면 나타나는 갓 삶은 바다가재같은 모습은 여러분의 손상된 피부를 돕기 위해 몰려든 혈액에 의해 유발된다. 붉은 기가 사라지면 여러분은 표피층의 가장 바깥 부분 전체를 벗겨 내는 즐거움을 발견하게 되는데, 태양의 자외선이 그것을 굉장히 파괴했기 때문이다. 일광 화상은 웃어넘길 일이 아니다. 장기적으로 그것은 여러분을 (피부가) 뻣뻣하고 주름지게 하며 그것은 피부암을 유발해 여러분을 죽일 수도 있다. 그러니 피부를 그을린다는 로션에 관심을 두지 말라. 햇빛을 즐기는 건 좋지만 그럴 때는 피부를 보호하라. 피

부를 감싸거나 강력한 자외선 차단제를 바르라. 여러분은 더 오래 살고 또 더 멋져 보일 것이다.

| 문제 해설 | (A) 전치사 by에 연결된 blood를 수식하는 분사구여야 하고 능동의 의미이므로 rushing이 적절하다. (B) 주어의 핵심어는 rays이므로 동사는 복수 주어에 일치시켜 have를 쓰는 것이 적절하다. (C) while로 시작하는 절의 주어는 you이므로 대명사 it을 쓰는 것이 적절하다. 재귀대명사는 주어와 목적어가 일치할 때 쓴다.　　　　　　　　　　　　　정답 ②

| 구문 분석 | 〈1행〉 Your skin has / the ability to heal
　　　　　　　　　　　S　　V　　　　O　　　형용사적 용법
itself // [when you get sunburn].
　　　　　시간의 부사절

〈7행〉 In the long run / it makes you leathery and
　　　　　　부사구　　　　　S　　V　　O　　O.C
wrinkly and it can even kill you / by giving you
　　　　　　　S　　　　　V　　O　　　전치사구
skin cancer.

| Words & Phrases |
· heal 치유하다　· freshly-boiled 갓 삶은
· to the aid of ~을 돕기 위해
· peel off 벗겨내다　· ultraviolet ray 자외선
· leathery (가죽처럼) 뻣뻣한　· wrinkly 주름진

4　어법성 판단

| 전문 해석 | 비록 어떤 사람의 이미지를 유지하고 강화시키려는 노력들이 매우 어릴 때 관찰될 수 있기는 하지만, 이러한 경향이 어린 시절에 국한되는 것은 아니다. 정반대로, 그 경향은 전형적으로 성인기, 그리고 심지어 노년기에도 거의 모든 사람들의 성격 유형을 나타내는 특징이다. 비록 호의적인 겉모습의 이미지를 주려는 동기의 방식과 강도는 여러 발달 단계에서 다양할지도 모르지만, 당신은 그것이 거기에 있는 것에 의존할 수 있다. 인식이 되던 되지 않던 간에 그 프로그램은 확실히 늘 작동중이다.

| 문제 해설 | ⑤ 분사구문의 생략된 주어가 the program이고 주어 the program과 동사 recognize 혹은 unrecognize는 의미상 수동의 관계에 있으므로 Being이 생략된 분사구문인 Recognized or unrecognized가 되어야 한다.　정답 ⑤

| 오답 풀이 | ① 앞의 명사 efforts를 수식하는 형용사적 용법의 to부정사로 쓰였다.
② every person이 단수이므로 이것이 수식하는 명사구 또한 단수가 적절하다.
③ Although 절에서 주어는 the manner and intensity이고 may vary는 동사로 쓰였다.
④ 전치사 on의 목적어이므로 동명사가 적절하다. it은 동명사 being의 의미상의 주어이다.

| 구문 분석 | 〈1행〉 [Although efforts to maintain or
　　　　　　　　　양보의 부사절　　　　　S'　↑
enhance one's image can be observed in the very
　　　　　　　　　　　　　∨
young], / [this tendency is not confined to the early
　　　주절　　　　　　　　　수동태
years].

〈5행〉 [Although the manner and intensity of the
　　　　　양보의 부사절　　　　　S'
motive to project a favorable appearance may vary
　　　　　　　　　　　　　　　　　　　　∨
at different developmental stages], / [you can count
　　　　　　　　　　　　　　　　　　주절
on it being there].
　　　동명사의 의미상의 주어

| Words & Phrases |
· enhance 강화하다　· tendency 경향
· be confined to ~에 국한되다　· opposite 정반대
· typically 전형적으로　· feature 특징
· intensity 강도　· motive 동기
· project ~라는 인상을 주다　· favorable 우호적인
· vary (각기) 다르다　· count on ~에 의존하다, 의지하다

5　어법성 판단

| 전문 해석 | 1909년에 미국 심리학자 E. B. Titchener는 독일 단어 'Einfühlung'을 새로운 단어인 empathy(감정 이입)로 번역했다. Titchener는 유럽에 있는 동안 현대 심리학의 아버지인 Wilhelm Wundt와 함께 공부했다. 그 분야의 많은 젊은 심리학자들처럼, Titchener는 주로 자기 성찰의 핵심 개념에 관심이 있었다. empathy의 'pathy'(고통, 감정)는 우리가 다른 사람이 겪는 고통의 감정적 상태에 들어가서 그것이 마치 우리의 것인 것처럼 그 사람의 고통을 느끼는 것을 나타낸다. 'empathic(감정 이입의)'과 'to empathize(감정 이입을 하는 것)'을 포함하여 'empathy'의 다른 형태가 곧 나타났는데, 그 용어가 Vienna, London, New York, 그리고 다른 세계적인 중심지에 나타나는 대중적인 심리적 문화의 일부가 되었기 때문이었다. 더 수동적인 sympathy(동정, 연민)와 달리, empathy는 적극적인 참여, 즉 관찰자가 기꺼이 다른 사람의 경험의 일부가 되고 그 경험의 느낌을 공유하고자 하는 것을 상기시킨다.

| 문제 해설 | (A) in Europe 앞에 he was가 생략되어 있는 형태이므로, while이 적절하다. (B) the popular psychological culture를 수식하는 현재분사구가 필요하므로, emerging이 적절하다. (C) willingness는 to부정사의 수식을 받으므로 to become이 적절하다.　　　　　　　　　　　　　정답 ②

| 구문 분석 | 〈6행〉 The "pathy" in empathy suggests [that we enter into the emotional state of another's suffering and feel his or her pain as if it were our own].

S — "pathy" / V — suggests / 목적어 역할의 명사절 / as if+주어+과거동사: 마치 ~인 것처럼

〈9행〉 ~, as the term became part of the popular psychological culture [emerging in cosmopolitan centers in Vienna, London, New York, and elsewhere].

현재분사구

〈12행〉 Unlike sympathy, [which is more passive], empathy conjures up active engagement — the willingness of an observer to become part of another's experience and share the feeling of that experience.

계속적 용법의 관계절 / 병렬구조

| Words & Phrases |
· empathy 감정이입, 공감 · primarily 주로
· introspection 자기 성찰 · variation 변이, 다른 형태
· emerge 나타나다 · empathic 감정이입의
· empathize 감정을 이입하다 · term 용어
· cosmopolitan 세계적인 · sympathy 연민, 동정
· conjure up 상기시키다 · engagement 참여, 관여

6 글의 순서 배열

| 전문 해석 | 누군가가 어떻게 반응하고 있는가를 알아채는 당신의 능력은 당신의 효율성에 필수적이다. 예를 들어, 당신이 볼의 엷은 홍조를 보기 시작할 때, 그것은 무슨 일이 일어나고 있는 신호이다.
(B) 당신은 아마도 그 사람이 어떻게 느끼고 있는지를 즉시 알지는 못할 지도 모른다. 즉 그것은 분노, 당혹감, 혹은 그저 더워서 얼굴이 붉어진 것일 수도 있다. 그것은 좋을 수도 있고 나쁠 수도 있다. 당신이 아는 전부는 무슨 일인가가 일어나고 있다는 것이다. 대부분의 사람들이 그러는 것처럼 그것을 무시하면 당신이 원하는 것을 얻는 데 치명적인 결점이 될 지도 모른다.
(A) 그 안에서 너무 많은 것을 읽는 것도 똑같이 나쁘다. 사람들이 생각하는 것에 대해 당신이 가정을 하는 '마음 읽기'의 포로가 되지 말라. 그것은 완전히 잘못된 것일 수도 있다. 1960년대 후반에 팔짱을 끼고 다리를 꼬고 앉아 있는 사람은 학습에 폐쇄적이라는 것을 발표하는 신체 언어에 대한 너무나 많은 책들이 나왔다.

(C) 이러한 것들은 그 당시에는 최고의 책이었지만, 많은 사람들은 극히 단순한 이 진술들이 틀렸다는 것을 증명해 왔다. 누구라도 팔짱을 끼고 다리를 꼬고 앉아서도 여전히 배울 수 있다. 스스로 그것을 시험해 보라.

| 문제 해설 | 주어진 문장은 어떤 사람이 어떻게 반응하고 있는가를 알아채는 능력이 중요하다고 하면서 그 예로 볼의 엷은 홍조를 보았을 때를 소개하고 있는데, 이를 좀 더 구체적으로 설명하면서 다른 사람의 반응을 무시하면 원하는 것을 얻는 데 치명적인 흠이 될 것이라는 내용의 (B)가 그 다음에 이어지고, 이와는 반대로 너무 많은 것을 읽는 것도 똑같이 나쁘다는 내용과 그 예를 든 (A)가 다음에 이어져야 한다. 마지막으로 (B)에서 든 예(팔짱을 끼고 다리를 꼬고 앉은 사람과 학습의 관계)를 부연 설명한 (C)가 와야 한다.　　　　　　정답 ②

| 구문 분석 | 〈1행〉 Your ability to notice [how someone is reacting] is essential to your effectiveness.

S / 명사절(to notice의 목적어) / V — is

〈6행〉 In the late 1960s came so many books on body language [that proclaimed {that someone sitting with crossed arms and legs is closed to learning}].

부사구 / V — came / S(부사구가 앞으로 나와 도치됨) / 관계사절 / 명사절(proclaim의 목적어) / 분사(someone 수식) / V — is

| Words & Phrases |
· subtle 미묘한, 엷은 · flush 홍조
· fall prey to ~의 먹이가 되다, 포로가 되다
· assumption 가정 · untrue 잘못된
· proclaim 선언하다, 발표하다 · embarrassment 당혹감
· fatal 치명적인 · flaw 결점, 흠
· prove ~라고 판명되다

7 어법성 판단

| 전문 해석 | 균류는 기본적으로 두 가지 범주, 즉 사체를 먹는 것과 생물을 먹는 것으로 들어간다. 부생균은 죽은 것, 즉 식물, 나무, 곤충과 동물을 먹는 균류이다. 많은 버섯이 이 범주에 들어가며 여러분은 그들이 썩어가는 나무의 둥치에서 행복하게 자라는 것을 볼 수 있다. 살아있는 것을 먹는 균류는 두 종류로 나뉜다. 기생균류는 생물과 함께 살며 그들로부터 영양분을 흡수한다. 예를 들어, 그들은 인간의 맛은 별로 좋아하지 않지만 가끔은 기생하게 된다. 무좀과 백선을 유발하는 것은 바로 다수의 기생균류이다. 포식성의 균류는 더 사악하다. 그들은 잡아서 산채로 먹을 아주 작은 벌레와 단세포 생물을 쫓는다.

| 문제 해설 | ④ 관계대명사 what을 that으로 고쳐야 한다.　　　　　　정답 ④

| 오답 풀이 | ① the fungi를 수식하는 관계절을 유도하므로 적절하다.

② them의 내용을 보충 설명하는 보어인데, 능동의 의미이므로 현재분사 sprouting은 적절하게 쓰였다.

③ Parasitic fungi에 연결된 동사이며 live와 병렬구조를 이루므로 absorb를 쓰는 것은 적절하다.

⑤ '~할'의 의미를 가지므로 to부정사인 to trap은 어법상 적절하다.

| 구문 분석 | 〈2행〉Saprobes are the fungi / [that eat dead stuff / — plants, trees, insects, and animals].
- S / V / C
- 동격 / 명사구

〈9행〉It is the multiple parasitic fungi that / cause athlete's foot and ringworm.
- It ~ that 강조구문
- V / O

〈10행〉They go after really tiny worms and single-cell creatures / to trap and eat alive.
- S / V / O
- 명사 수식

| Words & Phrases |
- **fungus** 균류 (pl. **fungi**) · **saprobe** 부생균
- **sprout** 자라다, 싹트다 · **trunk** (나무) 둥치, 몸통
- **parasitic fungi** 기생 미생물 · **absorb** 흡수하다
- **nutrition** 영양분 · **athlete's foot** 무좀
- **ringworm** 백선(피부병) · **predatory** 포식성의

8 빈칸 추론

| 전문 해석 | "당신은 세상에서 가장 아름다운 곳을 꿈꾸고, 만들고, 건설할 수 있지만, 그것을 현실로 만들기 위해서는 사람들이 필요하다." 역사상 가장 훌륭한 혁신자 중의 한 사람일 Walt Disney가 죽기 바로 직전에 한 말이다. 이 말은 천재 혼자서는 성공적인 회사를 만들 수 없다는 그의 깨달음을 설명해준다. 꿈을 현실로 만드는 일에 능숙했던 Walt Disney조차도 그를 위해 일하는 사람들이 곧 성공의 추진력이었다는 사실을 이해하고 있었다. 최고로 호화로운 호텔과 아름다운 레스토랑도 거기서 일하는 사람들이 가져오는 따뜻함이 없다면 차가운 건축물에 불과할 뿐이다. 성공은 최고의 시설을 갖추거나 최고의 위치를 점하고 있는 회사가 아니라, 최고의 사람들을 가진 회사에 온다. 회사 사람들의 능력이 서비스 사업의 확고한 자산보다 궁극적인 생산물의 가치를 높이는데 더 큰 공헌을 한다.

| 문제 해설 | 빈칸 앞뒤에서 모두 Walt Disney는 꿈을 현실로 만드는 데 필요한 것은 사람이라는 것을 잘 알고 있었다고 역설하고 있으므로, 빈칸에 들어갈 말로는 ⑤ '천재 혼자서는 성공적인 회사를 만들 수 없다'가 가장 적절하다.　　　　정답 ⑤

| 오답 풀이 | ① 꿈을 실현시키는 데는 인내심이 필요하다

② 친구를 선택할 때는 아무리 신중해도 지나치지 않는다

③ 시설에 대한 무한 투자가 혁신으로 이어진다

④ 성공은 어른들 속에 있는 아이 같은 순수함을 보는 것에 있다

| 구문 분석 | 〈5행〉Even Walt Disney, (being) skilled at making dreams a reality, understood [that the driving force behind his success was his employees].
- S / 분사구문
- V / 명사절

〈10행〉The hard assets of a service business contribute far less to the value of its ultimate product than do the abilities of its people.
- 비교급 강조
- 대동사(= contribute to the value of its ultimate product)

| Words & Phrases |
- **innovator** 혁신자 · **illustrative of** ~의 예증이 되는
- **driving force** 추진력 · **elaborate** 정교한
- **exquisite** 진기한, 아름다운 · **structure** 구조물, 건축물
- **facility** 시설 · **hard asset** 확실한 자산
- **contribute to** ~에 공헌하다 · **ultimate** 궁극적인

9 내용 일치 파악

| 전문 해석 | 대벌레, 혹은 지팡이 벌레는 곤충의 무리이다. 그들은 식물들에 섞여 들어 잡아먹히는 것을 모면한다. 그들의 이름이 암시하듯, 그들은 다리가 붙은 막대기와 똑같이 생겼으며 바람에 따라 움직이는 잔가지와 더 비슷하게 보이기 위해 앞뒤로 몸을 흔들기도 한다. 위장술이 충분한 효과가 없을 때, 일부 좋은 포식자를 단념시키게 하기 위해 나쁜 냄새가 나는 화학물질을 분비하는 능력을 발달시켰다. 다른 종들은 포식자가 공격하면 다리를 (잘라) 떨어뜨리지만 다시 자라게 할 수 있다. 일부 종들은 날개가 있고 포식자들을 혼란스럽게 하려고 날개 아래의 밝은 색이 있는 부분을 휙휙 넘겨 보여준다. 종에 따라 대벌레들은 1인치에서 12인치 길이로 자라는데 대개 수컷이 암컷보다 더 크다. 대벌레들은 다른 벌레들을 먹지 않는다. 그들은 초식성이고 잎을 먹는다.

| 문제 해설 | 수컷이 암컷보다 크다고 했으므로 ④는 글의 내용과 일치하지 않는다.　　　　정답 ④

| 구문 분석 | 〈4행〉[When camouflage isn't enough],
- 부사절
/ some species have evolved / the ability to release foul-smelling chemicals to deter predators.
- S / V / O / 형용사적 용법
- 부사적 용법(목적)

〈9행〉Depending on the species, / stick insects can
- 전치사구 / S / V

grow from 1 to 12 inches long, / with males usually
전치사구
bigger than the females.

with+목적어+형용사/분사 :
~하면서, ~한 채로

| Words & Phrases |
· **escape** 모면하다 · **predation** 잡아먹히기
· **blend into** ~에 섞이다 · **imply** 암시하다
· **sway** 흔들리다 · **resemble** 닮다
· **twig** 잔가지 · **camouflage** 위장
· **release** 발산하다 · **foul-smelling** 나쁜 냄새가 나는
· **deter** 단념시키다 · **flash** 획획 넘겨 보여주다, 번쩍이다
· **patch** (작은) 부분 · **herbivore** 초식 생물

CHAPTER IV 절

S U M M A   C U M   L A U D E

본문 146쪽

UNIT 10 접속사

구문 유형 56

521 Jane **and** Bill went home together.

Jane과 Bill은 함께 집에 갔다.

522 The trucks were / colorfully painted **or**
decorated with flowers.

트럭들은 (~)였다 / 화려한 색으로 칠해지거나 꽃으로 장식된.

523 He was looking for a car / to drive to work /
and (to) take his family on a trip.

▶ **to drive** ~와 **(to) take** ~가 **and**로 병렬구조를 이루며 **a car**를 수식한다.

그는 차를 찾고 있었다 / 운전해서 일하러 갈 / 그리고 가족을 여행에 데려갈.

524 The professor said / **that** humans were
evolved in Africa / **but that** they moved north.

▶ **that humans** ~와 **that they** ~가 **but**으로 병렬구조를 이룬다.

그 교수는 말했다 / 인간이 아프리카에서 진화했다고 / 그러나 그들이 북쪽으로 이동했다고.

525 I couldn't move for a while, // **for** I had a cramp in my leg.

▶ 이유를 나타내는 절을 이끄는 **for**는 앞에 주로 **comma(,)**를 쓴다.

나는 잠시 움직일 수 없었다, // 왜냐하면 다리가 쥐가 나서.

526 It snowed a lot, // **so** we made a snowman.

눈이 많이 왔다, // 그래서 우리는 눈사람을 만들었다.

527 They opened the box, / removed the spider webs, / **and** found the treasure.

▶ opened, removed, found가 and로 병렬구조를 이룬다.

그들은 상자를 열었고, / 거미줄을 제거했고, / 그리고 보물을 찾았다.

528 To lose weight, reduce the size of the meal / **or** do more exercise.

체중을 줄이려면, 식사의 크기를 줄이거나 / 또는 더 많은 운동을 하라.

529 I felt confident, // **for** this was my favorite subject.

나는 자신감이 있었다, // 그 이유는 이것이 내가 제일 좋아하는 과목이었기 때문이다.

530 The people living on the plain did**n't** grow crops / **nor** did they raise animals.

▶ nor로 인해 도치가 일어났다.

그 평원의 민족들은 작물을 기르지 않았다 / 그들은 동물을 기르지도 않았다.

531 We should calculate the CO_2 emissions / and use those figures / to decide the policy.

여러분은 이산화탄소 배출량을 계산해야 한다 / 그리고 그 수치를 사용해야 한다 / 정책을 결정하기 위해.

532 You can submit your photographs / in person **or** via email / at submit@phg.com.

여러분은 사진을 제출할 수 있다 / 직접 혹은 이메일을 통해 / submit@phg.com로.

533 I couldn't get that process out of my head // **so** I looked forward to our return trip several months later.

나는 머리에서 그 과정을 지울 수 없었다 // 그래서 나는 몇 달 후의 우리의 왕복 여행을 고대했다.

534 The fan must have been disappointed, // **for** they had expected to meet the singer.

팬들은 실망했음에 틀림없다, // 왜냐하면 그들은 그 가수를 만나기를 기대했기 때문이다.

535 I don't like comedy shows; // **nor** does my brother Bill.

「nor+does+S」의 어순

나는 코미디 쇼를 좋아하지 않는다, // 또한 내 동생 Bill도 그렇지 않다.

구문 유형 57

536 **Both** Jack **and** Harry were excited / to meet their favorite movie star.

Jack과 Harry 둘 다 신이 났다 / 자신들이 좋아하는 영화 스타를 만나서.

537 We can **either** take the subway **or** walk / to the museum.

우리는 전철을 타든지 걸어가든지 할 수 있다 / 그 박물관에.

538 **Neither** the taxi driver **nor** the passengers know / where the wallet is.

그 택시 운전사도 승객도 모른다 / 그 지갑이 어디에 있는지.

539 **Both** the researcher **and** the participants were surprised.

연구자와 참가자 둘 다 놀랐다.

540 To sweeten the cake, / you can use **either** honey **or** sugar.

케이크를 달게 하기 위해, / 당신은 꿀이나 설탕을 이용할 수 있다.

541 **Neither** you **nor** I can attend tonight's family gathering.

당신과 나 둘 다 오늘 밤의 가족 모임에 참석 할 수 없다.

542 World historians studied / **both** developments within societies / **and** the way in which societies relate to each other.

세계의 사학자들은 연구했다 / 사회 내부의 발전과 / 사회들이 서로 연관을 짓는 방식을 둘 다.

543 We have **neither** time **nor** money / to spare for hiring helpers.

우리는 시간도 돈도 없다 / 도우미를 고용하기 위해 할애할.

544 The traffic light was **not** red **but** green.

신호등은 빨간색이 아니고 초록색이었다.

545 The slaves were **not only** given new clothes **but also** set free.

노예들은 새 옷을 받았을 뿐 아니라 자유롭게 해방되었다.

546 This rule applies / to children as well as to

<u>B as well as A: A뿐 아니라 B도</u>

adults.

이 규칙은 적용된다 / 어른뿐 아니라 어린이에게도.

547 Art is **not** a luxury **but** a necessity of life.

예술은 사치품이라기보다는 생활의 필수품이다.

548 She felt **not only** grateful for the man **but also** curious about him.

그녀는 그 남자에게 감사함뿐 아니라 그 남자에 대해 호기심을 느꼈다.

549 Jim **never** became a starter **but** he was always the first substitute / to go in the game.

Jim은 절대 선발 선수가 되지 않았지만 그는 항상 첫 번째 교체 선수였다 / 게임에 들어가는.

▶ never A but B = not A not B

550 The quality of the soil is important, / **not only** as a source of water and minerals for plants / **but** for their very survival.

▶ 부사구 as ~ plants와 for ~ survival가 not only A but B의 형태로 병렬구조를 이룬다.

토양의 질이 중요하다, / 식물을 위한 물과 무기질의 원천으로서만이 아니라 / 그들의 생존을 위해서도.

551 It is the greatest tool / [we have / **not only** for making people smarter quicker, / **but also** for making people dumber faster].

그것은 가장 위대한 도구이다 / 우리가 가진 / 사람들을 더 빨리 똑똑하게 만들기 위해, / 또한 사람들을 더 빨리 멍청하게 만들기 위해.

구문 유형 **59**

552 Tom confirmed / [**that** he wanted to join the army].

Tom은 확정했다 / 그가 군에 입대하기를 원한다고.

553 I'm not sure [**if** the Internet connection is available right now].

나는 잘 모르겠다 / 지금 인터넷 연결이 사용 가능한지.

554 The formula should give us the answer / about [**how** the universe started].

그 공식은 우리에게 답을 줄 것이다 / 우주가 어떻게 시작되었는지에 관한.

555 [**Which** person the queen will choose for her husband] / should be kept secret.

그 여왕이 어떤 사람을 남편으로 고를지는 / 비밀로 지켜져야 한다.

556 Writing down [**what to do** during the day] / helps you save time.

하루 동안 무엇을 할지 쓰는 것은 / 여러분이 시간을 절약하도록 돕는다.

557 The king hoped / [**that** the two countries would become friends].

그 왕은 바랐다 / 두 나라가 친구가 되기를.

558 I doubt / [**if** I could participate in the project].

나는 의심한다 / 내가 그 프로젝트에 참가할 수 있을지.

559 They wanted to study / [**why** children love running].

그들은 연구하기를 원한다 / 왜 아이들이 달리기를 좋아하는지.

560 Can you tell me / [**where to put** these bags]?

나에게 말해 줄 수 있는가 / 어디에 이 가방들을 둬야 할지?

561 When it's over, you'll see / [**that** it was really cool].

이것이 끝나면, 당신은 알 것이다 / 그것이 정말 근사했다는 것을.

562 It's impossible to know for sure / [**if** cats dream just like we do].

확실히 아는 것은 불가능하다 / 우리가 꿈을 꾸는 것처럼 고양이들이 꿈을 꾸는지를.

563 I don't understand [what the note is about].
S — V — O(의문사절)
나는 모르겠다 / 그 쪽지가 무엇에 관한 것인지.

564 The runners can choose / [**whichever** route
S — V — O(관계절)
they want to run].

주자들은 고를 수 있다 / 달리기를 원하는 어떤 경로이든.

565 I will take you / to [**wherever** you want to
O(관계절)
go].

나는 너를 데려갈거야 / 네가 원하는 곳이면 어디든.

566 [**Whenever** you feel thirsty], / [drink water].
양보의 부사절 — 명령문
언제든지 당신이 목이 마르다고 느끼면, / 물을 마셔라.

567 [**Wherever** the knight went], / his faithful
양보의 부사절 — S
horse was with him.
V
그 기사가 가는 곳이면 어디든, / 그의 충성스러운 말이 그
와 함께했다.

568 These are [**what** our rivals are developing].
유도부사 — V — S(관계절)
이것은 우리의 라이벌들이 개발하고 있는 것이다.

569 The app will help you to arrive / at [**wherever**
관계절
you want to go].

그 앱은 여러분을 도착하도록 도울 것이다 / 당신이 원하
는 곳이면 어디나.

570 [**Whoever** is interested in the project] / can
S(관계절) — V
contact us.
O

그 프로젝트에 관심이 있는 누구나 / 우리에게 연락할 수
있다.

571 Today, the world of innovation is far
different from / [**what** it was a century ago].
from의 목적어(관계절)
오늘날, 혁신의 세계는 훨씬 다르다 / 1세기 전에 그랬던
것과는.

572 [**Whatever** they chose], / they could not
부사절
change their minds later.

그들이 무엇을 골랐건, / 그들은 나중에 마음을 바꿀 수 없
었다.

573 **Though** the climbers felt tired, // they were
접속사 — S' — V' — C'
energetic.
비록 등반가들은 지쳤지만, // 그들은 원기 왕성했다.
= **In spite of** the tiredness, the climbers were energetic.

574 **While** she was sleeping, // her mother
접속사 — S' — V'
cooked dinner.
그녀가 자는 동안에, // 그녀의 어머니는 저녁을 요리했다.
= **During** her sleep, her mother cooked dinner.

575 The park is kept closed // **because** it is
접속사
under construction.
그 공원은 닫힌 채 있다 // 공사중이기 때문에.

= The park is kept closed **because of** a construction
<u>전치사+명사구</u>
project.

576 He's a perfect worker, // **except that** he is
<u>접속사처럼 쓰임</u> S' V'
often late for work.

그는 완벽한 근로자이다, // 그가 직장에 자주 늦는 것을
제외하고.

= He's a perfect worker, **except for** the fact [he is often
<u>전치사+명사구</u> <u>the fact와 동격절</u>
late for work].

577 It's hard to build a computer // **unless** you're
<u>접속사</u> S' V'
a technician.

컴퓨터를 조립하기는 어렵다 // 기술자가 아니라면.

cf. It's hard to build a computer **without** the help of a
<u>전치사+명사구</u>
technician.

578 **In spite of** our efforts, / we failed to win the
<u>전치사+명사구</u>
prize.

우리 노력에도 불구하고, / 우리는 상을 타는 데 실패했다.

= **Though** we made efforts, we failed to win the prize.
<u>접속사</u> S' V' O'

579 **Despite** its accuracy, / there was no clear
<u>전치사+명사구</u>
use for the device.

정확성에도 불구하고, / 그 기구의 분명한 용도가 없었다.

580 **Because of** his injury, Jim wasn't able to
<u>전치사+명사구</u>
play on the basketball team / **during** the rest of that
<u>전치사+명사구</u>
year.

부상 때문에, Jim은 농구 팀에서 경기를 할 수 없었다 /
그 해의 나머지 동안.

581 **Instead of** trapping warm air in the
<u>전치사+명사구</u>
atmosphere, / fine particles like sulfate reflect the

sun's light and heat.

대기에 더운 공기를 가두는 대신에, / 황산염 같은 미세한
입자들은 태양의 빛과 열을 반사한다.

구문 독해 PRACTICE

A 어법상 알맞은 것 고르기

1 that
나는 많은 성취를 할 수 있었다

2 for who
그가 어디에서 온 것인지

1 One of the reasons / I have been able to
<u>have been과 keep은 병렬구조를 이루어 I와 연결되는 동사</u>
accomplish much and keep growing personally / is
that I have not only set aside time to reflect, / but
(also) I have separated myself from distractions.

| 해석 | 이유 중 하나는 / 내가 많은 성취를 할 수 있었고
개인적으로 계속 성장할 수 있었던 / 내가 반성할 수 있는
시간을 따로 떼어 놓았을 뿐 아니라, / 산만하게 하는 일로
부터 내 자신을 분리했기 때문이다.

| 문제 해설 | 보어로 사용되는 명사절을 이끌며 뒤에 오는 절
이 완전한 절이므로 that을 쓰는 것이 적절하다.

2 For example, when we meet Matt Damon's
character in the movie *The Bourne Identity*, / we
learn / [that he has no memory for / **who** he is, /
<u>learn의 목적절</u> <u>의문사절1</u>
why he has the skills he does, / or **where** he is
<u>의문사절2</u> <u>의문사절3</u>
from].

| 해석 | 예를 들어, 'The Bourne Identity'라는 영화에서
Matt Damon의 역을 우리가 보게 되면, / 우리는 알게
된다 / 그가 기억이 없다는 것을 / 그가 누구인지, / 그는
왜 기술을 가졌는지, / 또는 그가 어디에서 온 것인지에.

| 문제 해설 | for의 목적어로 의문사절인 who~, why~,
where ~가 연결되었으므로 for who가 적절하다.

UNIT **10** 접속사 • **87**

B 어법에 맞게 배열하기

1 whatever they can
그들이 할 수 있는 것은 무엇이든

2 both you and the orangutan don't
여러분과 오랑우탄 둘 다 ~않다

1 When a company comes out with a new product, / its competitors typically go on the defensive, / doing [**whatever** they can] / to reduce the odds / [that the offering will eat into their sales].

〜하면서(분사구문)　doing의 목적어　〜하기 위해
관계절

| 해석 | 어떤 회사가 신제품을 출시할 때, /그 회사의 경쟁사들은 일반적으로 방어 태세를 취한다, / 그들이 할 수 있는 것은 무엇이든 하면서 / 가능성을 줄이기 위해 / 그 제품이 그들의 판매를 잠식할.

| 문제 해설 | doing의 목적어가 관계절이므로 doing 다음에 whatever they can을 쓰는 것이 적절하다.

2 It rains almost every day in the rainforest. It's obvious / [that both you and the orangutan don't like being soaked]. If they are caught in a shower, they pick a large leaf for an umbrella / and shelter beneath it until the rain stops.

가주어
진주어　that절의 주어

| 해석 | 열대우림에는 거의 매일 비가 온다. 그것은 분명하다 / 여러분과 오랑우탄 둘 다가 젖는 것을 좋아하지 않는 것이. 그들이 소나기를 만나면, 그들은 우산으로 큰 잎을 딴다 / 그리고 그 아래에서 비가 그칠 때까지 피한다.

| 문제 해설 | both you and the orangutan이 주어로 '여러분과 오랑우탄 둘 다'의 의미이므로 다음에 don't를 쓰는 것이 적절하다.

C 어법상 틀린 것 고치기

1 ① during → while

2 ② and → but

1 [If you put a can of diet soda and a can of regular soda in a bucket of water], / what would happen? The diet soda can will float / while the regular soda will sink, / for the regular soda contains a lot of sugar. Diet sodas use artificial sweeteners, / which are lighter than / both sugar and water.

조건절
대조의 접속사
이유의 접속사
artificial sweetners를 가리킨다　both A and B: A와 B 둘 다

| 문제 해설 | 대조를 나타내며 뒤에 주어와 동사가 오는 접속사이므로 during이 아니라 while을 써야 한다.

| 해석 | 여러분이 물 한 양동이에 다이어트 탄산음료 한 캔과 일반적인 탄산음료 한 캔을 넣는다면, / 무슨 일이 일어날까? 다이어트 탄산음료가 뜰 것이다 / 반면에 일반적인 탄산음료는 가라앉을 것인데, / 그 이유는 일반적인 탄산음료는 많은 설탕을 함유하기 때문이다. 다이어트 탄산음료는 인공 감미료를 사용한다, / 그리고 그것들은 설탕과 물보다 더 가볍다.

| 문제 해설 | ①의 앞뒤로 반대의 내용이 있으며, 뒤에 주어와 동사가 오는 접속사 자리이므로 during이 아니라 while로 고쳐한다.

2 Wine is a victim of the disappearance of the leisurely meal. It is not the target of the change, / but the decline in wine consumption is a by-product of the emergence of the faster, more modern, on-the-go lifestyle.

not A but B: A라기보다는 B인

| 해석 | 포도주는 느긋하게 즐기는 식사가 사라진 것의 희생양이다. 그것이 변화의 목표는 아니지만, / 포도주 소비의 감소는 부산물이다 더 빠르고, 더 현대적이고, 분주한 생활 방식 출현의.

| 문제 해설 | ②에는 「not A but B」 'A라기보다는 B인'의 의미를 가지는 구문을 이뤄야 하므로 and가 아니라 but으로 고쳐야 한다.

D 우리말에 맞게 단어 배열하기

1 to whatever demands

2 by Indian workers who have taken up jobs

1 An enormous amount of time is spent simply reacting. It's as if we are robots programmed to
마치 ~인 것 같은
respond on cue / to [**whatever** demands the least
to의 목적어인 명사절
time and attention].
demands의 목적어

| **해석** | 굉장한 양의 시간이 단지 반응하는 데만 소비된다. 그것은 마치 때맞춰 반응하도록 설정된 로봇인 듯하다 / 가장 적은 시간과 관심을 요구하는 것이면 무엇이든지에 대해.

| **문제 해설** | whatever demands ~는 전치사 to의 목적어이므로 to 다음에 명사절인 whatever ~를 써야 한다. 따라서 to whatever demands의 어순이 적절하다.

2 More and more today, English is used / **by Korean** professionals on business in Brazil, / **by Polish** hotel staff [welcoming tourists from around the world], / or **by Indian** workers [who have taken up jobs / in the Gulf States].

| **해석** | 오늘날 점점 더 많이, 영어가 사용된다 / 브라질에 있는 한국인 사업 전문가들, / 전 세계에서 오는 관광객들을 맞이하는 폴란드인 호텔 직원들이나, / 직업을 구한 인도인 근로자들에 의해 / 페르시아 만 연안 국가들에서.

| **문제 해설** | by Korean ~, by Polish ~, by Indian ~가 or로 병렬구조를 이루기 때문에 or 다음에 by Indian workers를 쓰는 것이 적절하며 who have taken up jobs가 관계절이라는 점에 주의한다.

실전 독해 PRACTICE

본문 156쪽

1 ④	2 ②	3 ④

1 어법성 판단

| **전문 해석** | 여러분의 목소리에 긍정적인 영향을 미치는 것은 여러분의 예쁜 얼굴이 아니라, 여러분의 미소이다. 사람들은 여러분이 그들에게 이야기할 때 미소를 지으면 대개 더 호의적으로 반응한다. Ohio주 Toledo의 작은 제

조업체 영업 지배인은 직접 사람을 만났을 때 뿐 아니라 전화선 너머에서도 미소가 효과가 있다는 것을 안다. 미소의 중요성을 계속 생각나게 해 주는 것으로, 그는 SMILE이라는 단어를 종이에 써서, 그것을 그의 전화기의 수화기에 붙였다. 그가 자신에게 전화를 하는 누구에게나 말하기 위해 수화기를 들면, 그의 목소리는 미소를 띤다. 그는 또한 말을 할 때 미소를 짓는 자신의 모습을 볼 수 있도록 전화기 옆에 거울을 두는데, 물론 그것이 그에게 계속 활짝 미소를 짓게 한다.

| **문제 해설** | ④는 전치사 to의 목적어이므로 복합관계사 whoever로 유도되는 명사절을 만들거나 who 앞에 anyone 등의 선행사를 넣어야 한다.　　　정답 ④

| **오답 풀이** | ① 「not A but B」는 'A가 아니고 B(A라기보다는 B)'의 의미이므로 적절하다.
② 「not only A but also B」의 구문이므로 적절하다.
③ has와 연결되어 written과 attached가 and를 사이에 두고 병렬구조를 이루고 있다.
⑤ so that은 '~하기 위해'의 의미로 목적을 나타내므로 적절하다.

| **구문 분석** | 〈1행〉 It's not your pretty face, but it's
It's~that 강조구문
your smile that can have a positive effect on the sound of your voice.

2 어법성 판단

| **전문 해석** | 역사가들은 정확하게 언제 골프가 창안되었는지는 확신하지 않지만, 영국의 George왕은 1245년에 백성들이 골프 코스에서 너무 많은 시간을 보내기 때문에 궁술을 충분히 연마하지 않는다는 포고를 내렸다. 스코틀랜드의 양치기들은 1100년대 후반에 유명한 성 Andrews 골프 클럽이 지금 있는 자리에서 돌을 쳐서 토끼굴로 집어넣고 있었으니 그 경기는 매우 오래되었다. 최초의 공식적인 규칙은 1744년에 비준되었다. 그것들의 단순함에도 불구하고, 대부분은 귀중하게 여겨졌고 오늘날도 여전히 준수된다. 그 중, 골프의 핵심 규칙은 '공이 놓인 곳에서 쳐라.'이다.

| **문제 해설** | (A) they were ~로 시작되는 절이 뒤에 이어지므로 접속사인 because를 쓰는 것이 적절하다. (B) the famous ~ now는 주어와 동사가 있는 절이며 완결된 형태이므로 관계대명사 which를 쓰는 것은 적절치 않고 where를 쓰는 것이 적절하다. (C) their simplicity라는 명사구 앞에 쓰였으므로 전치사인 Despite를 쓰는 것이 적절하다.　　　정답 ②

| 구문 분석 | 〈1행〉 Historians are not sure **about** just [**when** golf was invented], but King George of

<small>about의 목적어인 의문사절</small>

England made a proclamation in 1245 [**that** his subjects weren't practicing their archery enough

<small>a proclamation과 동격을 이룸</small>

because they were spending too much time on the golf course].

3 주제 추론

| 전문 해석 | 어떤 게 맞을까, 닌자 거북일까, 닌자 자라일까? 미국인들은 그들을 거북이라고 말할 것이고, 반면 영국에서는 '거북'은 해수에 사는 종을 가리키고 '자라'는 민물에 사는종을 가리킨다고 할 것이다. 거북과 자라가 모두 천천히 움직이고 몸에 갑주를 두른 파충류라서, 처음에는 구별하기 어려울 것이다. 거북들은 지구상의 많은 따뜻한 지역의 마른 땅에서 산다. 그들은 대개 위가 높고 둥근 등딱지를 가졌고 주로 식물을 먹는다. 자라는 민물에서 산다. 그들은 납작한 등딱지를 가져서, 수영할 때 더 유선형이다. 그들은 보통 부분적으로 물갈퀴가 있는 발이 있고 물고기나 다른 동물들을 먹는다. 일부 자라들은 상당히 크고, 사나운 포식자이다.

| 문제 해설 | 거북과 자라가 혼동되는 경우가 많지만 차이가 있다는 점을 설명하는 글이므로 주제로는 ④가 가장 적절하다. **정답 ④**

| 오답 풀이 | ① 거북을 애완동물로 기르는 요령
② 거북과 자라의 조상
③ 대중 매체에서 거북의 이미지
⑤ 자라에 의해 야기되는 생태계 교란

| 구문 분석 | 〈4행〉 It's difficult to tell at first,

<small>가주어 V C 진주어</small>

because both turtles and terrapins are slow-moving armored reptiles.

<small>both A and B: A와 B 둘 다</small>

〈7행〉 They have flattened shells, so they are more

<small>그래서</small>

streamlined [**as** they swim].

<small>~할 때</small>

UNIT **11** 형용사절

구문 유형 **62**

582 That's the famous man [**who** lives next door to me].

<small>선행사(사람) 주격 관계대명사절</small>

저 분은 우리집 옆에 사는 유명한 사람이다.

583 I have lost the book [**that** my girlfriend bought for me].

<small>선행사(사물) 목적격 관계대명사절</small>

나는 내 여자 친구가 사준 그 책을 잃어버렸다.

584 People [**who** are diligent] always do their best.

성실한 사람들은 항상 최선을 다한다.

585 He is a good dad [**whose** daughter is cute].

그는 귀여운 딸을 가진 좋은 아빠이다.

586 One of his patients was a soldier [**whose** head was seriously wounded].

그의 환자들 중 한 명은 머리를 심하게 부상당한 군인이었다.

587 It's hard to feel sorry for someone / [**whose**

<small>가주어 진주어</small>

name I don't know].

누군가에게 동정심을 느끼는 것은 어렵다 / 이름을 알지 못하는.

588 Young people view health as something /

[**which** can be judged by the way a person looks].

젊은 사람들은 건강을 무엇인가로 본다(여긴다) / 한 사람이 보이는 방식으로(외형으로) 판단될 수 있는.

589 We needed people / [**who** could perform / and not get emotionally attached to losses].

우리는 사람들을 필요로 했다 / 일을 수행할 수 있는 / 그리고 손실에 감정적으로 집착하지 않는.

590 Fourier contracted a strange illness [**that** confined him to well-heated rooms / for the rest of his life].

Fourier는 그를 난방이 된 방에 그를 감금시켰던 이상한 병에 걸렸다 / 그의 남은 생애 동안.

구문 유형 **63**

591 I won't forget the day [**when** I first saw you].
선행사(때) 관계부사절

나는 너를 처음 봤던 그 날을 잊지 않을 것이다.

592 There was a reason [**why** I waited for more than three months].
선행사(이유) 관계부사절

내가 세 달 이상 기다린 이유가 있었다.

593 Today is the day [**when** we were married one year ago].
때

오늘은 우리가 1년 전에 결혼한 날이다.

594 This is the building [**where** the workshop takes place].
장소

이것은 워크숍이 열리는 건물이다.

595 I don't know the reason [**why** I was scolded by my mother].
이유

나는 엄마한테 혼난 이유를 모르겠다.

596 There are some reasons [**why** marking is a good reading habit].
이유

표시하는 것이 좋은 읽기 습관인 여러 가지 이유가 있다.

597 His father was 24 at the time [**when** he married his 20-year-old wife].
때

그의 아버지는 20살의 아내와 결혼한 그 당시에 24살이었다.

598 Confirmation bias is a term for the way / [(**how**) the mind systematically avoids / confronting contradiction].
방법
생략됨

확인 편향은 방식에 대한 용어이다 / 마음이 체계적으로 피하는 / 모순에 맞서는 것을.

599 In areas / [**where** the snakes are known to be active], / sightings of medium-size mammals have dropped by as much as 99 percent.
장소

지역에서 / 뱀이 활동한다고 알려진 / 중간 크기 포유류를 목격하는 일이 99퍼센트나 떨어졌다.

구문 유형 **64**

600 The book [(**that**) he gave me as a birthday gift] / was very interesting.
목적격 관계대명사 생략

그가 내게 생일선물로 준 그 책은 / 매우 흥미로웠다.

601 A man described some reasons [(**why**) he had so many snakes].
<u>관계부사 why 생략</u>

한 남자는 그렇게 많은 뱀을 갖고 있었던 이유에 대해서 설명했다.

602 The girl [(**whom**) you met yesterday] is my sister.
<u>관계대명사 생략</u>

네가 어제 만났던 여자는 내 여동생이다.

603 They have no bed / [(**which**) they can sleep in].
<u>관계대명사 생략</u>

= They have no bed / [in which they can sleep].

그들은 침대가 없다 / 그들이 잘 수 있는.

604 I have never read a poem [(**which was**) written by him].
「관계대명사+be동사」 생략

나는 한 번도 그에 의해 쓰여진 시를 읽어본 적이 없다.

605 This is the reason [(**why**) I called you yesterday].
<u>관계부사 생략</u>

이것은 내가 어제 너에게 전화한 이유이다.

606 He was accepted into the university [(**which**) he was interested in].
<u>관계대명사 생략</u>

그는 관심을 가지고 있던 그 대학교에 합격했다.

607 Dogs aren't affected by external circumstances / the way [(**how**) we are].
<u>관계부사 생략</u>
개들은 외부적인 상황에 의해 영향을 받지 않는다 / 우리

들이 그러한 것처럼.

608 His father saw a box on the land / [(**which was**) covered with snow].
관계대명사+be동사 생략

그의 아버지는 땅 위에 있는 상자 하나를 보았다 / 눈으로 뒤덮인.

609 Defensive lies are those / [(**that are**) told to protect oneself and others].
관계대명사+be동사 생략

방어적인 거짓말은 (~이다) / 자기 자신과 다른 사람들을 보호하기 위해 말해지는.

610 People are sometimes motivated / to find negative qualities in individuals / [(**whom**) they do not expect to see again].
관계대명사 생략

사람들은 때때로 동기부여를 받는다 / 개인 속에서 부정적인 자질을 찾으려는 / 그들이 다시 만나기를 기대하지 않는.

구문 유형 **65**

611 The groom wears a tuxedo, // [**which** is commonly rented just for his wedding day].
선행사 / 계속적 용법의 관계대명사

신랑은 턱시도를 입는데, // 그것은 보통 결혼식 날만을 위해 대여된다.

612 In Europe, / [**where** it is colder and drier], // insects are small in size.
선행사 / 계속적 용법의 관계부사

유럽에서, / 더 춥고 건조한 그곳에서는 // 곤충들의 크기가 작다.

613 The boy, / [**who** was born poor], became
선행사 / 계속적 용법의 관계대명사(= though he was born poor)

rich.

그 소년은 / 가난하게 태어났지만 부자가 되었다.

614 She left school at 9 a.m., // [**when** she
선행사   계속적 용법의 관계부사
received a call].

그녀는 오전 9시에 학교를 떠났다 // 그때 그녀는 전화를
받았다.

615 I have collected many books, // [some of
선행사
which are very rare].
계속적 용법의 관계대명사
나는 많은 책을 수집해 왔다 // 그 중 몇몇은 매우 희귀하다.

616 There are 20 coins in a purse, // [some of
선행사
which are quarters, and some are dimes].
계속적 용법의 관계대명사
지갑에는 20개의 동전이 있다 // 그 동전 중 몇 개는 25센
트이고 몇 개는 10센트이다.

617 In fact, / they became bigger than most
trained sea lions in the past, // [**which** weren't given
선행사   계속적 용법의 관계대명사
enough food].

사실, / 그들은 과거에 훈련 받았던 대부분의 바다사자들
보다 더 크게 자랐다 // 그(과거의) 바다사자는 충분한 먹
이를 받지 못했다.

618 In the 1950s, / [**when** my dad was a little
선행사   계속적 용법의 관계대명사
boy], // my grandpa built a 600-square-foot cottage.

1950년대에 / 우리 아빠가 어린 소년이었을 때, // 우리
할아버지는 600 평방미터의 오두막을 지었다.

619 During the post-Revolution frenzy, // Fourier
spoke out against the use of the guillotine, // [for
which he almost lost his life].

혁명 후의 광란의 시기 동안, // Fourier는 단두대의 사용

을 반대한다는 의견을 분명히 했는데, // 그 때문에 그는
거의 목숨을 잃을 뻔했다.

구문 유형 66

620 Mathematics is the subject / [**in which** I
선행사   전치사+관계대명사
have little interest].

수학은 (~한) 과목이다 / 내가 거의 관심을 갖고 있지 않은.

621 Kevin has a horse / [**of whom** he's proud].
선행사   전치사+관계대명사
Kevin은 말을 한 마리 갖고 있다 / 그가 자랑스러워하는.

622 That is the temperature / [**at which** water
선행사   전치사+관계대명사
boils].   (= which water boils at)

그것이 그 온도이다 / 물이 끓는.

623 I want to buy the house / [**in which** my
선행사   전치사+관계대명사
grandfather had lived].

나는 그 집을 구입하고 싶다 / 나의 할아버지께서 사셨던.

624 German was the subject / [**with which** I was
선행사   전치사+관계대명사
most familiar].

독일어는 과목이었다 / 내가 가장 친숙했던.

625 There are no chairs / [**on which** people can sit.]
선행사   전치사+관계대명사
의자가 하나도 없다 / 사람들이 앉을 수 있는.

626 People should take actions / to reduce the
amount of benzene / [**to which** they're exposed].
선행사   전치사+관계대명사

사람들은 조치를 취해야 한다 / 벤젠의 양을 줄이기 위해
서 / 그들에게 노출된.

627 People nearly always eat the one / [**for which**
                                    선행사   전치사+관계대명사
they paid full price].

사람들은 거의 항상 ~인 것을 먹는다 / 그들이 제 값을 다
지불했던.

628 His children, / [**of whom** he was extremely
            선행사   전치사+관계대명사
proud], / have followed in his footsteps.

그의 아이들은 / 그가 매우 자랑스러워했던 / 그의 뒤를
따랐다.

629 Both the eye and a camera / have a light-
                                        선행사
sensitive layer / [**onto which** the image is cast (the
                     전치사+관계대명사
retina and film, respectively)].

눈과 카메라는 / 모두 빛에 민감한 층을 가지고 있다 / 그
위로 이미지가 투영되는 (각각 망막과 필름.)

구문 유형 **67**

630 I want to buy the same watch / [**as** my sister
                            선행사   유사 관계대명사
has].

나는 똑같은 시계를 사고 싶다 / 내 여동생이 가지고 있는
것과.

631 There are few people / [**but** waste their time
                          선행사   (= who don't waste ~)
and money].

(~하는) 사람들은 거의 없다 / 그들의 시간과 돈을 낭비하
지 않는.

632 He is such a nice teacher, / [**as** every student
                 선행사   유사 관계대명사
likes his class].

그는 그렇게 훌륭한 선생님이다 / 모든 학생이 그의 수업
을 좋아하는.

633 There is no mother / [**but** loves her child].
                  선행사   유사 관계대명사
(~한) 엄마는 없다 / 자신의 아이를 사랑하지 않는.

634 There is more information / [**than** is
                          선행사   유사 관계대명사
needed].

더 많은 정보가 있다 / 필요한 것보다.

635 There's no person / [**but** understands what
                선행사   유사 관계대명사(= that doesn't understand ~)
he says].

(~한) 사람은 없다 / 그가 말하는 것을 이해하지 못하는.

636 Aiden was late for work, / [**as** is often the
                  선행사   유사 관계대명사
case with him].

Aiden은 회사에 지각했다 / 그것은 그에게 흔히 있는 일
이다.

637 Instead, / people created a new environment
                              병렬관계
for food plants, / and selected other characteristics /
                                        선행사
[than nature previously had].
유사 관계대명사
대신에 / 사람들은 식용식물을 위해 새로운 환경을 만들었
다 / 그리고 다른 특징들을 선택했다 / 자연이 이전에 선
택했던 것들과.

구문 독해 PRACTICE

본문 166쪽

A 어법상 알맞은 것 고르기

1 (A) which
만약 그들이 살고 있는 물에 산소 가스가 없어지면

(B) where
그들이 가둬져 온 물이 기름으로 가득하다면

2 (A) where
한때 녹색의 비옥한 땅이었던

(B) which
그것은 여행객들이 그 사막을 횡단하는 데 도움이 되었다

---

1 Even fish, / [**which** do not sensibly respire], /
die very soon / [if the water / {**in which** they live /
is deprived of oxygen gas}]. Frogs, / [**which** can
suspend their respiration at pleasure], / die in about
forty minutes, / [if the water / {**where** they have
been confined} / is covered with oil].

| 해석 | 물고기들조차도 / 의식적으로 호흡하지 않는 / 매
우 빨리 죽는다 / 만약 물에서 / 그들이 살고 있는 / 산소
가스가 없어지면. 개구리들은 / 자유자재로 자신의 호흡을
멈출 수 있는 / 약 40분 만에 죽는다 / 만약 물이 / 그들이
가둬져 온 / 기름으로 가득하면.

| 문제 해설 | (A) 전치사 in이 앞에 있으므로, the water를 선행
사로 하는 관계대명사 which가 적절하다. (B) the water를 선행
사로 하고 뒤의 문장이 완전하므로, 관계부사 where가 적절하다.
where는 to which로 고쳐 쓸 수 있다.

2 Because of our carelessness, / deserts were
spreading over regions / [**where** there had been
once green, fertile land]. To solve this problem, /
the French had marked the track with black oil
drums, / [**which** was helpful for travelers to cross
the desert].

| 해석 | 우리의 부주의함 때문에 / 사막은 (~한) 지역으로
퍼져나가고 있었다 / 한때 녹색의 비옥한 땅이었던. 이러

한 문제를 해결하기 위하여, / 프랑스 사람들은 검은 기름
통으로 길을 표시해 두었으며 / 그것은 여행객들이 그 사
막을 횡단하는 데 도움이 되었다.

| 문제 해설 | (A) regions를 선행사로 하고 뒤의 문장이 완전하
므로, 관계부사 where가 적절하다. (B) 앞 문장 전체를 받고 동사
was의 주어가 필요하므로, 계속적 용법의 관계대명사 which가
적절하다.

B 생략된 관계사 찾기

1 the reasons / why

2 a character trait / that 또는 which

1 At 2:00 p.m. on Sunday, / April 22, / attending
artists will share the reasons / [(**why**) they were
drawn to paint the scenes.

| 해석 | 일요일 오후 2시에, / 4월 22일, / 참석한 예술가
들은 (~한) 이유를 공유할 것이다 / 그들이 그 장면을 그
리는 데 끌린.

| 문제 해설 | 선행사 the reasons를 받는 관계부사 why가 생
략되어 있다.

2 Empathy is a character trait / [(**that**(**which**)) we
value in ourselves / and in our friends, colleagues,
and the professionals.

| 해석 | 공감은 성격상의 특징이다 / 우리가 우리 자신 안
에서 가치 있게 여기는 / 그리고 우리의 친구, 동료, 그리
고 전문가들 안에서.

| 문제 해설 | 동사 value의 목적어 역할을 하면서 a character
trait를 선행사로 하는 관계대명사 that 혹은 which가 생략되어
있다.

C 어법상 틀린 것 고치기

1 ③ whom → with whom

2 ① that allowing → that allow

1 In crying out, / the danger-spotting squirrel / draws attention to itself, / [**which** may well attract the predator. Scientists used to think / [**that** animals would risk their lives like this / only for kin / {**with whom** they shared common genes}].

in −ing(~할 때) / *계속적 용법의 관계대명사* / *~하는 것은 당연하다* / *~하곤 했다* / *명사절* / *전치사+관계대명사*

| **해석** | 소리쳐 외칠 때, / 위험을 감지하는 다람쥐는 / 관심을 자기 자신에게 끈다 / 그것은 당연히 포식자의 관심을 끌 것이다. 과학자들은 생각하곤 했다 / 동물은 이처럼 자신의 삶을 위험에 빠뜨릴 것이라고 / 오로지 친족을 위해서만 / 그들과 공통 유전자를 공유한.

| **문제 해설** | 「share A with B」는 'A를 B와 공유하다'라는 표현이므로, kin을 선행사로 하는 ③ whom은 with whom으로 고쳐야 한다.

2 Humans favor the positive information / and ignore the negative information; / thus they use self-deceptions / [that **allow** them **to see** the world / the way (**how**) they want it to be / rather than the way (**how**) it is]. Humans construct the way (**how**) they see the world / and often also use cognitively simple self-deceptions / to build it.

V1 / *V2* / *관계절 allow A to−v: A가 ~하는 것을 허락하다* / *관계부사 how생략* / *부사적 용법(목적)*

| **해석** | 인간은 긍정적인 정보를 선호한다 / 그리고 부정적인 정보를 무시한다. / 이와 같이 그들은 자기기만을 이용한다 / 그들로 하여금 세상을 보도록 하는 / 그들이 바라는 대로 되기를 바라는 방식으로 / 있는 그대로의 세상보다는. 인간은 그들이 세상을 보는 방식을 세우고 / 흔히 또한 인지적으로 간단한 자기기만을 이용한다 / 그 세상을 만들기 위해서.

| **문제 해설** | self-deceptions를 선행사로 하는 주격 관계대명사 that 다음에 동사가 필요하므로 ① that allowing은 that allow로 고쳐야 한다.

D 우리말에 맞게 단어 배열하기

1 which I could not set down in words

2 for the soil where the plants' siblings will grow

1 "For my own part," / he said in an 1846 article in *Graham's Magazine*, / "I have never had a thought / [**which** I could not set down in words], / with even more distinctness / than that **with which** I conceived it.

관계대명사절 / *전치사+관계대명사*

| **해석** | "나로서는" / 그는 1846년 Graham's Magazine에 실린 글에서 말했다 / 나는 (~한) 생각을 가져본 적이 없다 / 내가 글로 적을 수 없는 / 훨씬 더 뚜렷함을 가지고 / 생각을 품었을 때의 명확함보다.

| **문제 해설** | a thought를 선행사로 관계대명사 which를 이용하여 which I could not set down in words로 써야 한다.

2 Plants know how to attract to their own rotting / only those microorganisms and earthworms / [**that** will produce beneficial minerals for the soil / {**where** the plants' siblings will grow}].

관계대명사절 / *선행사* / *관계부사절*

| **해석** | 식물들은 자기 자신의 썩어가는 것에 끌어들이는 방법을 안다 / 오로지 그 미생물과 지렁이를 / 흙에 유익한 광물질을 생산해 줄 / 그 식물의 형제자매들이 자라날.

| **문제 해설** | the soil을 선행사로 하는 관계부사 where를 이용하여 for the soil where the plants' siblings will grow로 써야 한다.

실전 독해 PRACTICE 본문 168쪽

1 ⑤	2 ④	3 ②

1 어법성 판단

| **전문 해석** | 우리의 능력은 우리가 삶을 살아가는 동안에 변동한다. 아이들은 어른이 지루한 눈으로 보는 경향이 있는 사물을 경이로움으로 경험하는 능력을 가지고 있다. 내 남편과 그의 친구가 어느 아름다운 날의 점심시간에 산책을 나갔다. 그들은 어느 서점에 멈춰서 내 남편의 친구가 사고 싶어 했던, 새로 나온 비싼 컴퓨터 책을 샀다. 걸어서 직장으로 돌아오고 있었을 때, 그들은 엄마에게 "엄마, 봐

요, '무당벌레'에요!"라고 황홀해서 말하는 어느 소년을 우연히 만났다. 내 남편의 친구가 말했다. "이런! 나는 저 아이가 벌레에서 얻었던 것만큼의 즐거움을 이 책에서 결코 얻어내지 못할 것임을 알고 있다네!"

| 문제 해설 | 문맥상 got enjoyment를 대신 받는 대동사가 필요하므로, ⑤ was는 did로 고쳐야 한다. **정답 ⑤**

| 오답 풀이 | ① as는 접속사로 '~하는 동안에'라는 뜻이다. ② to experience는 형용사적 용법으로 the ability를 수식한다. ③ 관계부사 where는 a bookstore를 선행사로 하며, 뒷부분에는 빠진 문장 성분이 없다. ④ 관계대명사 who는 a little boy를 선행사로 하고 said를 동사로 취한다.

| 구문 분석 | 〈4행〉 They stopped at a <u>bookstore</u> / 선행사
[**where** his friend bought a new, expensive 관계부사절
<u>computer book</u> / {**that** he had wanted to get}]. 선행사 관계대명사절 대과거(had + p.p.)

〈8행〉 My husband's friend said, / "Darn! / I know / I'm never going to get 　as much　 enjoyment out of as much as ~: ~만큼, ~정도
this book / 　as　 that kid did from a bug!" 대동사

2 어법성 판단

| 전문 해석 | 아이를 키우고, 우정이나 결혼 관계를 유지하고, 직장에서 다른 사람들을 감독하거나, 다른 사람들을 접대하는 일을 했던 사람이면 어느 누구나 규칙과 원칙의 한계를 알고 있다. 우리는 그것들 없이는 살 수 없지만, 단 하루도 우리가 한 가지의 규칙이나 원칙을 구부리거나 예외를 만들고, 또는 그것들 사이에 갈등이 일어날 때 균형을 맞출 필요가 없이 지나가는 날은 없다. 우리는 항상 우리의 관행에 박혀 있는 윤리적인 수수께끼를 풀고 있는데, 그것은 우리가 하는 선택의 대부분이 규칙을 해석하거나 충돌하는 원칙이나 목표의 균형을 맞추거나, 또는 더 좋은 것과 더 나쁜 것 사이에서 선택하는 것을 포함하기 때문이다. 우리는 항상 올바른 균형을 찾으려고 노력하고 있다. 아리스토텔레스는 이런 균형을 '평균'이라고 불렀는데, 그것은 산술적인 평균이 아니었다. 그보다는, 그것은 어느 특별한 상황에서의 올바른 균형이었다.

| 문제 해설 | (A) who ~ others가 관계대명사절로 주어인 Anybody를 수식하고 주어의 동사가 필요한 상황이므로 단수 동사 knows가 어법상 적절하다. (B) 뒤에 주어와 동사가 있으므로, 접속사 because가 어법상 적절하다. (C) the "mean"을 선행사로 받는 계속적 용법의 관계대명사가 필요하므로, which가 어법

상 적절하다. that은 계속적 용법으로 쓰일 수 없다. **정답 ④**

| 구문 분석 | 〈3행〉 We can't live without <u>them</u>, / but (= rules and principles)
not a <u>day</u> goes by / [**when** we don't have to bend 선행사 관계부사절 V1
one, / or make an exception, / or balance them V2 V3
when they conflict]. (= rules and principles)

〈6행〉 We're always solving the <u>ethical puzzles</u> / 선행사
[**that** are embedded in our practices / because most 관계대명사절 접속사 S
of our choices / involve interpreting rules, / or V O1
balancing clashing principles or aims, / or choosing O2 O3
between better and worse].

3 글의 순서

| 전문 해석 | 'Wall Street Journal'의 한 기자로부터 경영 방식을 묘사해 달라는 부탁을 받은 Smith는 불편한 듯 오랜 시간 동안 물끄러미 바라보더니 '괴상한(eccentric)'이라는 단 한 단어로 답을 했다. 그러나 그의 부드러운 태도는 격렬한 의지를 감추었다. (B) 최고 경영자(CEO) 임명을 받은 직후에, Smith는 그 회사의 핵심 사업인 아트지를 생산하는 공장을 매각하고 더 나은 경제와 더 밝은 미래를 가지고 있다고 자신이 믿은 소비자 종이 제품 산업에 투자하는 극적인 결정을 내렸다. (A) 모든 사람들은 이것이 중대한 실수라고 말했고, Wall Street는 Kimberly-Clark의 주가를 떨어뜨렸다. 그러나 대중에 의해 동요하지 않는 Smith는 자신이 옳다고 믿는 것을 했다. (C) 그 결과, 회사는 더 강해졌고 곧 경쟁 회사들을 앞섰다. 나중에 자신의 전략에 관한 질문을 받았을 때, Smith는 그는 결코 일에 자격을 갖추게 되려고 노력하는 것을 멈추지 않았다고 대답했다.

| 문제 해설 | Smith가 경영 방식에 대한 질문을 받고 '괴상한(eccentric)'이라는 단어로 답을 했다는 주어진 글 다음에는, 최고 경영자로 임명을 받은 다음 핵심 사업을 접고 신사업인 소비자 종이 제품 산업에 투자하는 결정을 내렸다는 (B)가 오고, 이에 대해 많은 사람들이 반대했다는 (A)가 온 다음, 마지막으로 Smith의 결정으로 회사가 더 커지고 경쟁 회사들을 앞섰다는 (C)가 오는 것이 문맥상 가장 자연스럽다. **정답 ②**

| 구문 분석 | 〈8행〉 Soon after being appointed CEO, 전치사 + 동명사(v-ing)
/ Smith made a dramatic decision / to sell the mills 형용사적 용법1 선행사
/ [**that** produced the company's core business of 관계사절

coated paper] / and invest in the consumer-paper-
products industry, / [**which** / (he believed) / had
_{형용사적 용법2}
_{계속적 용법의 관계대명사   삽입절}
better economics and a brighter future].

〈14행〉 Asked later about his strategy, / Smith
_{분사구문(= As he was asked ~)}
replied // [that he never stopped trying to become
_{stop+-ing: ~하는 것을 멈추다}
qualified for the job].

본문 170쪽

UNIT **12** 부사절

구문 유형 **68**

638 I can't see you today // **because I have to
take care of my sister**.

나는 오늘 너를 만날 수 없다 // 나는 여동생을 돌봐야 하
기 때문에.

639 **As he was late again**, // he was scolded by
his teacher.

그는 또 지각했기 때문에, // 선생님께 꾸중을 들었다.

640 **Since I know his phone number**, // I will
let you know it.

그의 전화번호를 알고 있기 때문에, // 나는 그것을 네게
알려주겠다.

641 **Now that they were so hungry**, // they
began to look for a restaurant.

그들은 무척 배가 고팠기 때문에, // 그들은 식당을 찾기
시작했다.

642 Some workers are leaving the company //
because they're unhappy with the work.

일부 노동자들이 그 회사를 떠나고 있다 // 그들이 그 일
을 좋아하지 않기 때문에.

643 **Now that it became quiet**, // he could
concentrate on his thoughts.

조용해졌기 때문에, // 그는 생각을 집중시킬 수 있었다.

644 **Now that he was retired**, // he spent much
of his free time helping out in the community.

그는 퇴직을 했기 때문에, // 그는 자신의 여가시간 중 많
은 부분을 지역사회를 도우면서 보냈다.

645 I feel I've become a lot healthier // **as I
don't eat junk food anymore**.

나는 훨씬 더 건강해진 것 같다 // 더 이상 정크 푸드를 먹
지 않기 때문에.

646 He wanted to become an officer but was not
allowed to // **because he was the son of a tailor**.

그는 장교가 되고 싶었지만 허용되지 않았다 // 그는 재단
사의 아들이었기 때문에.

647 Classical costume has no form in itself, // **as
it consists of a simple rectangular piece of cloth**.

고전 의상은 본질적으로 어떤 형태를 가지고 있지 않다,
// 단순한 직사각형의 천 조각으로 되어 있기 때문에.

648 Please call me // **when you arrive at the airport**.

나에게 전화해 주시오 // 당신이 공항에 도착할 때.

649 Mary has been living in Korea // **since she was born**.

Mary는 한국에서 살고 있다 // 그녀가 태어난 이래로.

650 Mike hopes to start working // **as soon as he graduates from college**.

Mike는 일을 시작하기를 희망한다 // 그가 대학을 졸업하자마자.

651 **No sooner** had she opened the door // **than** it began to rain heavily.

그녀가 문을 열자마자 // 비가 심하게 오기 시작했다.

▶ 「no sooner ~ than...」 = 「hardly(scarcely) ~ when ....」 구문은 주절에 보통 과거완료가 온다.

652 **As soon as he opened his eyes** // he saw the beautiful scenery.

그가 눈을 뜨자마자 / 그는 아름다운 경치를 보았다.

653 I suggest you should not give up // **until you reach your goal**.

나는 당신이 절대 포기하지 말기를 조언한다 // 당신의 목표에 도달할 때까지.

654 **Hardly** had the words left my mouth //

when he became happy.

그 말이 내 입에서 나오자마자 // 그는 행복해졌다.

655 Wash your vegetables thoroughly // **before you cook them**.

채소를 철저하게 씻어라 // 그것을 요리하기 전에.

656 **As soon as I open the front door to look outside**, // they're beside me in a flash.

내가 밖을 내다보기 위해 앞문을 열자마자, // 그것들은 순식간에 내 옆에 온다.

657 **When the body mobilizes to fight off infectious agents**, // it generates a burst of free radicals.

감염원과 싸워 물리치기 위해 신체가 동원될 때, // 그것(신체)은 한바탕 활성 산소를 생산한다.

658 **If it rains tomorrow**, // we'll have to cancel our camping trip.

내일 비가 오면, // 우리의 캠핑 여행을 취소해야 할 것이다.

659 **Once she gets what she wants**, // she will leave soon.

일단 그녀는 자신이 원하는 것을 가지면, // 그녀는 곧 떠날 것이다.

660 People rarely succeed // **unless they have**

fun in what they are doing. – Dale Carnegie

사람들은 거의 성공하지 못한다 // 자기가 하고 있는 일에 재미를 갖지 않으면.

661 In case you lose your passport abroad, // go to the embassy of your country.

만약 당신이 외국에서 여권을 잃어버리는 경우에는, // 자국의 대사관으로 가시오.

662 Once their baby cries, // parents believe that he or she is hungry.

일단 그들의 아기가 울면, // 부모들은 아기가 배고프다고 생각한다.

663 Unless you help me, // I cannot make a success of the work.

만약 당신이 나를 돕지 않는다면, // 나는 그 일을 성공할 수 없다.

664 If you enjoy music, // combining it with exercise will make your workout more fun.

당신이 음악을 즐긴다면, // 그것을 운동과 결합시키는 것이 당신의 운동을 더 즐겁게 만들어 줄 것이다.

665 In case you get seasick, // go outside and look at the horizon.

만약 배 멀미를 하는 경우에는, // 밖으로 나가서 수평선을 보라.

666 Once you've started, // it can take just six weeks to see an improvement.

일단 시작하게 되면, // 향상되는 것을 보는 데 단 6주가 걸린다.

667 Unless we can understand how others think and feel, // it's difficult to know the right thing to do.

만약 우리가 다른 사람들이 어떻게 생각하고 느끼는지 이해할 수 없다면, // 해야 할 올바른 일을 알기는 어렵다.

구문 유형 **71**

668 We have to take blankets // **so that we may keep warm**.

우리는 담요를 가져가야 한다 // 따뜻하게 유지하기 위해서.

669 They have to work together // **in order that they solve the problem**.

그들은 협력해야 한다 // 그 문제를 해결하기 위해서.

670 He wrote down the address // **lest he should forget it**.

그는 그 주소를 적어 두었다 // 그것을 잊어버리지 않기 위해서.

671 They were **so happy** // **that they could not believe the news**.

그들은 너무 기뻐서 // 그 소식을 믿을 수가 없었다.

672 She's learning French // **in order that she can study French literature**.

그녀는 프랑스어를 공부하는 중이다 // 그녀가 프랑스 문학을 공부하기 위해서.

673 Peter was **so** busy **// that his room was just a place to sleep in**.

Peter는 너무 바빠서 // 그의 방은 그저 잠을 자는 곳이다.

674 You should identify your strengths **// in order that you can find the right career for you**.

당신은 당신의 강점을 확인해야 한다 // 당신이 자신에게 맞는 직업을 찾을 수 있도록.

675 Jejudo was **such** a beautiful place **// that we decided to stay on the island for a couple more days**.

제주도는 너무 아름다운 곳이어서 // 우리는 그 섬에서 이틀 정도 더 머물기로 결정했다.

676 Schedule intervals of productive time and breaks **// so that you get the most from people**.

생산적인 시간과 휴식 시간들의 간격을 계획하라 // 사람들로부터 최상의 것을 얻어 낼 수 있도록.

677 Sports became **so** complex for him **// that he forgot how to enjoy himself**.

스포츠가 그에게는 너무나 복잡해져서 // 그는 그 스스로가 즐기는 법을 잊었다.

구문 유형 72

678 It's not the end of the world **// even if you don't know every answer**.

세상의 끝이 아니다 // 비록 당신이 모든 답을 알지는 못하더라도.

679 **Although she was not hungry,** // she knew she must eat.

그녀는 배가 고프지는 않았지만, // 그녀는 먹어야 한다는 것을 알았다.

680 **Whatever happens,** // don't give up your dream.

무슨 일이 일어나더라도, // 당신의 꿈을 포기하지 말라.

681 Try to get up at the same time each day, **// no matter when you go to bed**.

매일 같은 시각에 일어나도록 애써라, // 당신이 언제 잠자리에 들더라도.

682 Braille was a good pupil at school, **// although he was blind**.

Braille는 학교에서 훌륭한 학생이었다, // 비록 그는 맹인이었지만.

683 You will have fun **// no matter where you are in this country**.

당신은 즐거울 것이다 // 이 나라 어디에 있든지 간에.

684 **However cheap a product is,** // people still want proper service.

제품이 아무리 저렴하더라도, // 그래도 사람들은 적절한 서비스를 원한다.

685 **Although there was a language barrier,** // it didn't seem to matter.

비록 언어장벽은 있었지만, // 그것은 중요한 것 같지 않았다.

686 No matter how appealing the taste, // an unattractive appearance is hard to overlook.

아무리 혹하는 맛일지라도, // 남의 눈을 사로잡지 못하는 겉모습은 너그럽게 봐주기가 어렵다.

687 People take longer to leave a parking spot / when another driver is waiting, / even though they predict they will not.

사람들은 주차 공간을 떠나는 데 더 오랜 시간이 걸린다 / 다른 운전자가 기다리고 있을 때에, / 비록 사람들이 그렇지 않을 것이라고 예상할지라도.

구문 유형 73

688 We would like to have the unlimited freedom // to do as we like.

우리는 무한한 자유를 갖고 싶어 한다 // 우리가 원하는 대로 할 수 있는.

689 As far as I know, // it takes an hour to get to the airport.

내가 아는 한, // 공항에 도착하는데 한 시간이 걸린다.

690 Eating a little bit of dark chocolate is good for your health, // so long as you don't eat too much of it.

약간의 다크 초코렛을 먹는 것은 건강에 좋다, // 그것을 너무 많이 먹지 않는 한.

691 As long as you are happy, // there is no problem with us.

네가 행복한 이상, // 우리에게는 아무런 문제가 없다.

692 Artificial intelligence enables computers to process information // as humans do.

인공지능은 컴퓨터가 정보처리하는 것을 가능하게 한다 // 인간이 하는 것처럼.

693 A book is worth reading // as long as you can learn from it.

책이란 읽을 가치가 있다 // 당신이 그것으로부터 배울 수 있는 한.

694 As far as I know, // the doctor does his best to help his patients.

내가 아는 한, // 그 의사는 자신의 환자를 돕기 위해 최선을 다한다.

695 You will get the tickets // so long as you arrive before 8 a.m.

당신은 표를 구할 수 있을 것이다 // 오전 8시 이전에 도착하는 한.

696 If only you were more like me, / and living life as I see it, / you would be a lot better off.

네가 더 나와 같기만 하면, / 그리고 내가 인생을 보는 것처럼 인생을 살아가기만 한다면, / 너는 훨씬 더 좋아질 텐데.

697 As far as we can tell, // we are only doing what is right and proper and reasonable.

우리가 아는 한, // 우리는 옳고 적절하고 합리적인 것을 하고 있을 뿐이다.

구문 독해 PRACTICE

Ⓐ 부사절 찾고 해석하기

1 until overgrazing totally destroys the pasture
과도한 방목이 목초지를 완전히 망치게 될 때까지

2 Now that the harsh winter is finally behind us
혹독한 겨울이 마침내 우리를 지나갔기 때문에

1 It is inevitable / [that more and more animals
　　가주어　　　　　　　진주어　　점점 더 많은
will be brought onto the pasture / **until** overgrazing
　　　　　　　　　　　　　　시간의 부사절(~할 때까지)
totally destroys the pasture].

| 해석 | 피할 수 없다 / 점점 더 많은 가축이 목초지로 몰려오는 것은 / 과도한 방목이 목초지를 완전히 망치게 될 때까지.

| 문제 해설 | until은 시간의 부사절을 이끄는 접속사로 '~할 때까지'라는 뜻을 갖는다.

2 [**Now that** the harsh winter is finally behind
　　　　　이유의 부사절(~이기 때문에)
us], / it's time to assess the damage to your
　　　　　이제는 ~할 때이다
property and take action.

| 해석 | 혹독한 겨울이 마침내 우리를 지나갔기 때문에, / 당신의 소유지에 대한 손상을 평가하여 조치를 취할 때이다.

| 문제 해설 | now that은 이유의 부사절을 이끄는 접속사로 '~이기 때문에'라는 뜻을 갖는다.

Ⓑ 알맞은 접속사 쓰고 해석하기

1 so(in order) that
당신의 등이 굳어 있지 않고 똑바르게 되기 위해서

2 lest
그가 반지 전달자로서 자신의 임무에 실패하지 않기 위해서

1 I would like everyone to start this exercise / by
　　　　would like A to B: A가 B하기를 바라다
placing your feet squarely on the ground / and
전치사 by의 목적어①
sitting up in your chair / [so that your back is
전치사 by의 목적어②　　　　　　　목적의 부사절(~하도록)
straight but not rigid].

| 해석 | 나는 모든 사람이 이 운동을 시작하기를 바란다 / 당신의 발을 바닥에 똑바로 두고 / 당신의 의자에 똑바로 앉음으로써 / 당신의 등이 굳어 있지 않고 똑바르게 되기 위해서.

| 문제 해설 | '~하기 위해서'라는 의미가 되어야 하므로 알맞은 접속사는 so that, in order that이다.

2 [On either side of the aisle] Mary and David
　　　　　　　장소의 부사구
stood still. Mary, a flower girl, / kept an eye on her
little brother David, / [lest he should fail at his
　　　　　　　　　　　　　목적의 부사절(~하지 않도록)
duties as ring bearer].

| 해석 | 복도의 양쪽에서 Mary와 David는 가만히 서 있었다. 화동인 Mary는 / 자신의 남동생 David를 지켜보았다. / 그가 반지 전달자로서 자신의 임무에 실패하지 않기 위해서.

| 문제 해설 | '~하지 않기 위해서'라는 뜻을 갖는 목적의 부사절을 이끄는 접속사로 should와 함께 쓰이는 접속사가 와야 하므로 lest가 적절하다.

Ⓒ 어법에 맞게 배열하기

1 because the seeds of many wild plants remain dormant for months

2 that the whole Earth would be vaporized within a few minutes

1 Thick seed coats are often essential / for seeds
　　　　　　　　　　　　　　　　for+의미상 주어+to부정사
to survive in a natural environment / [because the
　　　　　　　　　　　　　　　　　　　　이유의 부사절(~하기 때문에)
seeds of many wild plants remain dormant for
months / {until winter is over and rain sets in}].
　　　　　시간의 부사절(~할 때까지)

| 해석 | 두꺼운 껍질은 흔히 필수적이다 / 씨앗이 자연환경에서 생존하는 데 / 왜냐하면 많은 야생 식물의 씨앗이 여러 달을 휴면 상태로 남아 있기 때문이다 / 겨울이 끝나고 비가 오기 시작할 때까지.

| 문제 해설 | because는 부사절을 이끄는 접속사로 뒤에 주어와 동사를 포함한 절이 와야 한다.

UNIT **12** 부사절　•　**103**

2 It is difficult to appreciate / [what a temperature
　　가주어　　　　진주어　　　　　　명사절(appreciate의 목적어)
of 20,000,000℃ means]. [If the solar surface, not the

center, were as hot as this], the radiation emitted into
　　　　　　　　　　　　　　　　　　　　S　　↑┗━━━━━ 과거분사구
space would be so great / [that the whole Earth
　　　　　V
would be vaporized within a few minutes].
　　　　결과의 부사절(so ~ that...: 너무 ~해서 …하다)

| **해석** | 이해하는 것은 어렵다 / 섭씨 2천만 도의 온도가 무엇을 의미하는지를. 태양의 중심부가 아니라 표면이 이만큼 뜨겁다면, 우주로 방출되는 복사 에너지는 너무나 엄청나서 / 지구 전체는 몇 분 내로 증발될 것이다.

| **문제 해설** | 결과의 부사절인 「so ~ that...」 '너무 ~해서 …하다'가 쓰였다.

D 우리말에 맞게 단어 배열하기

　1　Whatever you like

　2　unless he knows exactly where his parents
　　　stand

1 Think about the things you really enjoy /
[whether it's reading, cooking, watching television
양보의 부사절(무엇을 ~하더라도)
or going to the cinema]. [Whatever you like],
　　　　　　　　　　　　　　양보의 부사절(~이든지 간에)
there's a good chance / [that you find the time to
　　　　　　　　　　　　　┗━━━━┛ 관계사절
indulge in it].

| **해석** | 당신이 정말로 즐기는 것들에 대해 생각해 보라 / 그것이 독서이든지 요리이든지 텔레비전을 보거나 영화를 보러 가는 것이든지 간에. 당신이 무엇을 좋아하든지 간에, 좋은 기회가 있다 / 당신이 그것에 빠져들 시간을 찾을.

| **문제 해설** | '무엇을 ~하든지 간에'의 뜻을 갖는 양보의 부사절을 이끄는 접속사는 whatever을 이용하여 문장을 배열해야 하므로 whatever you like가 적절하다.

2 During this lengthy process, / [whenever he feels
　　　　　　　　　　　　　　　　　　　시간의 부사절(~할 때마다)
threatened], / he turns back toward the safety of his
parents' love and authority. In other words, it is
　　　　　　　　　　　　　즉, 다시 말해서　　가주어
impossible for a child to successfully release
　　　　　　의미상 주어　　　　　　진주어

himself / [unless he knows exactly where his
─────　　　　　조건의 부사절(만약 ~하지 않는다면)
parents 'stand', both literally and figuratively].
　　　　　　　　　　both A and B: A와 B 둘 다

| **해석** | 이러한 긴 과정 동안, / 위협을 느낄 때마다, / 아이는 부모의 사랑과 권위라는 안전한 곳으로 되돌아온다. 다시 말해서, 아이가 성공리에 스스로를 해방시키는 것은 불가능하다, / 그 아이가 부모가 정확하게 어디에 '있는지' 알지 못한다면 / 말 그대로 또 비유적으로.

| **문제 해설** | '만약 ~하지 않는다면'의 뜻을 갖는 조건의 부사절을 이끄는 접속사 unless를 이용하여 문장을 배열한다.

실전 독해 PRACTICE　　　　　　본문 180쪽

| 1 ⑤ | 2 ⑤ | 3 ③ |

1　어법성 판단

| **전문 해석** | 고양이는 포식자이자 먹이이기 때문에, 으레 어떤 종류의 약함이라도 감춘다. 그들은 고통을 나타내는 것이 그들을 다른 포식자들로부터 위태롭게 한다는 것을 본능적으로 안다. 그래서 그것을 감추기 위해 최선을 다한다. 야생에는 '아프면 저녁거리다!'라고 번쩍이는 커다란 네온사인이 있어서 고양이들은 고통을 숨기도록 진화했다. 그러한 극기는 수의사의 돌봄에 관해서는 불리한 점으로 작용한다. 고양이가 고통스러워한다는 신호들은 너무 포착하기 어려워서 대부분의 사람들은 자신의 고양이를 예리하게 관찰하지 않으면 그것을 놓친다.

| **문제 해설** | '너무 ~해서 …하다'라는 뜻의 「so ~ that...」 구문이므로 ⑤의 which를 that으로 고쳐야 한다.　　　　정답 ⑤

| **오답 풀이** | ① 「make a point of ~ing」 구문이므로 동명사를 쓴 것은 적절하다.
② 주어가 displaying pain이므로 단수형 동사의 쓰임은 적절하다.
③ '가리기 위해서'라는 뜻의 부사적 용법의 to부정사로 쓰임은 적절하다.
④ pain이 목적어 hidden이 목적격보어로 둘의 관계는 의미상 수동이므로 과거분사 hidden의 쓰임은 적절하다.

| **구문 분석** | 〈2행〉 They know instinctively [that
　　　　　　　　　　　　S　　V　　　　　　　　　　　명사절
displaying pain puts them at risk from other
predators], so they do their best to mask it.
　　　　　　　　　　　　　　부사적 용법(목적)

〈7행〉The signs [that a cat is in pain] are so subtle
　　　　　 S　　└─ 동격 ─┘ 명사절　　　 V
that most people miss them, [unless they are keen
so ~ that...: 너무 ~해서 ···하다　　　 조건의 부사절(만약 ~하지 않으면)
observers of their cats].

2 빈칸 추론

| 전문 해석 | 신화적인 생각은 본질적으로 변화의 과정을 거쳐 작동한다. 신화가 존재하자마자 그것은 부족집단 내에서 혹은 그것이 한 집단에서 다른 집단 퍼질 때 화자가 바뀜에 따라 수정이 된다. 일부 요소는 빠져서 다른 것으로 교체되고, 순서가 바뀌고, 수정된 구조가 도시국가들을 통해 이동한다. 그럼에도 불구하고, 그 신화의 변형된 것들은 여전히 똑같은 세트에 속해 있다. 적어도, 이론적으로는, 변화 가능한 수에는 제한이 없다.

| 문제 해설 | 빈칸을 포함한 문장은 주제문의 역할을 하므로 글 전체의 중심내용을 담고 있어야 한다. 이 글에서 신화는 생겨난 이후 수정된다고 하면서 그 과정에 대해 구체적으로 설명하고 마지막으로 변화 가능한 수에 제한이 없다고 했으므로 빈칸에 들어갈 말로 가장 적절한 것은 ⑤의 '본질적으로 변화의 과정을 거쳐 작동한다'이다.　　　　　　　　　　　　　　　정답 ⑤

| 오답 풀이 | ① 창의적인 상상의 산물이다
② 우리가 어떻게 행동해야 할지에 대한 모델을 준다
③ 서로 다른 문화들 간에 의사소통을 가능하게 한다.
④ 특정한 사회적이고 역사적인 사건을 기반으로 만들어진다

| 구문 분석 | 〈2행〉A myth no sooner comes into
　　　　　　　　　　　　 no sooner ~ than ...: ~하자마자 ···하다
being than it is modified through a change of
narrator, either within the tribal group, or as it
　　　　 either A or B: A와 B 둘 중 하나
passes from one community to another.

3 어법성 판단

| 전문 해석 | 당신은 다른 사람이 용서를 받고 싶어 하는지 혹은 그럴 만한 가치가 있는지에 불안해하면 안 된다. 만약 당신이 그 사람이 그것(용서받고 싶어 하는 것)을 원하기를 기다린다면, 당신은 결코 일어나지 않을 일을 기다리면서 인생을 허비할지도 모른다. 다른 사람의 마음이 무정한 것은 당신이 자신의 마음을 굳히는 변명이 되지 않는다. 그 사람이 당신의 기분을 상하게 했다는 것을 모르고 있더라도 기꺼이 용서하라. 비록 그 사람이 그것이 자신의 문제라는 것을 부인하더라도 용서하라. 비록 그 사람이 남을 개의치 않는 방식으로 계속 다른 사람의 기분을 상하게

하고 있더라도 용서하라. 당신의 마음이 해방될 수 있도록 그 사람에게 마음으로부터 용서를 해 주어라.

| 문제 해설 | (A) 주어 another person에 이어지는 동사 두 개가 등위접속사 or로 연결된 병렬구조이므로 deserves가 적절하다. (B) 「waste+목적어+전치사+명사」의 구조에서 전치사가 생략되었으므로 동명사 waiting이 적절하다. (C) 문맥상 '~하기 위해서, ~하도록'의 의미를 갖는 접속사가 알맞기 때문에 so that을 써야 한다. even if는 '비록 ~하더라도'의 뜻을 갖는 접속사이다.　　　　　　　　　　　　　　　　　정답 ③

| 구문 분석 | 〈2행〉[If you wait for that individual to
　　　　　　　　　 조건의 부사절(만약 ~한다면)
want it], you may waste your life waiting for
something [that will never happen].
　　　　└───↑────┘ 관계사절

CHAPTER **IV** 수능 맛보기 **TEST**　　　　　본문 182쪽

| 1 ④ | 2 ④ | 3 ④ | 4 ③ | 5 ④ |
| 6 ⑤ | 7 ④ | 8 ③ | 9 ② | |

1 어법성 판단

| 전문 해석 | 겁을 먹는 것이 스트레스를 받는 상황을 다루는 것을 도울 수 있다는 증거가 좀 있다. 학급 앞에서 발표를 하거나 학교에서 연극 공연하는 것은 여러분이 겁을 먹고 불안하게 할 수 있다. 그러나 이런 경험은 우리를 더욱 자신감 있게 하는 공포에 대한 일종의 인내력을 기르는 것을 돕는다. 여러분은 공포감의 신체적인 경험에 더욱 편안하게 대처하고, 그러므로 여러분은 긴장된 상황에서 그것을 잘 헤쳐갈 수 있다. (무서운 것에) 쫓기는 것이 건강에 좋긴 하지만, 사람들이 공포를 다양한 방법으로 경험한다는 것을 기억하는 것이 중요하다. 한 사람에게 재미있는 것이 다른 사람에게는 너무 무서울 수 있다. 특히, 6~7세 미만의 어린이들은 현실과 지어낸 것을 구분하지 못하므로, 무서운 것을 보는 것은 오래 가고 부정적인 영향을 가질 수 있다.

| 문제 해설 | (A) some evidence와 동격을 이루는 명사절을 이끄는 접속사여야 하므로 that이 적절하다. (B) 뒤에 주어와 동사로 이루어진 절이 이어지므로 전치사 Despite는 적절하지 않고 접속사 Though를 써야 한다. (C) 전치사를 포함한 관계절이 주어를 이루는 구조이므로 What을 써서 주어를 완성해야 한다.　　　　　　　　　　　　　　　　　정답 ④

| 구문 분석 | 〈1행〉 There is some evidence [that being scared can help a person manage stressful situations].
- 유도부사 V (동격) (명사절)
- being scared: V'
- can help: O'
- a person manage: O.C'

〈7행〉 [Though some haunting may be healthy], it's important to remember [that people experience fear in different ways].
- 부사절(양보) / 가주어
- important to remember: 진주어
- that ~: remember의 목적어절

| Words & Phrases |
· evidence 증거 · manage 다루다
· perform 공연하다 · fearful 두려워하는
· anxious 불안한, 초조한 · endurance 인내, 참을성
· confident 자신감 있는 · physical 신체의
· tense 긴장된 · haunting (무서운 일에) 쫓기는 것
· especially 특히 · separate 구별하다, 분리하다
· make-believe 지어낸 것 · lasting 오래 가는

2 어법성 판단

| 전문 해석 | 중남미, 인도, 아프리카, 동남아시아와 카리브 해의 사람들이 도대체 왜 매운 고추와 향신료에 뒤덮인 음식을 먹을까? 이유가 있는데, 그것을 생각해 보면 그것이 상당히 똑똑하다는 것을 알 수 있을 것이다. 매운 음식은 여러분으로 하여금 땀이 나게 하고 그것은 반대로 여러분이 더욱 빨리 시원해지게 한다. 무더운 여름날 여러분은 큰 컵에 담긴 아이스 티를 마셔서 시원해지고 싶겠지만, 그 효과는 오래가지 않는다. 잠시 후 여러분은 처음에 있던 자리, 즉 덥고 성가신 상황으로 돌아온다. 그것은 여러분의 신체 온도가 너무 빨리 차가워져서 결국 여러분의 몸이 체온을 올려서 그것을 벌충하려 하기 때문이다. 매운 음식을 먹는 것은 다른 효과가 있다. 혈액 순환이 증가하고, 여러분은 땀이 나기 시작하며 일단 습기가 증발하면, 시원해진다.

| 문제 해설 | ④의 뒤에 주어와 동사가 모두 있는 절이 이어지므로 전치사구 because of가 아닌 접속사 because에 의해 유도되어야 한다. 정답 ④

| 오답 풀이 | ① 「it is ~ that」 강조 구문에 의해 의문사 why가 강조되는 문장이기 때문에, why가 문장 맨 앞으로 나갔다.
② find와 연결된 목적보어이므로 형용사 smart를 쓰는 것은 적절하다.
③ 뒤에 주어와 동사로 이루어진 절이 나왔으므로 양보의 접속사인 Even if를 쓰는 것은 적절하다.
⑤ your moisture를 주어로 하며 완료를 나타내므로 현재완료인 has evaporated를 쓰는 것은 적절하다.

| 구문 분석 | 〈7행〉 After a while you're back to [where you started — hot and bothered].
- to의 목적어
▶ where you started–hot and bothered는 the place where ~에서 the place가 생략된 것이다.

| Words & Phrases |
· hot chile pepper 고추 · spice 향신료
· spicy 매운, 향신료가 많이 든 · sweat 땀나다
· be inclined to ~하고 싶다 · sweltering 무더운
· internal 내부의 · compensate 보상하다
· blood circulation 혈액 순환 · moisture 습기
· evaporate 증발하다

3 어법성 판단

| 전문 해석 | 우리는 변화를 두려워하기 때문에 특별한 것을 두려워한다. 우리는 처음으로 무엇인가 새로운 것을 하려고 시도할 때 우리 모두가 겪는 불편함 때문에 변화를 두려워한다. 성장은 변화와 함께 오지만, 결코 변하지 않는다면 우리는 결코 성장하지 않을 것이다. 그리고 만약 우리가 성장하지 않는다면, 삶에서 진정으로 원하는 것을 우리는 결코 얻지 못할 것이다. 우리의 꿈은 절대 일어나지 않을 것이다. 성장의 과정에 있을 때, 우리는 두려움의 고통을 흡수하여 전에 가 본 적이 없는 곳으로 가는 능력을 넓히는 것이다. 갑자기 우리는 안전 지대로부터 수천 마일 떨어진 곳에 있는 우리 자신을 발견한다. 되돌아가는 것은 불가능하다. 우리는 지도에도 없는 지역에 있다. 우리는 다음 두 번째 것이 가져다 줄 것에 대한 실마리를 갖고 있지도 않다. 우리는 지금 특별 지대에서 살고 있는 것이다.

| 문제 해설 | 선행사 a place가 관계사절에서 to the place라는 장소의 부사구 역할을 하므로 ④의 which는 관계대명사가 아닌 관계부사 where로 고쳐야 한다. 정답 ④

| 오답 풀이 | ① 선행사 discomfort를 수식하는 관계사절을 이끄는 목적격 관계대명사(go through의 목적어 역할)이다.
② 부사구 With change가 문두로 나가 주어와 동사가 도치되었다.
③ capacity를 수식하는 to부정사의 형용사적 용법이다.
⑤ there is no ~ing(~하는 것은 불가능하다) 구문의 동명사이다.

| 구문 분석 | 〈6행〉 [When we are in the process of growth], we are expanding our capacity to absorb the pain of fear and go to a place [where we have never gone before].
- 시간의 부사절
- to absorb: 형용사적 용법
- go: absorb와 병렬구조
- a place: 선행사
- where ~: 관계사절

| Words & Phrases |
- **extraordinary** 특별한 · **discomfort** 불편한
- **go through** 겪다 · **come to pass** 일어나다, 생겨나다
- **absorb** 흡수하다 · **turn back** 되돌아가다
- **uncharted** 지도에 없는 · **territory** 영역, 지역

4 어법성 판단

| 전문 해석 | 아버지와 나는 순록을 사냥할 수 있는 Abu 산으로 여행을 갔다. 나는 곧 멀리 있는 연못에서 물을 마시고 있는 수많은 순록 떼를 발견하고 그들 가까이로 갔다. "탕!" 한 마리가 쓰러졌다. "탕!" 또 한 마리가 쓰러졌다. 남아 있는 순록들은 언덕 너머로 뛰어 도망쳤다. "아빠, 순록을 두 마리 잡았어요." 나는 자랑스럽게 말했다. "순록을 캠프로 옮기는 데 도와주시겠어요?" 나는 아빠가 그렇게 화난 것을 한 번도 본 적이 없었다. "내가 너에게 혼자 가지고 갈 수 있는 것 이상을 잡지 말라고 얼마나 많이 말했냐." 아빠는 고함을 쳤다. "네가 죽였으니, 네가 옮겨라!" 나는 절대 같은 실수를 범하지 않으리라 다짐하면서, 고생해서 두 마리 순록을 옮겼다.

| 문제 해설 | (A) 뒤에 빠져 있는 문장 성분이 없으므로, in which가 알맞다. (B) remain은 자동사로 과거분사로 쓰여 명사를 수식할 수 없으므로, remaining이 알맞다. (C) 동사 told의 목적어로 쓰이는 명사절이 필요하므로, that이 알맞다. **정답 ③**

| 구문 분석 | 〈2행〉 I soon spotted large herds of
   S   V1   O
animals drinking water in the distant pond and got
        └─현재분사─┘   V2
close to them.

| Words & Phrases |
- **caribou** 삼림순록 · **spot** 발견하다
- **a herd of** 한 떼의 · **roar** 고함치다, 으르렁거리다

5 어법성 판단

| 전문 해석 | 한번은, 하늘에서, 신들 사이에 기적적인 비밀의 힘, 인간이 이 세상의 어떤 것도 성취할 수 있는, 그 힘을 어디에 감춰둬야 하는지에 대한 토론이 있었다. 신들 중 한 명이 그것을 바다의 깊은 곳에 감출 수 있다고 제안했다. 또 다른 신은 그것을 높은 산꼭대기에 묻을 수 있다고 말했다. 세 번째 신은 숲속 동굴을 (인간의 힘을 감추기에) 적절한 곳으로 생각했다. 마침내, 그들 중 가장 총명한 신이 말했다. "그것을 인간의 마음 깊숙한 곳에 둬요. 인간은 그 힘이 거기에 감춰져 있다는 것을 결코 의심하지 못

할 것이오. 왜냐하면 어린 시절부터, 인간의 마음은 떠돌아다니는 경향이 있어서, 결코 안을 들여다보지 않을 것이기 때문이오. 그들 중 총명한 자만이 안을 보고 그 힘을 이용하여 위대해질 것이오." 모든 신들이 동의했다.

| 문제 해설 | ④의 because of, 뒤에 주어와 동사(his mind is prone ~)가 이어지고 있으므로, because of는 because로 고쳐야 한다. **정답 ④**

| 오답 풀이 | ① by which는 by the power로 풀어 쓸 수 있다. ② 뒤에 빠져 있는 문장 성분이 없으므로 접속사 that은 적절하다. ③ one은 부정대명사로 god을 가리킨다. ⑤ 동사 become의 보어 역할을 하는 great는 어법상 적절하다.

| 구문 분석 | 〈1행〉 Once, in heaven, there was a
                          유도부사   V
discussion among the gods to decide [where the
           S   의문사절
miraculous secret power, the power by which man
          └───── 동격 ─────┘   전치사+관계대명사
can achieve anything in this world, was to be kept
                                         to be p.p.(to부정사 수동태)
hidden].

〈3행〉 One of the gods suggested [that it could be
         S   V   명사절(suggested의 목적어)
kept hidden in the depths of the sea].

| Words & Phrases |
- **miraculous** 기적적인 · **cave** 동굴
- **suspect** 의심하다 · **be prone to** ~하는 경향이 있다

6 주어진 문장의 위치 찾기

| 전문 해석 | 나는 십대 때 마술쇼로 버는 수입을 보충하기 위한 한 방법으로 손금 보는 일을 시작했다. 처음에는 손금 보기를 믿지 않았지만, 돈을 벌기 위해서는 그것을 믿는 것처럼 행동해야 한다는 것을 알고 있었다. 몇 년이 지난 후 나는 손금 보기를 철석같이 믿는 사람이 되었다. 하루는, 내가 존경하는 분이었던 고(故) Stanley Jordan이, 고의적으로 손금이 나타내는 것과 정반대로 이야기를 해주면 재미난 실험이 될 것 같다는 제안을 했다. 처음에 나는 그의 제안이 완전히 터무니없다고 생각했지만, 몇몇 고객에게 시험적으로 해 보았다. 놀랍게도, 내가 반대로 해준 이야기는 여전히 성공적이었다. 그 때 이후로 나는 손금을 읽는 사람과 고객을 막론하고 말하는 것이 곧 믿는 것이 된다는 것을 확신하게 해준 강력한 힘들에 대해 관심을 가지게 되었다.

| 문제 해설 | 원래 손금 내용과는 반대로 이야기를 해주었어도 여전히 성공적이었다는 내용의 주어진 문장은 Stanley Jordan

의 제안을 시험 삼아 해보았다(tried this out)는 문장과 그때 이후로(Ever since then) 강력한 힘들에 관심을 갖게 되었다는 문장 사이에 들어가야 한다. 즉 ⑤에 위치하는 것이 가장 적절하다.

정답 ⑤

| 구문 분석 | 〈1행〉 To my surprise, my readings were
놀랍게도
just as successful as ever.
as ~ as ever: 여전히 ~하다

〈2행〉 I was in my teens [when I started reading
부사절
palms as a way to supplement my income from
전치사(~로서)   to부정사(목적)
doing magic shows].

〈3행〉 At first I did not believe in palmistry, but I
등위접속사
knew [that to make money I had to act {as if I did}].
명사절(knew의 목적어)   as if+S'+과거동사(마치 ~인 것처럼)
▶ as if I did에서 did는 대동사로 believe in palmistry를
가리킨다.

| Words & Phrases |
· supplement 보충하다 · palmistry 손금 보기
· late 고(故) · deliberately 고의적으로
· opposite to ~과는 반대로 · indicate 나타내다, 암시하다
· absurd 터무니없는
· convince A that A에게 ~을 확신시키다
· alike 마찬가지로

7 어법성 판단

| 전문 해석 | 자신감이 있는 사람들은 모두가 큰 비전을 가지고 있다. 그들은 자신의 목표를 이미 완수했다는 말로 계속해서 생각하고 말한다. 그들은 좌절을 만회를 위한 엄청난 기회로 본다. 그들은 항상 자신의 문제를 도전이라고 말한다. 그들은 늘 그만두기에는 너무 이르다고 믿는다. 대부분의 사람들이 하지 않을 것을 기꺼이 한다면, 언젠가는 대부분의 사람들이 절대 가지지 못할 것들을 가질 것이라고 자신감 있는 사람은 진심으로 믿는다. 그들은 보이지 않는 것을 보는 능력을 갖고 있다. 그들은 실제로 도달하기도 전에 끝을 본다. 비록 실제로는 목표가 달성되도록 여전히 그 일을 하고 있지만, 그들은 계속해서 자기 자신이 이미 목표를 성취했다고 상상한다. 당신은 일들이 실제로 실현될 수 있기 전에 그것들을 마음속에 그려 보아야 한다.

| 문제 해설 | (A) 전치사 of의 목적어이어야 하므로 동명사 accomplishing을 써야 한다. (B) 앞의 동사 do의 목적어를 이

끄는 절이면서 절 속의 동사 do의 목적어 역할도 해야 하므로 관계사 what을 써야 한다. (C) their goals을 목적어로 가져야 하므로 수동태는 부적절하다.

정답 ④

| 구문 분석 | 〈5행〉 The confident person believes
S   V
wholeheartedly [that if they are willing to do {what
목적어(that절)   조건절
most people will not do}, they will one day have
the things {that most people will never have}].
선행사   관계사절

〈9행〉 They continuously imagine themselves as
imagine+O+as: ~을 ~로 상상하다
having already achieved their goals [even though,
양보의 부사절
in reality, they are still doing the work to reach them.
부사적 용법(목적)

| Words & Phrases |
· continuously 계속해서 · in terms of ~라는 말로
· setback 좌절 · tremendous 엄청난
· comeback 만회 · refer to A as B A를 B라고 말하다
· wholeheartedly 진심으로 · materialize 실현되다

8 요약문 완성

| 전문 해석 | 귀에 조개껍질을 가져다 대 보아라. 무엇이 들리는가? 바람소리나 파도소리처럼 들릴 수 있지만, 여러분이 듣는 것은 우리 주위에 항상 있지만 우리가 듣기에는 너무나 작은 소리들이다. 조개껍질은 소리를 앞뒤로 울리게 하는 울림통으로 작용한다. 이것은 대개 조개의 모양과 매끈한 안쪽 표면 때문이다. 여러분이 조개껍질을 귀에 대면, 그것은 여러분 주위의 매우 희미한 소리들을 들을 수 있도록 더 크게 한다. 모든 조개껍질이 약간 바다 같은 소리가 나는 사실은 우연한 것이다. 여러분이 방음된 방에서 조개껍질을 귀에 댄 다면, 조개가 포착할 소리가 없어서 아무것도 들을 수 없을 것이다.

⇨ 조개의 모양은 소리를 증폭시킨다, 따라서 여러분은 그것을 여러분의 귀에 가져다 대면 일상의 소리를 들을 수 있다.

| 문제 해설 | 귀에 조개껍데기를 가져다 대면 조개껍데기의 구조 때문에 소리가 증폭되어서 주변 소리가 들린다는 내용이므로 (A)에는 '증폭시키다'가 (B)에는 '일상의'가 들어가는 것이 가장 적절하다.

정답 ③

| 오답 풀이 | ① 섞다 – 일상의
② 섞다 – 음악적인
④ 증폭시키다 – 상상의
⑤ 흡수하다 – 음악적인

| **구문 분석** | 〈1행〉 It may sound like wind or waves, but [what you are really hearing] are faint sounds [which are always around us but are too soft for us to hear].

(S1, V1, S2, V2, C, 관계절)

| **Words & Phrases** |
· **faint** 희미한　· **resonator** 울림통, 공명기
· **coincidental** 우연의　· **soundproof** 방음된

9 요지 파악

| **전문 해석** | 비록 부모가 때때로 의견이 일치하지 않더라도, 부모가 서로에게 헌신하고 함께 지내겠다고 맹세하는 것을 아이들이 보는 것은 훨씬 더 중요하다. 부모가 문제를 헤치고 나아가는 능력을 갖고 있다는 것을 아이들이 관찰할 수 있는 것 또한 좋은 교훈이 된다. 이것은 아무리 강하게 강조해도 부족하다. 즉, 당신의 자녀가 자기 자신의 갈등을 해결하는 방법을 배우기를 원한다면, 당신은 모범이 될 필요가 있다. 당신은 그것이 어떻게 이루어지는지를 그에게 보여 주어야 한다. 만약 당신이 자신의 문제를 풀 수가 없다면, 당신의 자녀는 거의 틀림없이 인생에서 자기 자신의 곤경을 건설적으로 다룰 수 없게 자라날 것이다. 그러므로 당신의 문제에 직면하여 그것들을 극복하는 방법을 배우라.

| **문제 해설** | 당신의 자녀가 그들의 갈등을 해결하는 방법을 배우기를 원한다면, 당신은 모범이 될 필요가 있다고 했으므로 글의 요지로 가장 적절한 것은 ②이다.　　　**정답 ②**

| **구문 분석** | 〈1행〉 It is so much better for children to see [that {even though their parents may have disagreements from time to time}, they are committed to one another **and** committed to staying together].

(가주어, 의미상의 주어, 진주어, see의 목적어, 양보의 부사절)

〈8행〉 [If you can't solve your own problems], your child will almost certainly grow up unable to deal constructively with his own difficulties in life.

(조건의 부사절, S, V, O.C)

| **Words & Phrases** |
· **disagreement** 의견 불일치
· **be committed to** ~에 헌신하다, ~하겠다고 맹세하다
· **work through** 헤쳐 나가다
· **can't ~ enough** 아무리 ~해도 부족하다

본문 190쪽

UNIT **13** 전치사

구문 유형 **74**

698 Can you **distinguish** grass / **from** rice?
당신은 풀과 (~을) 구별할 수 있는가 / 벼를?

699 Look carefully, and you can **tell** fossils / **from** rocks.
주의 깊게 보라, 그러면 화석과 (~을) 구별할 수 있다 / 바위를.

700 I can't **tell** the girls / **from** the boys these days.
나는 소녀들과 (~을) 구분할 수 없다 / 요즘의 소년들을.

701 Due to his mental illness, / the actor can't **distinguish** dreams **from** reality.
그의 정신 질환 때문에 / 그 배우는 꿈과 현실을 구분하지 못한다.

702 We can **tell** these changes / **from** other shapes, // but we do not accept them.
(= these changes)
우리는 이런 변화를 (~로부터) 구분할 수 있다 / 다른 모양으로부터 // 그러나 우리는 그것을 받아들이지 않는다.

703 Democracies are **distinguished from** dictatorships / [in terms of the extent of citizens' rights].
전치사구(~라는 면에서)

민주주의는 독재와 구별된다 / 시민 권리의 범위라는 면에서.

704 We can't **know** the dancer **from** the dance, / of course, // as Yeats makes clear.
접속사(~한 대로)

우리는 무용수와 무용을 구별하지 못한다 / 물론 / 예이츠가 분명히 한 대로.

구문 유형 **75**

705 Do something to **prevent** the same thing / **from** happening again.

같은 일이 (~하는 것을) 막기 위해 무언가 하시오 / 다시 발생하는 것으로부터.

706 The law will **discourage** people / **from** committing crimes.

그 법은 사람들을 저지할 것이다 / 범죄를 저지르는 것으로부터.

707 We can **stop** these worries / **from** growing.

우리는 이런 걱정들을 막을 수 있다 / 자라는 것으로부터.

708 The fence **prevented** the cows / **from** running away.

그 울타리는 소들을 막았다 / 도망가는 것으로부터.

709 Nobody could **keep** the boy / **from** drawing on the wall.

아무도 그 소년을 막을 수 없었다 / 벽에 그림 그리는 것으로부터.

710 These are the requirements for **preventing** children / **from** being disobedient to their parents.

이것들은 아이들을 막기 위해 필수적인 것들이다 / 부모의 말에 따르지 않는 것으로부터.

711 The regulation will **discourage** excellent engineers / **from** working in this country.

그 규제는 뛰어난 공학자들을 막을 것이다 / 이 나라에서 일하는 것으로부터.

구문 유형 **76**

712 That funny lady **reminds** me / **of** my aunt.

저 재미있는 여인은 나에게 생각나게 한다 / 우리 이모를.

713 The painter **accused** his assistant / **of** copying his artwork.

그 화가는 그의 조수를 고발했다 / 그의 작품을 베낀 이유로.

714 I tried, // but I couldn't **convince** them / **of** his honesty.

나는 애썼다 // 그러나 그들에게 확신시킬 수 없었다 / 그의 정직함을.

715 We would like to **assure** our customers / **of** the best service.

우리는 우리의 고객들에게 보장하고 싶다 / 최고의 서비스를.

716 We should **convince** the chairperson / **of** the need / to hold a meeting.

우리는 의장에게 납득시켜야 한다 / 필요를 / 회의를 개최할.

717 Your question **reminds** me / **of** when I acted for the first time.

당신의 질문은 나에게 기억나게 한다 / 내가 처음으로 연기하던 때를.

718 The lawyer **convinced** the jury / **of** the man's innocence.

그 변호사는 배심원에게 확신시켰다 / 그 남자의 결백함을.

구문 유형 77

719 The man **robbed** the lady / **of** her wallet.

그 남자는 그 여자로부터 훔쳤다 / 그녀의 지갑을.

720 The task will **deprive** you / **of** your free time.

그 과업은 여러분으로부터 박탈할 것이다 / 여러분의 자유 시간을.

721 The famous doctor **cured** a child / **of** a bad illness.

그 유명한 의사가 한 아이로부터 치료했다 / 악성 질병을.

722 Pirates boarded the ships and **robbed** the crew / **of** money and valuables.

해적들이 배에 올라탔고 선원으로부터 빼앗았다 / 돈과 귀중품을.

723 The bad uncle tried to **rob** Clara / **of** her share of the property.

그 나쁜 삼촌은 Clara로부터 빼앗으려 했다 / 그녀 몫의 부동산을.

724 If you **deprive** the sea lions **of** food, // they can't grow.

당신이 바다사자로부터 식량을 박탈한다면 // 그들은 성장할 수 없다.

구문 유형 78

725 The manager was **blamed for** the loss of money.

지배인은 손해를 본 것에 대해 비난을 받았다.

726 You can't **substitute** vitamin C supplements / **for** vegetables.

여러분은 비타민 C 보충제로 (~을) 대체할 수 없다 / 채소를.

727 I **substituted** oil **for** butter / in my chocolate chip cookies.

나는 버터를 기름으로 대체했다 / 나의 초콜릿 칩 쿠키에서.

728 Thank you **for** participating / in the volunteer project.

참여해 주신 것에 감사드립니다 / 자원봉사 프로젝트에.

729 Hitler **blamed** the Jews / **for** the hardship [that weighed down upon his country].

히틀러는 유대인들을 비난했다 / 그의 나라를 짓누르던 고난에 대해.

730 The boss **scolded** the employee / **for** playing PC games / during work hours.

그 상사는 그 직원을 혼냈다 / PC 게임을 한 것에 대해 / 근무 시간에.

구문 유형 **79**

731 Ryan **thinks of** Ben / **as** his best friend.

Ryan은 Ben을 (~로) 생각한다 / 그의 가장 친한 친구로.

732 The students **regarded** her / **as** a great poet.

학생들은 그녀를 (~로) 여겼다 / 위대한 시인으로.

733 The villagers tend to **look on** a stranger / **as** an enemy.

그 마을 사람들은 낯선 사람을 (~로) 보는 경향이 있다 / 적으로.

734 The blacksmiths **regarded** the process / **as** (being) unnecessary.
생략 가능
대장장이들은 그 과정을 (~로) 간주했다 / 불필요한 것으로.

735 A book [that calls itself the novelization of a film] is **regarded** / **as** something inferior.

자기를 영화의 소설화라 부르는 책은 (~로) 여겨진다 / 열등한 것으로.

736 These additional costs might be **thought of** / **as** a metaphorical 'low ball' [that the salesperson throws to the consumer].

이 추가적인 비용은 (~로) 생각될 수 있다 / 비유적으로 말하자면 영업사원이 소비자에게 던지는 낮은 공과 같은.

737 Words like "moron" and "negro" are **considered** / **as** insults, // but they were not a century ago.

moron이나 negro와 같은 단어들은 (~로) 여겨진다 / 모욕으로 // 그러나 1세기 전에는 아니었다.

구문 유형 **80**

738 The lake **provided** the people living nearby / **with** fish.

그 호수는 근처에 사는 사람들에게 제공했다 / 생선을.

= The lake **provided** fish **to** the people living nearby.

739 The critics **were presented** / **with** a weird painting.

비평가들에게 주어졌다 / 괴상한 그림이.

740 He **presented** the queen / **with** a diamond necklace.

그는 여왕에게 선물했다 / 다이아몬드 목걸이를.

741 The mountain **provided** the factories / **with** firewood.

그 산은 여러 공장에 제공했다 / 땔감을.

742 The Russians **supplied** the North Vietnamese government / **with** weapons.

러시아인들은 북베트남 정부에 제공했다 / 무기를.

743 That is why // [I want to **provide** you / **with** any assistance / {that I can}].

그것이 이유이다 // 내가 당신에게 제공하고 싶어 하는 / 어떤 도움이라도 / 내가 줄 수 있는.

구문 유형 **81**

744 I **owe** my success / **to** your help.

나의 성공은 (~의) 덕분이다 / 당신의 도움.

745 We **attribute** the behavior / **to** her traits and abilities.

우리는 그 행동이 (~에) 기인했다고 생각한다 / 그녀의 특성과 능력에.

746 I'd like to say // that I **owed** a lot / **to** the villagers.

나는 말하고 싶습니다 // 내가 많은 것을 신세졌다고 / 그 마을 사람들에게.

747 We **attribute** our success / **to** your hard work.

우리는 우리의 성공이 (~에) 기인했다고 생각한다 / 여러분의 열성적인 노력에.

748 I **owe** my graduation / **to** Ms. Harris: // she's a great teacher.

나는 나의 졸업이 (~의) 덕분이라 여긴다 / Harris 선생님의 // 그분은 위대한 교사이다.

749 We can **attribute** climate change / **to** CO_2 emissions.

우리는 기후 변화가 (~에) 기인했다고 볼 수 있다 / 이산화탄소 배출에.

구문 유형 **82**

750 Perhaps the UK media ought to **compare** this action / **with** Russia's.

아마도 영국 미디어는 이 조치를 비교해야 할 것이다 / 러시아의 경우와.

751 You tend to **take** the Constitution / **for granted**.

여러분은 헌법을 (~으로) 여기는 경향이 있다 / 당연한 것으로.

752 This road will **lead** you / **to** the station.

이 길은 당신을 (~로) 이끕니다(이 길을 따라가면 도착합니다) / 그 역으로.

753 The writer **prefers** his imaginary world / **to** reality.

그 작가는 그의 상상 속 세계를 더 좋아한다 / 현실보다.

754 He **compared** Haiti / **with** its neighbor, the Dominican Republic.

its neighbor와 동격

그는 아이티를 (~와) 비교했다 / 그 국가의 이웃인 / 도미니카 공화국과.

755 After 20 minutes, / you need to **add** sugar syrup **to** grapefruit and orange juices.

20분 후에, / 당신은 포도주스와 오렌지주스에 설탕시럽을 넣어야 한다.

756 However, / we don't **apply** these rules **to** our daily lives // when we become adults.

그러나, / 우리는 이 규칙을 우리의 일상생활에 적용하지 않는다 // 우리가 성인이 되면.

757 Today, we **take** it **for granted** // [that motorways, bridges and canals exist].
　　　　　가목적어　　　　　　　　　　진목적어

오늘날 우리는 당연하게 여긴다 / 고속도로, 다리와 운하가 존재하는 것을.

758 This allows others / to **compare** the results **to** data [they obtain / from a similar experiment].

이것은 다른 사람들에게 허용한다 / 그 결과와 그들이 얻은 자료를 비교하는 것을 / 비슷한 실험에서.

구문 독해 PRACTICE

본문 200쪽

Ⓐ 어법상 알맞은 것 고르기

1 as
　(그들이) 위험의 과대 평가에 대해 텔레비전을 비난하는 것

2 from
　우세한 경쟁자의 (개체)수를 줄일 수 있다

---

1 Research shows // that people [who watch a lot of news on television] / **think** of the world **as** a place full of threats. It's reasonable / [to **blame** television / **for** their overestimation of danger].
　　A를 B라고 여기다　　┌진주어
　　　　형용사구　가주어　　　B에 대해 A를 탓하다

| 해석 | 연구는 보여준다 // 텔레비전으로 많은 뉴스를 보는 사람들이 / 세상을 위협으로 가득한 장소라고 여긴다는 것을. (~은) 타당하다 / 텔레비전을 비난하는 것은 / (그들이) 위험의 과대 평가에 대해.

| 문제 해설 | think A as B(A를 B로 여기다)의 구문이므로 as가 어법상 적절하다.

2 Sometimes / a competitively superior species / **is prevented from** excluding poorer competitors.
prevent A from B의 수동태형태
Periodic disturbances / such as severe storms / can reduce the population of a dominant competitor / and give other species a chance.
　　　　　　　　　　　　　　　　　~와 같은
　　　　　　　　　　　　　　　　　~의

| 해석 | 가끔 / 경쟁 면에서 더 우월한 종이 / 더 열등한 경쟁자를 배제하지 못한다. 주기적인 방해가 / 심한 폭풍과 같은 / 우세한 경쟁자의 개체수를 줄일 수 있다 / 그리고 다른 종에게 기회를 줄 수 있다.

| 문제 해설 | prevent A from B(A가 B하는 것을 막다)의 구문인데 수동태이므로 is prevented from ~의 어순이 적절하며 뒤에 excluding이라는 동명사가 왔으므로 from을 써야 한다.

Ⓑ 어법에 맞게 배열하기

1 reminded us of the health benefits

2 substitute your laptop for a portable heating pack

1 Researches have **reminded** us **of** the health benefits / of moderate coffee consumption. Coffee may **help control** attacks // when medication is
　　　　　A에게 B를 상기시키다
　　　　　병렬구조(control, stop, prevent)
unavailable, / **stop** a headache, and even **prevent** cavities.

| 해석 | 연구자들은 우리에게 (~의) 건강상 이점을 상기시

커 왔다 / 적절한 양의 커피 섭취의. 커피는 뇌졸중을 조절하는 것을 도울 수 있다 / 약을 구할 수 없을 때 / 두통을 멈추게 하고 심지어 충치를 예방하는 데 도움이 된다.

| 문제 해설 | remind A of B(A에게 B를 생각나게 하다) 구문이므로 remind 다음에 목적어인 us를 쓰는 점에 주의한다.

2 No doubt about it / laptops get hot. (It's) So hot
<u>의심의 여지가 없다(당연하다)</u>   <u>It's 생략</u>
/ that you can **substitute** your laptop / for a
<u>so ~ that: 너무 ~해서 …하다</u>   A를 B로 대치하다
portable heating pack. Manufacturers now prefer
the term / "portable computer" / [since you risk an
<u>원인을 나타내는 부사절</u>
injury // when you use it on your lap].

| 해석 | (~은) 당연하다 / 랩탑 컴퓨터가 뜨거워지는 것은. 너무 뜨거워서 / 여러분은 랩탑 컴퓨터를 쓸 수 있다 / 휴대용 난방 팩 대신. 제조업자들은 이제 그 용어를 선호한다 / '휴대용 컴퓨터'라는 / 여러분은 부상의 위협을 감수하므로 // 그것을 무릎 위에 놓고 쓰면.

| 문제 해설 | substitute A for B(A를 B로 대치하다)에서 A와 B의 어순을 혼동하지 않도록 유의해야 한다. 따라서 your laptop을 substitute 다음에 써야 한다.

C 어법상 틀린 것 고치기

1 ③ as → of

2 ① at → to

1 To find fossils, / you should **tell** sedimentary
<u>B로부터 A를 구분하다</u>
rocks / **from** other rocks. Some sedimentary rocks,
                            S
/ such as chalk and shelly limestone, / form only in
<u>~와 같은</u>   V
the sea. The existence of the fossils of sea creatures
/ **assures** scientists / **of** the fact [that the place was
<u>A에게 B를 확신시키다</u>   └─── 동격 ───┘
under the water].

| 해석 | 화석을 발견하려면 / 퇴적암과 (~을) 구분해야 한다 / 다른 암석을. 일부 퇴적암은 / 백악과 조개가 많은 석회암과 같은 / 바다에서만 형성된다. 바다 생물 화석의 존재는 / 과학자들을 확신하게 한다 / 그 장소가 해저였다는 사실을.

| 문제 해설 | assure A of B(A에게 B를 확신시키다)구문으로

쓰는 것이 적절하므로 ③ as를 of로 고쳐야 한다.

2 Several plane crashes and near crashes / have
been attributed to / dangerous downward wind
<u>attribute A to B의 수동태 표현</u>   ↑
bursts / known as *wind shear*. These wind bursts /
generally **result from** high-speed downdrafts / in
                 ~ 때문에 발생하다
the turbulence of thunderstorms. Also, they can
                        (= These wind bursts)
occur in clear air // when rain evaporates / high
above the ground.

| 해석 | 몇몇 비행기 추락사고와 추락에 준하는 사고는 / (~에) 기인하고 있다 / 위험하며 급격한 하강기류에 / 'wind shear'라고 알려진. 이 급격한 기류는 / 일반적으로 고속의 하강기류 때문에 생긴다 / 천둥을 동반한 폭풍우의 난기류 내부에서. 또한, 그것들은 맑은 하늘에서 발생할 수 있다 / 비가 증발될 때 / 지상 높은 곳에서.

| 문제 해설 | attribute A to B(A를 B의 원인으로 여기다) 구문의 수동태 형태이므로 be attributed to ~의 어순이 적절하다. 따라서 ① at을 to로 고쳐야 한다.

D 우리말 뜻에 맞게 단어 배열하기

1 regarded the human vulnerability as the cause

2 are blamed for their near extinction

1 A number of social scientists / have **regarded**
the human vulnerability / **as** the cause of disasters.
[Though floods, landslides and earthquakes are
<u>양보의 의미를 갖는 부사절</u>
natural processes], / humans make them more
disastrous.

| 해석 | 많은 사회과학자들이 / 인간의 취약성이 (~라고) 여겨왔다 / 재앙의 원인이라고. 비록 홍수와 산사태와 지진이 자연적 과정이지만 / 인간이 그들을 더 파괴적으로 만든다.

| 문제 해설 | regard A as B(A를 B라고 여기다)의 구문이므로 the human vulnerability를 regarded 다음에 쓴다.

2 There are three separate groups of mountain gorillas, / all in the rainforests of Central Africa. Forest clearance and poaching / **are blamed for** their near extinction. Scientists estimate // [that there may be fewer than 40,000 left / in the wild].

blame A for B의 수동태 표현 (V)
거의 멸종에 가까운 상황
estimate의 목적절

| **해석** | 세 종류의 분리된 마운틴 고릴라 집단이 있다 / 모두 중앙 아프리카 열대우림에. 삼림 제거와 밀렵은 / 그들을 거의 멸종시켰다는 이유로 비난받는다. 과학자들은 추산한다 / 4만 마리가 못되는 개체수가 남아있을 것이라고 / 야생에.

| **문제 해설** | be blamed for(~로 인해 비난받다)의 구문인데 수동태이므로 are blamed for ~의 어순으로 쓴다.

실전 독해 PRACTICE

| 1 ② | 2 ② | 3 ④ |

1 어법성 판단

| **전문 해석** | 이집트인들은 2천이 넘는 신과 여신을 숭배했다. 아문은 가장 힘이 세고 반인반양이었다. 전통적으로 파라오들은 아문 신을 숭배했고 그를 창조신으로 여겼지만, 기원전 1352년부터 1336년 사이에 파라오였던 아멘호테프 4세는 태양신인 아톤을 숭배했다. 그는 자신의 이름을 아크나톤 '태양신의 영광'으로 바꾸고 그의 신을 숭배하는 사원으로 가득한 도시를 건설했다. 그는 또한 다른 신의 이름들을 사원 벽에서 깎아내도록 명령했다. 그러나 아크나톤이 죽은 다음, 사람들은 이전의 신들을 숭배하는 것으로 돌아갔고 그의 새로운 도시는 버려졌다. 많은 조각과 그림 중에서 아톤과 아문을 구별하는 것은 쉽다. 아톤은 원반으로 묘사되고 아문은 양의 머리를 갖고 있다.

| **문제 해설** | 「regard A as B」는 'A를 B로 여기다'의 의미이므로 for를 as로 바꿔야 한다.　　　　　정답 ②

| **오답 풀이** | ① '가장 힘센'의 의미로 사용되었으므로 「the+최상급」을 사용한 것은 적절하다.
③ full ~ god은 형용사구로 a city를 뒤에서 수식하므로 적절하다.
④ ordered의 목적보어로, 수동의 의미이므로 to부정사의 수동태로 to be chipped를 쓰는 것은 적절하다.
⑤ tell A from B는 'A와 B를 구분하다'의 의미이므로 from을

쓰는 것은 적절하다.

| **구문 분석** | ⟨3행⟩ Traditionally, / pharaohs honored Amun, / and **regarded** him / **as** the creator-god, // but Amenhotep IV, / [who was pharaoh from 1352 to 1336 BC], / worshipped the sun-god Aten.

⟨5행⟩ He |changed| his own name to Akenaten ("glory of the sun-god") and |built| a city / full of temples / honoring his god.

병렬구조
형용사구

2 어법성 판단

| **전문 해석** | 사람들이 '형편없는 일에 연장 탓을 하지 말라'라고 말하면 그들은 아시아의 속담을 인용하고 있는 것이다. 속담이란 짧고 재치 있는 말로 충고를 제공하고 기억하기 쉽다. 속담은 오래전부터 우리 주변에 있어왔고 평범한 사람들의 지혜로 여겨진다. 그것들은 매일의 경험과 인간 본성에 대한 관찰에 근거하고 자주 부모들에 의해 자녀에게로 전해진다. 그것들은 다양한 경우에 우리가 어떻게 행동해야 하는지를 생각나게 해 준다. 거의 모든 경우를 위한 속담이 있다. 여기 몇 가지가 있다. "표지로 책을 판단하지 마라." "사공이 많으면 배가 산으로 올라간다"와 "엎지른 물은 도로 담을 수 없다."

| **문제 해설** | (A) 「blame A for B」는 'A를 B 때문에 비난하다'의 의미이므로 for가 적절하다. (B) for a long time이 있으므로 현재시제는 쓰면 안 되고, 현재까지 지속되는 상황을 나타내야 하므로 현재완료인 have been이 적절하다. (C) 「remind A of B」는 'A에게 B를 생각나게 하다'의 의미이므로 of가 적절하다.
정답 ②

| **구문 분석** | ⟨2행⟩ A proverb |is| a short, witty saying / [which offers advice] / **and** |is| easy to remember.

병렬구조

⟨5행⟩ They |are| based on / [everyday experience / and the observation of human nature] / **and** |are| often **passed on** by parents to children.

병렬구조
on의 목적어
pass on의 수동태 형태

3 무관한 문장 고르기

| **전문 해석** | 개들은 똑똑한 동물들이고 그들은 어떤 언어로 된 명령도 따르도록 가르쳐질 수 있다. 그것은 여러분들에게 그것의 언어적 능력을 확신시킬 수 있지만 그것은

사실이 아니다. 예를 들어, 여러분은 노르웨이 엘크 하운드가 노르웨이 말을 이해하고 차우가 중국어를 이해할 것이라고 잘못된 기대를 할 수 있다. 사실, 개들은 한 가지 언어, 즉 개 언어로만 의사소통한다. (개들은 나쁜 시력과 뛰어난 후각을 갖고 있어서 그들로부터 냄새를 빼앗으면, 그들은 어찌할 바를 모를 것이다.) 그러므로 만약 여러분이 영국 폭스하운드와 프랑스 푸들을 갖고 있고 그들에게 서로 말하라고 요청하면 그들은 '멍멍'이라고 할 것이고 그들은 서로의 말을 완벽히 이해할 것이다.

| 문제 해설 | 개들의 언어는 단 하나이며 그것은 짖는 소리라는 내용의 글이므로, 개가 시력이 좋지 않고 후각에 의존한다는 내용의 ④는 글의 흐름과 관계가 없다.　　　　　　정답 ④

| 구문 분석 | 〈2행〉 It may **convince** you / **of** its
　　　　　　　　　　A에게 B를 확신시키다
linguistic ability, // but it's not true.

〈6행〉 Dogs have poor eyesight and outstanding noses, // so if you **deprive** them **of** smell, // they'll
　　　　　　　　　　　　　　A로부터 B를 제거하다
be at a loss.

본문 204쪽

UNIT 14 비교구문

구문 유형 83

759　My girlfriend / is **as tall as** me.
내 여자친구는 / 나만큼 크다.

760　We need to finish this project **as quickly as** possible.
우리는 이 프로젝트를 끝내야 한다 / 가능한 한 빨리.

761　My brother speaks Spanish / **as well as** his teacher.
내 남동생은 스페인어를 잘 말한다 / 그의 선생님만큼.

762　The history of Egypt / is **as rich as** the land.
이집트의 역사는 / 땅만큼이나 풍요롭다.

763　Life is not **so fast as** / in a fairy tale.
삶은 빠르지 않다 / 동화에서만큼.

764　How money is spent / is **as important as** how much is earned.
돈이 어떻게 쓰이는 가는 / 얼마나 많은 돈을 버느냐만큼 중요하다.

765　Playing badminton / is **not as easy as** it looks.
배드민턴을 치는 것은 / 보이는 것만큼 쉽지 않다.

766　One of the best ways to write a book / is to write it / **as quickly as** possible.
책을 쓰는 가장 좋은 방법 중 하나는 / 쓰는 것이다 / 그것을 가능한 한 빨리.

767　African American women / are **not as bound as** white women / by gender role stereotypes.
아프리카계 미국인 여성들은 / 백인 여성들만큼 구속되지 않는다 / 성 역할 고정관념에 의해.

768　Some novelists / prefer to include **as many** characters **as possible** / in their stories.
몇몇 소설가들은 / 가능한 한 많은 인물을 포함시키는 것을 선호한다 / 자신의 이야기에.

구문 유형 84

769 Imagination is **more important than** knowledge. - Albert Einstein

상상력은 지식보다 더 중요하다.

770 The film **is superior to** the book.

이 영화는 책보다 우수하다.

771 We feel **much better** / after a good cry.

우리는 훨씬 더 기분이 좋다 / 잘 울고 나서는.

▶ 비교급 수식 = much(even, far, still, a lot)+비교급

772 Your heart age / can be **older than** your actual age.

당신의 심장 나이는 / 실제 나이보다 더 노화됐을 수 있다.

773 The rooms were **far smaller than** I had expected.

방은 내가 기대했던 것보다 훨씬 더 작았다.

774 The classics were **more useful than** self-help books.

고전 작품은 자기계발서적보다 더 유용했다.

775 I don't think / life would be **even better** / if he were able to move to another city.

나는 생각하지 않는다 / 삶이 훨씬 더 좋아질 거라고 / 그가 다른 도시로 이사를 갈 수 있다 해도.

776 We live in a world / infinitely **safer and more predictable than** anything / our ancestors knew.

우리는 세상에 살고 있다 / 어떤 것보다 무한히 더 안전하고 더 예측 가능한 / 우리 조상들이 알고 있던.

777 Giorgio Vasari was considered / to be **more successful** as an architect **than** a painter.

Giorgio Vasari는 여겨졌다 / 화가보다는 건축가로서 더 성공한 것으로.

778 St. George is **the oldest building** in Sofia.

St. George는 소피아에서 가장 오래된 건물이다.

779 Sometimes simplicity is **the best policy**.

때때로 단순함이 최고의 정책이다.

780 **The most important factor** / that facilitates patients' recovery / is their mindset.

가장 중요한 요인은 / 환자 회복을 가능하게 하는 / 그들의 심적 경향이다.

구문 유형 85

781 Asia is about **four times as large as** Europe.

아시아는 Europe보다 약 4배가 크다.

782 Renting in London costs **twice as much as** elsewhere.

런던에서 방을 빌리는 것은 어느 다른 곳보다 2배의 비용이 더 든다.

783 My score is **three times as high as** your score.

내 점수는 너의 점수보다 3배가 높다.

784 Colca Canyon is **twice as deep as** the Grand Canyon.

Colca Canyon은 Grand Canyon에 비해 2배만큼 더 깊다.

785 They have an energy consumption **twice as large as** us.

그들은 우리보다 2배 더 많이 에너지 소비를 한다.

786 Its light was **half as small as** / one of the apartment's windows.

그것의 빛은 절반만큼 적었다 / 아파트 창문 중 하나의.

787 Ecofriendly travel worldwide / is growing **three times as fast as** the entire travel industry.

친환경적인 세계 여행은 / 전체 여행 산업의 3배 빠른 속도로 커가고 있다.

788 The paper bag making process / results in **three times more** water pollutants / **than** making plastic bags.

종이가방을 만드는 과정은 / 3배 더 많은 물 오염물질을 초래한다 / 플라스틱 가방을 만드는 것보다.

789 Attractive candidates received **more than two and a half times as many** votes **as** unattractive candidates.

매력적인 후보자들은 / 두 배 반 이상의 많은 표를 받았다 / 매력적이지 않은 후보자들보다.

790 When lava reaches the surface, // its temperature can be **ten times higher** / **than** that of boiling water.

용암이 표면에 도달할 때, // 그 온도는 10배 높을 수 있다 / 끓는 물의 온도보다.

구문 유형 **86**

791 No mountain in the world is **as high as** Mount Everest.

세상의 어떤 산도 에베레스트 산만큼 높지 않다.

= **No** mountain in the world is **higher than** Mount Everest.
= Mount Everest is **the highest** mountain in the world.

792 No pupils are **greater than** their teacher.

어떤 학생도 그들의 선생님보다 훌륭하지 못하다.

793 Sapphire is **harder than any other natural material** / except diamond.

Sapphire는 어떤 다른 자연 광물보다 더 단단하다 / 다이아몬드를 제외하고.

794 **Nothing** is **as important as** family and healthy living.

어떤 것도 가족과 건강한 삶만큼 중요하지 않다.

795 Human life is **more precious** / **than any**

other ideology or doctrine.

인간의 삶은 더욱 중요하다 / 어떤 다른 이념이나 교리보다.

796 **Nothing** could be **freer than** air.

어떤 것도 공기보다 자유로울 수는 없다.

797 **No** other person / is **so skilled as** the public librarian / in assessing the reading needs of the people.

어떤 다른 사람도 (~) 않다 / 공공도서관 사서만큼 기술이 있지는 / 사람들의 독서 욕구를 평가하는데.

798 **No one** / gains **as much** respect **as** the hardest-working individuals / in their organizations.

어떤 사람도 못한다 / 가장 근면하게 일하는 개인만큼 많은 존경을 받는 / 그들의 조직에서.

구문 유형 87

799 The problem is **as good as** settled.
<u>as good as: ~와 마찬가지인</u>
그 문제는 거의 해결된 것이나 마찬가지다.

800 The man looks **not so much** worried **as**
<u>not so much A as B: A라기보다는 B인</u>
perplexed.

그 남자는 걱정스럽기보다는 당황해 보인다.

801 The soldier is courageous **as well as** strong.
<u>A as well as B: B뿐만 아니라 A도 역시</u>
그 군인은 강한 것뿐만 아니라 용감하기도 하다.

802 The captain is **the last man to / leave** a
<u>the last man to 동사원형: 결코 ~하지 않을 사람이다</u>
sinking ship.

그 선장은 결코 ~하지 않을 사람이다 / 가라앉은 배를 떠날.

803 **The higher** you aspire, / **the more** you grow.
<u>the 비교급</u>　　　　　　　<u>the 비교급</u>
여러분이 더 높이 열망할수록, / 여러분은 더 많이 성장한다.

804 Corn is used as food for farm animals <u>as</u>

<u>well as</u> for humans.
<u>~뿐만 아니라</u>
옥수수는 인간을 위한 것뿐만 아니라 농장 동물을 위한 음식으로 이용된다.

805 Being ignorant / is **not so much** a shame /
<u>no so much A as B: A라기보다는 B</u>
as being unwilling to learn.

무지하다는 것은 / 수치스러운 것이라기보다는 / 배우는 것을 내켜하지 않는 것이다.

806 The gap between rich and poor / is **getting**

bigger and bigger.
<u>get+비교급+and+비교급: 점점 더 ~하다</u>
부자와 빈민의 차이가 / 점점 더 커지고 있다.

807 Increasingly, we can access these stories wirelessly / by mobile devices / <u>as well as</u> our
<u>~뿐만 아니라</u>
computers.

흥미롭게도, 우리는 이런 이야기들을 무선으로 접근할 수 있다 / 휴대용 기기에 의해 / 우리 컴퓨터뿐만 아니라.

808 My writing skills have improved / **as much**
<u>~만큼</u>
as I had hoped.

내 글쓰기 기술은 향상되었다 / 내가 기대했던 것만큼.

809 A car typically has **no more than** 5 people in
no more than(겨우 ~밖에)
it.

차는 그 안에 보통 5명밖에 채우지 못한다.

810 **Not less than** 20 people were arrested / for
적어도(=at least)
being involved in the riot.

적어도 20명이 체포되었다 / 폭동에 가담한 것 때문에.

811 His tactics were **no less** bold **than** he was.
no less ~ than ...: …못지 않게 ~하다
그의 전략은 그가 용감한 것 못지 않게 용감했다.

812 He had **no more** capacity for driving / **than**
no more ~ than ...: …가 아닌 것과 같이 ~도 아니다
she had.

그는 운전에 능력을 가지고 있지 않다 / 그녀가 운전에 능
력이 없는 것과 같이.

813 Man is **no more than** a reed, / the weakest
겨우 ~에 불과한(= only)
in nature.

인간은 갈대에 불과하다 / 자연에서 가장 약한.

814 The whale is **no more** a fish / **than** the horse
no more ~ than...: ~가 아닌 것은 …가 아닌 것과 같다
is.

고래가 물고기가 아닌 것은 말이 물고기가 아닌 것과 같다.

815 The number of trained combat troops / was
not more than 300 soldiers.
기껏해야(=at most)
훈련 받은 전투병의 수는 / 기껏해야 300명에 지나지 않
았다.

816 According to eyewitnesses, / there are **not**
적어도(=at least)
less than 30 badly injured.

목격자들에 따르면, / 심한 부상을 당한 사람이 적어도 30
명이다.

817 Silence is **no less** meaningful **than** sound in
no less ~ than ...: … 못지 않게 ~하다
music.

침묵은 음악에서 소리 못지 않게 의미 있다.

818 There were **no less than** one hundred people
~만큼이나(= as many as)
/ at the meeting.

100명이나 되는 사람들이 있었다 / 그 모임에는.

구문 독해 PRACTICE
본문 212쪽

A 어법상 알맞은 것 고르기

1 less
젊은이의 즐거움보다 적지 않다

2 well
월출과 월몰뿐만 아니라

1 Old age has its pleasures, / [which, {though
선행사   계속적 용법의 관계절
(they are) different}, / are not **less than** the
비교급
pleasures of youth].

▶ **though different** 양보의 부사절에서 **they are**가 생략되었
다.

| 해석 | 노년은 그것의 즐거움을 가지고 있는데, / 그것은
다르기 하지만, / 젊은이의 즐거움보다 적지 않다.

| 문제 해설 | than이 있는 비교급 구문이므로, less가 적절하다.

2 Typically, the weather page also gives times for
S   V   O

sunrise and sunset / **as well as** moonrise and
<u>~뿐만 아니라</u>
moonset.

| 해석 | 일반적으로, 날씨 면은 또한 일출과 일몰의 시간
을 준다 / 월출과 월몰뿐만 아니라.

| 문제 해설 | '~뿐만 아니라'라는 의미의 원급 관용표현을 써야
하므로, well이 적절하다.

B 알맞은 표현 넣기

1 no less than
40개의 자전거 길과 120개의 하이킹 코스 만큼이나

2 not more than
어떤 주제에 관해서도 많아야 5,000단어의

1 I'm very surprised / [that the travel guide
<u>명사절</u>   <u>S'</u>   <u>V'</u>
contains details / of no less than 40 bike and 120
<u>O'</u>
hiking routes].

| 해석 | 나는 매우 놀랐다 / 그 여행 안내서가 세부 내용을
담고 있어서 / 40개의 자전거 길과 120개의 하이킹 코스
만큼이나.

| 문제 해설 | 문맥상 '만큼이나, 자그만치'라는 의미의 표현이 필
요하므로, no less than이 적절하다.

2 <u>Applicants</u> <u>should write</u> <u>a short essay</u> / of not
   S   V   O
less than 3,000 words / and not more than 5,000
words in length / on any topic.

| 해석 | 지원자들은 짧은 에세이를 써야 한다 / 적어도 3
천 단어의 / 그리고 많아야 5,000단어의 / 어떤 주제에 관
해서도.

| 문제 해설 | 문맥상 '많아야, 기껏해야'라는 의미의 표현이 필요
하므로, not more than이 적절하다.

C 어법상 틀린 것 고치기

1 ① deeper twice than → twice deeper than

2 ② very → even

1 China's reserves are buried twice deeper than
<u>과거분사1</u>   <u>비교급 배수사</u>
American shale gas, / and concentrated in
<u>과거분사2</u>
mountainous or arid regions / [that present far more
<u>선행사</u>   <u>관계대명사절</u>   <u>비교급 강조 표현</u>
complex geological challenges]. Shale gas
extractors / have to spend 40 to 80 million yuan on
average / to drill a single well in China, / [which is
<u>부사적 용법(목적)</u>   <u>계속적 용법</u>
three to four times as high as the costs in the U.S].
<u>배수사 원급</u>

| 해석 | 중국의 매장량은 미국의 셰일 가스보다 2배 더 깊
이 묻혀 있다, / 그리고 산악 또는 건조 지역에 집중되어
있다 / 훨씬 더 많은 복잡한 지질학적 도전 과제를 제시하
는. 셰일 가스 추출자들은 / 평균적으로 4천~8천 위안을
써야 한다 / 중국에 유정을 하나 파기 위해서는, / 그것은
미국에서의 비용보다 3~4배 더 높다.

| 문제 해설 | 비교급에서 배수사를 쓸 때는 「배수사+형용사(부
사)의 비교급+than」의 어순을 쓰므로, ①의 deeper twice
than은 twice deeper than으로 고쳐야 한다.

2 After seven months, the first toys made landfall
                    <u>S</u>   <u>V</u>
on beaches near Sitka, Alaska, / 3,540 kilometers
from [where they were lost]. Other toys floated
north and west / along the Alaskan coast / and
across the Bering Sea. Some toy animals stayed at
sea even longer. They floated completely / along
<u>비교급 강조 표현</u>
the North Pacific currents, / ending up back in
<u>분사구문</u>
Sitka.

| 해석 | 일곱 달 후에, 첫 번째 장난감들이 Alaska의
Sitka 근처 해변에 도달하게 되었다, / 그것들이 잃어버렸
던 곳으로부터 3,540km 떨어진. 다른 장난감들은 북쪽과
서쪽으로 떠 있었다 / Alaskan 해변을 따라 / 그리고
Bering해를 가로질러. 몇몇 장난감 동물들은 훨씬 더 오
래 바다에 머물렀다. 그것들은 완전히 떠 있었다 / 북태평
양 조류를 따라, / 결국 Sitka로 되돌아오게 되었다.

| 문제 해설 | 비교급을 강조할 때는 보통 very가 아닌, even,
much, still, far, a lot 등을 쓰므로, ②의 very는 어법상 맞지
않다. very는 even 등으로 고쳐야 한다.

D 우리말에 맞게 단어 배열하기

1 no less plagued by pests than

2 like a more dangerous place than it actually is

1 Organic farmers grow crops / [that are no less
plagued by pests / than those of conventional
farmers]; / insects generally do not discriminate
between organic and conventional / as well as we
do.

| 해석 | 유기농 농부들은 작물을 재배한다 / 해충에 시달리는 / 전통적인 농부들의 작물에 못지 않게; / 곤충들은 보통 유기농과 전통적인 것을 구분하지 않는다 / 우리가 하는 것만큼 잘.

| 문제 해설 | ① '~못지 않게 …한'이라는 의미의 「no less ~ than …」 표현을 써야 하므로, no less plagued by pests than이 적절하다.

2 Research shows / [that people / {who watch a
lot of news on television} / overestimate the threats
to their well-being]. Why? It's because television
focuses on news / [that makes the world seem like
a more dangerous place / than it actually is].

| 해석 | 연구는 보여준다 / 텔레비전에서 뉴스를 많이 보는 사람들이 / 자신들의 행복을 위협하는 것을 과대평가한다. 왜 그럴까? 그것은 텔레비전이 뉴스에 초점을 맞추기 때문이다 / 세상을 더 위험한 곳처럼 보이게 만드는 / 그것이 실제로 그런 것보다.

| 문제 해설 | 비교급 구문과 함께 전치사 like를 써서 like a more dangerous place than it actually is로 쓰는 것이 적절하다.

실전 독해 PRACTICE

| 1 ① | 2 ⑤ | 3 ⑤ |

1 어법성 판단

| 전문 해석 | 중세의 사람들은 오늘날 살고 있는 사람들 못지 않게 동물에 관해 호기심을 가지고 있었고, 동물을 키울 여력이 되었던 사람들은 삽화가 있는 책을 사랑했다. 그러나 저자들은 매우 다른 관점에서 그들의 과제에 접근했다. 그들은 해부나 행동을 설명하는데 관심을 가지고 있지 않았다. 그들은 훨씬 더 진지한 목적을 가지고 있었다. 그들은 신이 그들이 묘사하고 있는 모든 동물을 창조했다는 것과, 신은 목적 없이는 아무것도 하지 않는다는 것을 알고 있었다. 신은 인간을 섬길 몇몇 동물을 창조했지만, 게다가 야생종을 포함하여 모든 동물들은 그들을 인도하여 구원으로 가게 하는 수단으로 인간을 가르치기 위해서 존재했다. 모든 인간은 죄를 지은 것으로 믿어졌고, 신이 각각의 동물에게 채워 넣은 본성을 연구함으로써, 죄를 지은 자가 회개하는 법을 배울 수도 있었다. 그러므로, 그 결과로 나타난 동물들의 책은 동물학의 책이기보다는 신학과 도덕적 가르침의 작품에 훨씬 더 가까웠다.

| 문제 해설 | ① 「no more ~ than …」은 '…가 아닌 것과 같이 ~도 아니다'는 뜻이지만, 문맥상 '…못지 않게 ~하다'는 뜻의 「no less ~ than …」을 써야 한다. 그러므로 no more 대신에 no less를 써야 한다. 정답 ①

| 오답 풀이 | ② much는 비교급 강조 표현으로 even, still, far, a lot도 같은 표현이다.
③ but 뒤의 문장에서 all animals가 주어이고 동사가 필요하므로 existed는 알맞은 표현이다.
④ 「fill A with B」는 'A를 B로 채우다'라는 뜻으로 「전치사+관계대명사」가 필요하므로 with which는 알맞은 표현이다.
⑤ one은 부정대명사로 앞에 나온 book을 받는 말이다.

| 구문 분석 | 〈8행〉 God created some animals to
serve humans, but in addition all animals, including
wild species, existed in order to instruct mortals as
a means of guiding them toward salvation.

〈10행〉 All humans were believed to be sinful, and,
by studying the nature [with which God had filled
each animal], the sinner might learn [how to
repent].

UNIT 14 비교구문 ● 123

2 어법성 판단

| 전문 해석 | 이집트는 이집트인 때문에 중요하고 연구하기에 흥미롭다. 일반화하기는 어렵지만, 대부분의 이집트인들은 복잡하고, 이런 이유로 도전적인 환경에서 호의적이고, 환대하고, 참을성이 있고, 그리고 농담하기를 좋아한다. 가족에 헌신적인 그들은 어떤 것도 배우자를 사랑하고, 아이들을 현명하게 키우고, 나이 들어가는 부모를 돌보고, 그리고 형제, 자매, 그리고 사촌들을 옹호하는 것만큼 중요한 것은 없다고 믿는다. 이집트인들이 어떤 것보다 자기 나라의 역사를 더욱 자랑스러워하지만, 그들은 나라의 현재와 미래의 조건에 관해 걱정한다. 그들은 또한 외국인들에게 사랑받고 존중받기를 원하며, 몇몇은 이집트, 아랍인들, 또는 이슬람에 관한 비판적인 발언에 예민하다.

| 문제 해설 | (A) interest는 타동사로 '관심을 가지게 하다'라는 뜻으로, 이집트가 공부하기에 관심을 끈다는 내용이므로, 현재분사 interesting이 어법상 알맞다. interested는 '관심 있는'이라는 뜻이다. (B) 원급 비교에 쓰이면서 is의 보어 역할을 하는 품사가 필요하므로, 형용사 important가 어법상 알맞다. (C) 뒤에 주어와 동사가 있는 절이 오기 때문에, 접속사 Although가 어법상 알맞다. Despite는 뒤에 명사(구)가 나온다.

정답 ⑤

| 구문 분석 | 〈1행〉 Egypt is important and indeed
　　　　　　　　　　　　S　V　　C1
interesting to study because of the Egyptian people.
C2　　　부사적 용법

〈5행〉 [Devoted to their families], they believe [that
　　　　분사구문(= As they are devoted ~)　　　　　명사절
nothing is as important as loving one's spouse,
　└ 부정표현 ~ 원급 비교(=최상급)　　병렬구조1
rearing one's children wisely, caring for one's
병렬구조2　　　　　　　　　　　병렬구조3
aging parents, and standing up for one's brothers,
　　　　　　　　병렬구조4
sisters, and cousins].

3 제목 추론

| 전문 해석 | 1991년에 실린 매우 큰 연구는, 사람들이 담배 피는 습관을 버리는 것을 도와주도록 기획된 자기 계발 프로그램에 참여할 피실험자들을 모집했다. 몇 사람에게는 매주 진전되는 보고서를 제출하는 것에 대해 상을 받았고, 몇 사람은 담배를 끊는 동기부여를 향상시키도록 기획된 피드백을 받았고, 그 외 모든 사람들(통제 집단)은 아무 것도 받지 못했다. 무슨 일이 일어났을까? 상을 받은 사람들이 다른 사람들보다 첫 주 보고서를 돌려줄 가능성이 두 배 더 높았다. 그러나 세 달 후에, 그들은 다른 대우를 받은 사람들보다 더 자주 다시 담배를 피워 물고 있었고, 통

제 집단의 사람들보다 훨씬 더 많이 담배를 피워 물고 있었다! 침 샘플은 상을 약속받은 피실험자들이 담배를 끊는 것에 거짓말을 할 가능성이 두 배 더 높았다는 것을 밝혀 주었다. 사실, 두 대우를 받았던 사람들에게, '재정적인 장려책은 어떻게든 개인에게 맞춰진 피드백의 긍정적인 영향을 감소시켰다.'

| 문제 해설 | 이 글에 소개된 연구에 따르면, 담배를 끊기로 한 사람들이 보상을 받을 때는 즉시 효과가 있지만, 결국에는 아무런 도움이 되지 않는다고 했으므로, 이 글의 제목으로는 ⑤ '보상: 즉시는 효과적이고, 결국에는 도움이 안 되는'이 가장 적절하다.

정답 ⑤

| 오답 풀이 | ① 자기 계발 프로그램에서 여러분 자신이 되기만 하라
② 다른 사람들의 도움으로 나쁜 습관을 버려라
③ 개인에게 맞춰진 피드백: 항상 효과적인 것은 아닌
④ 담배를 끊으려면 심리 치료를 받아라

| 구문 분석 | 〈7행〉 But three months later, they were
lighting up again more often than those [who
　　　　　　　　　　　비교급　　　　선행사
received the other treatment] — and even more
관계대명사절　　　　　　　　　　　　　비교급 강조
than those in the control group!
　　　사람들

〈9행〉 Saliva samples revealed [that subjects {who
　　　　　　　　　　　　　　명사절　S'　↑　관계대명사절
had been promised prizes} were twice as likely to
　　　　　　　　　　　　　V'　　배수사(원급 표현)
lie about having quit].

본문 216쪽

UNIT 15 특수구문

구문 유형 89

---

819 Just round the corner / was the rose garden.
　　　　　　부사구　　　　　　　　V　　　S
모퉁이를 돌면 바로 / 그 장미 정원이 있었다.

820 Little did they understand / the deep meaning
부정어　V　S
of his words.

그들은 거의 이해하지 못했다 / 그의 말의 깊은 의미를.

821 Never have I witnessed / such sincere
부정어　V　S
hospitality.

나는 본 적이 없다 / 그렇게 진심어린 환대를.

822 Most helpful was / her assistance with
보어　V　S
writing my resume.

가장 도움이 된 것은 (~이다) / 나의 이력서를 쓰는 것을
그녀가 도운 것.

823 On the table / were two glasses and a bottle.
부사구　V　S
테이블 위에 / 유리잔 두 개와 병 하나가 있었다.

824 Blessed are the people / [whose bodies get
보어　V　S
destroyed in the service of others].

사람들은 축복받은 것이다 /다른 사람들을 위해 일하면서
몸이 망가진.

825 Never has Jane cut her hair short or dyed it.
부정어　V　S
Jane은 그녀의 머리를 짧게 자르거나 염색을 한 적이 없다.

826 Only in the primarily industrially developed
부사구
economies, / has food become so plentiful.
V　S
주요 산업 선진 경제국가에서만 / 식량이 매우 풍부해졌다.

827 Not only did John take Randy to special
부정어구　V　S
occasions, // but he also took Randy to the library.

John은 Randy를 특별한 행사에 데리고 갔을 뿐만 아니

라 // 그는 Randy를 도서관에도 데려갔다.

---

828 My two little daughters were happy // and
so was I.
so+V+S
나의 어린 두 딸들은 기뻐했다 // 그리고 나도 그랬다.

829 Poor as Confucius was // he had his mind
양보절 도치(= Though he was poor)
bent on learning at fifteen.

공자는 비록 가난했지만 // 15세에 그의 마음을 배움에 열
중시켰다.

830 They didn't have much money, // neither did
neither+V+S
they desire it.

그들에게는 돈이 많지 않았다 // 그들은 그것을 바라지도
않았다.

831 There used to be a cabin in this forest.
There　V　S
이 숲에는 예전에 오두막이 있었다.

832 Had it not been for your help, // I couldn't
if 생략으로 인한 도치(= If it had not been ~)
have found my wedding ring.

당신의 도움이 없었더라면 // 나는 결혼반지를 찾을 수 없
었을 것이다.

833 Young as she was, // she appeared wise and
양보절 도치(= Although she was young,)
sensible.

그녀는 비록 어렸지만 // 그녀는 현명하고 합리적으로 보
였다.

834 I didn't do anything to make things better, //
neither did he.
<u>neither+V+S</u>
나는 상황이 더 나아지게 하기 위해 어떠한 것도 하지 않
았다 // 그도 그랬다.

835 Were you at my home now, // you could see
<u>if 생략 후 도치(V+S)</u>
my younger brother.
당신이 지금 우리 집에 있다면 // 내 남동생을 볼 수 있었
을 텐데.

836 There are hundreds of great people // to
<u>there</u> <u>V</u>   <u>S</u>
imitate and copy.
수백 명의 훌륭한 사람들이 있다 // 모방하고 따라할.

837 She would have accepted such a position //
had it been offered.
<u>if 생략 후 도치(V+S)</u>
그녀는 그런 지위를 수락했을 것이다 // 그것이 제안되었
다면.

구문 유형 **91**

838 It was on the train / **that** I met him again.
<u>장소의 전치사구 강조</u>
바로 그 기차에서였다 / 내가 그를 다시 만났던 것은.

839 His mother **does** believe / that he has
<u>동사 강조</u>
musical talent.
그의 어머니는 굳게 믿는다 / 그에게 음악적 재능이 있다
는 것을.

840 It was in the 1800s / **that** a physician fit the
<u>시간의 전치사구 강조</u>
first glass contact lens / on his patient.

1800년대였다 / 한 의사가 최초의 유리 콘택트렌즈를 끼
워준 것은 / 자신의 환자에게.

841 We **did** make haste, / but could not catch the
<u>동사 강조</u>
last train.

우리는 정말로 서둘렀다 / 하지만 마지막 기차를 탈 수가
없었다.

842 It is the abandoned cat / **that** Kate has at
home.

바로 그 버려진 고양이이다 / Kate가 집에서 기르는 것은.

843 Females **do** move away from their natal
<u>동사 강조</u>
groups / and into groups with far fewer relatives.

암컷은 태어난 집단으로부터 멀리 이동한다 / 훨씬 더 적
은 수의 친족을 지닌 집단으로.

844 It is a common misconception / **that** notes
<u>명사구 강조</u>
are more important than rests.

바로 흔한 착각이다 / 음표가 쉼표보다 더 중요하다는 것은.

구문 유형 **92**

845 When (**she was**) young, // she was lovely
and passionate.

어렸을 때 // 그녀는 사랑스럽고 열정적이었다.

846 To some life is a bed of roses, // but to others **(life is)** a bed of thorns.

어떤 사람들에게 인생은 장미로 된 침대이다 // 하지만 다른 이들에게는 가시로 된 침대이다.

847 Working while **(you are)** in college / may lead to beneficial educational outcomes.

대학에 다니는 동안 일을 하는 것은 / 이로운 교육적 결과로 이어질지도 모른다.

848 People tend to think of themselves // as being more attractive than others **(are attractive)**.

사람들은 스스로를 (~라고) 생각하는 경향이 있다 // 다른 사람들보다 더 매력적이라고.

849 During pregnancy, some antibiotics should be avoided, // if **(it is)** possible.

임신 중에 일부 항생제는 피해야 한다 // 가능하면.

850 If it is based on fact, you should listen; // if **(it is)** not **(based on fact)**, then it is only their opinion.

만약 그것이 사실에 근거하고 있다면 여러분은 경청해야 할 것이다 // 그렇지 않다면 그것은 그들의 의견일 뿐이다.

851 There are people that you feel good being around // and **(there are)** others you don't **(feel good being around)**.

곁에 있으면 기분이 좋은 사람들이 있다 // 그리고 그렇지 않은 사람들이 있다.

852 The tree, / **though it is difficult to measure** 부사절 삽입 **accurately**, / is about 20 meters tall.

그 나무는, / 정확히 측정하기는 어렵지만 / 약 20미터이다.

853 I learned things about him / which **I was** 관계사절에 주절 삽입 **sure** nobody knew.

나는 그에 관한 것들을 알게 되었다 / 틀림없이 아무도 몰랐던.

854 My advice, **as I told you before**, / is that 부사절 삽입 you have to listen to others.

내가 전에 당신에게 이야기 했듯이 내 조언은 / 당신은 다른 사람들의 말에 귀를 기울여야 한다는 것이다.

855 Which **do you think** is more valuable, / 간접 의문문에 절 삽입 health or wealth?

당신 생각에는 어떤 것이 더 소중한가요 / 건강과 재산 중에?

856 This is the very place / which **I think** is best 관계사절에 절 삽입 for fishing.

여기는 바로 그 장소이다 / 내 생각에 낚시하기 가장 좋은.

857 Baked goods became more refined, standardized, / and — **some would say** — flavorless. 절 삽입
제빵 제품이 더 세련되고, 표준화되고 / 그리고 어떤 사람들이 말하기를 맛이 없어졌다.

858 The increase in spatial reasoning, **it turns** 절 삽입

out, / can be generated by any auditory stimulation.

공간 추리능력의 상승은, 밝혀지기로는 / 모든 청각 자극에 의해 생길 수 있다.

구문 유형 94

859 You should discard the belief / that you are 동격 always right.

당신은 그 믿음을 버려야 한다 / 당신이 항상 옳다는.

860 Loneliness is a negative reaction to the fact / of being alone. 동격

외로움이란 그 사실에 대한 부정적인 반응이다 / 혼자 있다는.

861 He doesn't like the idea / of being judged / 동격 based on a visual recording.

그는 그 생각을 좋아하지 않는다 / 판단된다는 / 눈에 보이는 기록에 근거하여.

862 We're going to Sydney, / one of the most 동격 beautiful cities in the world.

우리는 시드니에 갈 것이다 / 세계에서 가장 아름다운 도시 중 하나인.

863 She had the belief / that he would truly keep 동격 his word.

그녀는 믿음을 갖고 있었다 / 그가 약속을 정말로 지킬 것이라는.

864 I accept the fact / that life doesn't always 동격 work out as planned.

나는 그 사실을 인정한다 / 인생은 항상 뜻대로 되지 않는다는.

865 Chomsky, / the most famous linguist, claims 동격 / [that children have a special innate ability / to learn language].

촘스키는 / 가장 유명한 언어학자인 (~는) 주장한다 / 어린이들은 특별한 선천적인 능력을 가지고 있다는 것을 / 언어를 배우는.

866 Led Zeppelin, / a band popular in the 70s, / 동격 often tuned their instruments away from the modern A440 standard.

Led Zeppelin은 / 70년대의 인기 밴드였던 / 현대 A440 표준으로부터 벗어나서 악기를 조율했다.

867 In 1986, Martin Handford had the idea / of 동격 publishing his illustrations in book form.

1986년에 Martin Handford는 생각을 가졌다 / 그의 그림들을 책의 형태로 출간할.

구문 유형 95

868 Students' use of smartphones / is **not necessarily** a bad thing.
부분부정(반드시 ~인 것은 아니다)
학생들의 스마트폰 사용이 / 반드시 나쁜 것은 아니다.

869 In fact, he is **not** a friend / **but** just an 관용적 부정표현(A가 아니라 B다) acquaintance.

사실, 그는 친구가 아니라 / 그냥 아는 사람이다.

870 They hadn't expected / **any** of these
전체부정(어떤 ~도 아니다)
responses.

그들은 예상하지 못했다 / 이 반응들 중 어떤 것도.

871 An early start / is **not always** the key to
부분부정(항상 ~한 것은 아니다)
success / in learning languages.

일찍 시작하는 것이 / 항상 성공의 비결은 아니다 / 언어
를 학습하는 데.

872 He was **not so much** thinking of what to
not so much A as B: A라기 보다는 B
say / **as** deciding what not to say.

그는 무엇을 말할 것인지를 생각하고 있기 보다는 / 무엇
을 말하지 않을 것인지를 결정하고 있었다.

873 **None** of us know / what's going on in the
전체부정
hearts of others.

우리들 중 아무도 모른다 / 다른 사람들의 마음속에서 무
슨 일이 일어나고 있는지를.

874 I saw **nothing but** waves and winds.
오직 ~만(= only)
나는 파도와 바람만을 보았다.

875 **Not all** children of successful people /
부분부정(모든 ~가 …하는 것은 아니다)
become successful themselves.

성공한 사람들의 자녀들 모두가 (~)하는 것은 아니다 / 본
인들이 성공하는 것.

876 **Nothing** can [so] surprise her // [that] she'll
전체부정 so ~ that: 너무 ~해서 …하다
be knocked off.

그 어떤 것도 그녀를 너무도 깜짝 놀라게 할 수 없다 //

(그래서) 그녀를 넘어뜨릴 수.

구문 독해 PRACTICE 본문 224쪽

Ⓐ 어법상 틀린 것 고치기

1 ① he started → did he start

2 ② you will ever be → will you ever be

3 ③ we soar → do we soar

1 **Not only** did he start playing the piano / [before
부정어 도치(not only+V+S) 시간의 부사절
he could speak], / **but** his mother taught him to
A뿐만 아니라 B도
compose music / at a very early age.

| 해석 | 그는 피아노 연주를 시작했을 뿐만 아니라 / 그가
말을 할 수 있기 전에 / 그의 어머니는 그에게 작곡하는 것
을 가르쳤다 / 매우 어렸을 때.

| 문제 해설 | 부정어인 not only가 문두로 나가 있으므로 주어
와 동사는 도치되어야 한다. 일반동사는 do동사를 사용해서 도치
시킨다.

2 You were **never** greater than you are **(great)**
전체부정 생략
right now, / **neither** will you ever be. Your worth is
neither+조동사+S+V
already complete and never changes; / only your

relationship to it evolves.

| 해석 | (과거의) 당신은 바로 지금의 당신보다 결코 더 훌
륭하지 않았다 / 그리고 앞으로도 그렇지 않을 것이다(훌
륭하지 않을 것이다). 당신의 가치는 이미 흠잡을 데가 없
으며 결코 변하지 않는다 / 그것(당신의 가치)에 대한 당신
의 관계만이 전개될 뿐이다.

| 문제 해설 | 부정어인 neither가 앞에 있으므로 주어와 동사가
도치되어야 한다. 따라서 「조동사+주어+동사」의 어순이 되어야
한다.

3 We learn that trauma is survivable, / so we

don't plunge too deeply following setbacks. **Nor**,
conversely, / do we soar too high on our successes.
부정어 / 삽입 / V / S

| **해석** | 우리는 정신적 외상이 (사라지지 않고) 계속 남아
있을 수 있다는 것을 알고 있으므로 / 좌절을 뒤쫓는데 너
무 깊이 뛰어들지 않는다. 반대로, / 우리는 성공을 좇아
서 너무 높이 날아오르지도 않는다.

| **문제 해설** | 부정어인 nor가 문두로 나가 있으므로 주어와 동사
가 도치되어야 한다. 일반동사는 do동사를 사용해서 도치시킨다.

B 삽입 및 동격 찾기

1 (the fact) that it will no longer have the power
to get through some of the more difficult jobs
그것이 더 어려운 몇몇 작업들을 해낼 힘이 더 이상 없을
거라는 (사실)

2 if, in other words, they are insecure in their
authority
다시 말해서, 자신의 권위에 대해 자신이 없다면

1 Carpenters may request a lightweight circular
   S   V   O
saw / without thinking about the fact / [that it will
                                    동격 ⌐ 명사절
no longer have the power / to get through some of
the more difficult jobs].
      형용사적 용법

| **해석** | 목수들은 가벼운 원형 톱을 요청할지도 모른다 /
(~라는) 사실은 생각해보지도 않고 / 그것이 더 이상 힘이
없을 거라는 / 더 어려운 몇몇 작업들을 해낼.

| **문제 해설** | the fact 다음의 that절은 동격의 역할을 하고, '~
라는 사실'로 해석된다.

2 If they don't know where they stand // — if, in
      부사절(조건)
other words, they are insecure in their authority //
          삽입어구(조건의 부사절)
— [they cannot communicate security to their
    주절
child, // and he cannot move successfully away
from them].

| **해석** | 만일 그들(부모)이 자신이 어디에 있는지를 모른
다면, // 다시 말해서 자신의 권위에 대해 자신이 없다면

// 그들은 자기 아이에게 안전함을 전달해줄 수 없다 // 그
리고 아이는 부모로부터 성공적으로 떠나갈 수 없다.

| **문제 해설** | 대시(—)는 문장 중간에 삽입할 때 쓰는 부호이므로
if ~ authority가 삽입된 부분이다.

C 생략된 말 찾기

1 if (it is) not essential

2 as any hungry animal might be (irritable)

1 It is therefore important, / if (it is) not essential,
      가주어   삽입어구
/ [to maintain a clear focus in undertaking advocacy
   진주어
or mediation] / in order to ensure // [that the roles
                  ~하기 위해서   명사절(ensure의 목적어)
do not become blurred and therefore potentially
counterproductive].

| **해석** | 따라서 (~은) 중요하다 / 필수적이지는 않을지라
도 / 옹호나 중재의 역할을 담당함에 있어서, 분명한 초점
을 유지하는 것이 / 확실하게 하기 위해 // 그 역할들이 흐
려져서 어쩌면 그 결과 역효과를 내지 않도록.

| **문제 해설** | if는 부사절을 이끄는 접속사이므로 주어와 동사
가 필요한데, 현재 보어인 not essential만 있는 상태이므로 주어와
동사가 생략되어 있고, 생략된 주어와 동사는 앞에서 쓰인 it is라
고 볼 수 있다.

2 During and after the day's performances, / the
            전치사구
sea lions could have all the fish they wanted. One
                                    관계사절
result was [that they were not irritable, // as any
              명사절(be동사의 보어)
hungry animal might be (irritable)].

| **해석** | 그날의 공연 도중과 공연 후에 / 바다사자들은 그
들이 원하는 모든 물고기를 먹을 수 있었다. 한 가지 결과
는 신경질적이지 않았다는 것이었다 // 그들이 굶주린 어
떤 동물이라도 그러할 수 있듯이.

| **문제 해설** | 같은 말이 중복될 때 생략되므로, 문맥상 irritable
이 생략되어 있음을 알 수 있다.

D 우리말에 맞게 단어 배열하기

1 this is not entirely true

2 Nor has atmospheric carbon dioxide necessarily been

1 **Although novels are fiction,** / **this is not entirely**
  _{양보의 부사절}   _{부분부정} _{전적으로 ~한 것은 아니다}
true / **in the case of historical novels. A historical**

novel always refers to / **something external to**
                              _{형용사구}
itself.

| 해석 | 비록 소설이 허구이기는 하지만 / 이것이 전적으로 사실은 아니다 / 역사 소설의 경우에. 역사 소설은 늘 참고 한다 / 그것의 외부에 있는 어떤 것을.

| 문제 해설 | not entirely가 쓰인 부분부정의 어순을 고려한다.

2 **Not only is carbon dioxide plainly not poisonous,**
  _{부정어 도치(not only+V+S)}
/ **but changes in carbon dioxide levels / don't**
                                        _S
necessarily mirror human activity. Nor has
_{부분부정(반드시 ~한 것은 아니다)}
atmospheric carbon dioxide / necessarily been the
_{부정어 도치(nor+V+S)}   _{앞의 nor와 결합하여 부분부정(반드시 ~한 것은 아니다)}
trigger for global warming historically.

| 해석 | 이산화탄소에는 명백히 독성이 없을 뿐만 아니라 / 이산화탄소 수치의 변화가 / 꼭 인간 활동을 반영 하는 것은 아니다. 대기의 이산화탄소가 / 반드시 역사적으로 지구온난화의 원인이었던 것도 아니다.

| 문제 해설 | 부정어 nor가 문두로 나가야 하므로 주어와 동사가 도치된다. 따라서 주어 atmospheric carbon dioxide와 동사 has가 도치되어야 한다.

실전 독해 PRACTICE
_{본문 226쪽}

1 ②	2 ②	3 ⑤

1 글의 분위기 추론

| 전문 해석 | 그들은 그들의 여행, 즉 그들이 보았고 했던

것 전부와 그들이 사귀었던 친구들에 대해 몇 시간 동안 이야기를 했다. 그들은 그렇게 아름다운 밤을 보낸 적이 없었다. 그 작은 마을에서 보니 별과 달이 이렇게 멋있어 보인 적이 없었다. 그것들은 밤새 매우 밝게 반짝이고 빛날 것이므로 그 숲에 있을 예정이었다. 지도를 보면서, 그들은 어디로 가야 할지에 대해 얘기했다. 그들은 그 숲 속으로 더 깊이 들어가면, 어른들이 종종 말했던 그 마법의 정원을 발견할 것이라고 확신했다.

| 문제 해설 | 숲에서 자신들의 여행에 대해 말하면서 밤의 풍경을 감상하고 있는 상황이므로 글의 분위기로 가장 적절한 것은 ② '평화로운'이다. **정답 ②**

| 오답 풀이 | ① 비극적인 ③ 축제 분위기의 ④ 긴박한 ⑤ 회의적인

| 구문 분석 | 〈1행〉 They spoke for a few hours about

their journey; / all [they had seen and done] and the
                        _{관계사절}
friends [they had made].
          _{관계사절}

〈2행〉 Never had they had such peaceful nights.
      _{부정어 도치(never+had+S+p.p.)}

2 어법성 판단

| 전문 해석 | 1918년 국민 대표법은 그것의 꼬리 속에 독침을 갖고 있었다. 비록 남성들은 21세에 투표권을 받았지만, 여성들은 그렇지 못했다. 투표를 하기 위해서는 그들은 30세가 될 때까지 기다려야 했을 뿐만 아니라 세대주가 되거나 세대주와 결혼을 해야만 했다. 이것에 대한 주된 이유는 의회에서 여성 유권자들이 남성 유권자들보다 수적으로 우세한 것을 원하지 않았기 때문이다. 또한 여성들은 남성들만큼 성숙하지 않으므로 선거권을 가지고서 신뢰를 받을 수 있기 전에 더 나이가 들어서 더 많은 의무 이행 능력을 보여줄 필요가 있다는 믿음이 있었다. 전부 합해서 1천 3백만 명의 여성들 중 6백만명이 1918년에 선거권을 얻었다.

| 문제 해설 | 'were given the vote at the age of 21'에서 중복되는 부분인 given the vote at the age of 21을 생략한 구문이므로 did not이 아니라 were not이 되어야 한다. **정답 ②**

| 오답 풀이 | ① 동사 had를 강조했으므로 did have는 적절한 표현이다.
③ 부정어인 not only가 문두로 나갔으므로 주어와 동사가 도치되었다.
④ the belief와 동격인 명사절을 이끌기 때문에 접속사 that의 쓰임은 적절하다.
⑤ needed to be에서 to부정사가 and로 연결되어 있으므로 to

를 생략하고 동사원형이 쓰였다.

| 구문 분석 | 〈3행〉 **Not only** did they have to wait
<u>부정어+V+S</u>
until they were 30 to vote, **but** they **also** had to be
<u>not ~ until...: ~한 다음에야 ...하다</u>　<u>not only A but also B: A뿐만 아니라 B도</u>
householders or married to a householder.

〈6행〉 There was also the belief [that women **were**
<u>동격</u>　<u>명사절</u>
not as mature as men and therefore **needed** to be
<u>~만큼 ~가 아닌</u>　<u>were와 병렬구조</u>
older and show more responsibility [before they
<u>시간의 부사절</u>
could be trusted with the vote].

3　어법성 판단

| 전문 해석 | 인류는 수천 년 동안 존재해 왔지만 자연 법칙의 작용을 이기는데 성공한 적이 없다. 성공을 얻기 위해서, 즉 정복하는 지배자가 되기 위해서, 모든 바라는 결과에 앞서 당신은 자연적인 작용의 법칙, 즉 일정한 원인이 있다는 것을 알아야 한다. 만약 전철기를 어떤 식으로 바꾸면 그것은 다가오는 급행열차를 측선으로 던져 보낼 것이고 그러면 그것(급행열차)을 부술 것임을 당신은 알고 있다. 만약 불에 손가락을 넣으면 그것은 화상을 입을 것이라는 것을 당신은 알고 있다. 만약 높은 건물에서 길로 뛰어 내리면 뼈가 부러질 것임을 당신은 알고 있다.

| 문제 해설 | (A) 부정어인 never가 앞에 나오면 주어와 동사가 도치되므로 have we가 적절하다. (B) precede는 '~을 앞서다'라는 뜻이고 접속사로 연결되어 있지 않으므로 분사구문임을 알 수 있다. 따라서 현재분사 preceding이 적절하다. (C) will throw와 and로 연결되는 병렬구조이므로 wreck이 적절하다.
정답 ⑤

| 구문 분석 | 〈1행〉 <u>Mankind</u> <u>has existed</u> for thousands
<u>S</u>　<u>V1</u>
of years / but <u>never have we succeeded</u> in defeating
<u>부정어+have+S+V2</u>
the action of natural law.

〈3행〉 <u>To achieve success, to become a conquering</u>
<u>부사적 용법(목적)</u>　<u>동격</u>
chief, / <u>you</u> <u>must realize</u> [that there is a natural rule
<u>S</u>　<u>V</u>　<u>명사절(realize의 목적어)</u>
of action, a definite cause, preceding every desired
<u>동격</u>　<u>분사구문</u>
result].

---

1 ③	2 ②	3 ④	4 ④	5 ③
6 ④	7 ④	8 ④	9 ④	

1　어법성 판단

| 전문 해석 | 아프리카와 중국의 몇몇 지역에서, 쥐는 인기 있는 간식이다. 서아프리카 사람들은 큰 쥐를 가장 좋아한다. 쥐는 가나 사람들에게 현지에서 생산된 고기의 50퍼센트 정도를 공급한다. 위쪽 북극권에서는 '크림에 넣은 쥐'가 진짜 인기 있다. (재료 중 하나가 알코올인데, 그것은 사람들이 왜 이 음식을 좋아하는지 설명하는 데 도움이 될지도 모른다.) 쥐는 여러 시간 동안 알코올 통에서 절여지고, 소금에 절인 돼지기름에 튀겨진 다음, 알코올 한 컵을 더 넣고 마늘과 함께 끓여진다. 크림이 더해지고 대접할 준비가 된다. 아메리카에는 대형 포유류가 없었기 때문에 사람들은 다른 설치류로 돼지와 소를 대체했다. 예를 들어 다람쥐는 초기 미국 정착민들에게 주식이었다. 그리고 마멋은 몇 백 년 전에 많은 미국 원주민 부족들에게는 사실상 피넛버터와 젤리(흔한 간식)와 같았다.

| 문제 해설 | (A) 「provide A with B」는 'A에게 B를 공급하다'의 의미이므로 with를 써야 한다. (B) marinated, fried와 함께 병렬구조를 이뤄야 하므로 boiled가 적절하다. (C) 동사가 필요하므로 substituted가 적절하다.
정답 ③

| 구문 분석 | 〈2행〉 Rats ⃞provide⃞ Ghanaians ⃞with⃞
<u>provide A with B: A에게 B를 제공하다</u>
about 50 percent of locally produced meat.

〈4행〉 (<u>One of the ingredients</u> <u>is</u> <u>alcohol</u>, [which
<u>S</u>　<u>V</u>　<u>C</u>
might help to explain {why people like this dish}].)
<u>관계절(앞 절 전체가 선행사)</u>　<u>explain 의 목적어</u>

〈8행〉 America didn't have large mammals, so
people ⃞substituted⃞ other rodents ⃞for⃞ pigs and cows.
<u>substitute A for B: A로 B를 대체하다</u>

| Words & Phrases |
· **the Arctic** 북극권　· **marinate** 절이다　· **vat** 통
· **mammal** 포유류　· **rodent** 설치류
· **substitute A for B** A로 B를 대체하다　· **squirrel** 다람쥐
· **staple** 주식　· **groundhog** 마멋

2　어법성 판단

| 전문 해석 | 북부 이탈리아에 있는 피사의 사탑은 교회의

종탑이다. 여러분은 그것이 기울어진 것을 당연하게 여기 겠지만, 사실은, 그것은 그렇지 않았다. 그것의 건축은 1173년에 시작되었지만, 건설자들이 10피트짜리 기반이 그 탑이 기우는 것을 막기에는 충분히 깊지 않다는 것을 깨달았을 때 곧 중단되었다. 부드러운 지반이 탑이 기우는 것의 원인이라고 했다. 180피트 높이에 16,000톤의 탑은 결국 200년 후 완공되었다. 그것의 돌을 하나씩 해체해서 다른 장소에 세우는 것까지 포함해 피사의 탑을 바로 세우기 위해 많은 아이디어들이 제안되었다. 1920년대에 그 탑의 기반에 시멘트 풀이 주입되었고 그것은 어느 정도 탑을 안정시켰다.

| 문제 해설 | ② 「keep A from v-ing」는 'A가 v하는 것을 막다〔방지하다〕'의 의미이므로 by를 from으로 고쳐야 한다. **정답 ②**

| 오답 풀이 | ① 「take it for granted」는 '~을 당연하게 여기다'의 의미이므로 적절하다.
③ 「blame A for B」는 'B의 원인으로 A를 비난하다'의 의미인데 수동태 문장이므로 was blamed for는 적절하다.
④ have 다음에 been p.p.가 와서 현재까지 계속된 동작을 나타내는 수동태 문장을 이루고 있으므로 적절하다.
⑤ cement grouting을 수식하는 관계절이므로 적절하다.

| 구문 분석 | 〈2행〉You may take it for granted that it
take it for granted: ~를 당연하게 여기다
is tilted, but in fact, it was not (tilted).

▶ it was not에서 뒤에 tilted 생략되었다.

〈3행〉Its construction began in 1173, but was soon
S   V1   V2
halted [when the builders realized (that) the 10-foot
        S'   V'   V"
foundation wasn't deep enough to keep the tower
           V"
from tilting].
keep A from v-ing: A가 v하는 것을 막다

| Words & Phrases |
· **tilted** 기울어진 · **construction** 공사 · **halt** 중단하다
· **straighten** 바로 세우다 · **take apart** 분해하다
· **inject** 주입하다 · **stabilize** 안정화하다
· **to some extent** 어느 정도는

3 무관한 문장 고르기

| 전문 해석 | 중세에, 유럽의 많은 곳에서 의학을 공부하는 것이 실지로 금지되어 있었고, 수술은 피해야 할 것이었다. 사람들은 질병을 신의 처벌이라고 생각했다. 여러분이 바랄 수 있는 거의 유일한 것은 기적이었다. 말할 나위도 없이, 병에 걸린 많은 사람들은 낫지 못했다. 수백만 명을 죽인 끔찍한 유행병인 흑사병이 유럽 전역을 휩쓴 다음,

의학적인 공부와 치료 과학이 다시 받아들여졌다. (로마인들은 의학에 관심이 없었고 로마의 대부분의 의사는 그리스인이었다.) 지난 600년간, 사람들은 세균을 죽이는 법부터 병든 인간의 심장을 대체하는 것에 이르기까지 모든 종류의 멋진 기술을 파악했다. 그곳이 바로 현재 우리가 있는 곳이다.

| 문제 해설 | 중세의 유럽에는 변변한 의술이 없었으며 병을 하늘의 심판이라고 여기다가, 흑사병 이후에 근대적인 의학이 발달했다는 내용의 글이므로 고대 로마의 의학에 관한 내용인 ④는 글의 흐름과 관계없다. **정답 ④**

| 구문 분석 | 〈1행〉In the Middle Ages, it was
                                              가주어
actually forbidden to study medicine in much of
                    진주어
Europe and surgery was a thing [that should be
           S   V   C   관계절
avoided].

〈3행〉People regarded disease as a punishment of
            regard A as B: A를 B로 여기다
God.

| Words & Phrases |
· **forbid** 금지하다 · **surgery** 수술 · **punishment** 처벌
· **miracle** 기적 · **needless to say** 말할 나위도 없이
· **plague** 유행병 · **sweep** 휩쓸다 · **embrace** 받아들이다
· **figure out** 파악하다, 이해하다 · **germ** 세균 · **ailing** 병든

4 어법성 판단

| 전문 해석 | 범세계통신망(www)은 독자들의 조언자들이 독자들과 책을 연결시키려는 도전과제를 충족시키려고 노력하면서 그들에게 점점 더 인기가 많아지고 있다. 웹사이트는 그에 대응하는 인쇄 참고물보다 몇 가지 독특한 이점을 정말로 가지고 있다. 그것들은 인쇄 소스보다 더 자주 업데이트될 수 있다. 추리 웹사이트는 한 장소 이상의 곳에 있는 잠재적으로 무제한 수의 많은 이용자들에 의해 이용될 수 있다. 몇몇 웹사이트는 독자들이 자신들이 가장 좋아하는 작가와 상호작용을 하거나 자신들의 의견을 그 장르의 다른 팬들과 공유하는 능력을 가지고도 있다. 추리소설 참고 모음집을 만드는 것에 관해서라면, 대부분의 추리소설 독자들의 조언자들은 그들이 가장 좋아하는 인쇄 재료와 함께 이용할 선호하는 웹사이트를 즐겨찾기로 해놓고 싶을 것이다.

| 문제 해설 | ④ or로 연결되어 letting이 아니라 interact와 병렬구조를 이뤄야 문맥상 뜻이 자연스럽게 통하므로, sharing은 share로 고쳐야 한다. **정답 ④**

| 오답 풀이 | ① increasingly는 부사로 '점점 더'의 뜻이고 형용사 popular를 수식한다.
② do는 동사 앞에 쓰여 동사를 강조한다.
③ They(= websites)와 update는 수동의 의미 관계에 있으므로, be updated는 어법상 알맞다.
⑤ to use 이하는 to부정사의 형용사적 용법으로 their preferred websites를 수식한다.

| 구문 분석 | 〈3행〉Websites do have some unique
<u>do+동사원형: 동사 강조</u>
advantages over their print reference counterparts.

〈4행〉 They can be updated more frequently than
S   V(be p.p.)   비교급(more ~ than...)
print sources.

| Words & Phrases |
· **reference** 참고, 참조   · **counterpart** 대응하는 것
· **frequently** 빈번하게   · **capability** 능력
· **interact** 상호작용하다   · **genre** 장르
· **when it comes to** ~에 관해서라면
· **bookmark** 즐겨찾기를 해놓다

5 어법성 판단

| 전문 해석 | Shakespeare가 'The Merchant of Venice'에서 '무해하고, 필요한 고양이'를 묘사했던 것과 마찬가지로, 모든 종류의 동물들은 실제적으로, 그리고 정서적으로 모두 인간의 행복에 필요하다. 동물들은 스트레스를 완화시키는 멋진 방법을 가지고 있으며, 그것들은 흔히 그들이 인간의 정서적인 마음 상태를 이해하는 것을 돕는 발달된 감각을 소유하고 있다. 반려 동물이 사람들에게 끼치는 위로 효과는 부분적으로 사람들이 (애완동물과) 물리적인 접촉을 할 수 있을 뿐만 아니라 애완동물에게 말을 걸 수 있다는 사실 때문이다. 흥미롭게도, 사람들이 서로에게 말을 걸 때는 혈압이 오르는 반면에, 사람들이 동물에게 말을 걸 때는 혈압이 낮아진다. 쓰다듬어지는 동물들 역시 혈압이 낮아지는 것을 경험한다는 것을 연구가 보여주었다.

| 문제 해설 | (A) 문맥상 동사 help의 주체는 heightened senses이므로 themselves는 될 수가 없다. animals를 받는 대명사 them이 적절하다. (B) the fact의 구체적인 내용을 설명하는 동격절이 필요하므로, that이 적절하다. (C) that절 안에 동사 experience가 있으므로 수식어구가 필요하다. being petted가 animals를 수식한다.   정답 ③

| 구문 분석 | 〈6행〉 The soothing effect [(that)
S
companion animals have on people] is partly due to
V
the fact that people can talk to their pets as well as

have physical contact.

| Words & Phrases |
· **harmless** 무해한   · **well-being** 행복, 복지
· **relieve** 완화시키다   · **heighten** 고조시키다
· **soothing** 위로의   · **pet** 쓰다듬다, 어루만지다

6 내용 일치 파악

| 전문 해석 | 'Dagger Awards'는 영국 추리소설 작가 협회인 Crime Writers Association에 의해 부여된다. Diamond Dagger는 범죄 글쓰기에서 평생의 업적을 인정하여 추리소설 작가에게 주어진 상이고, Gold Dagger는 최고의 추리소설이나 범죄소설에게 주어지는 상이고, Silver Dagger는 그 다음 소설에게 주어지는 상이다. Dagger(단검)는 최고의 논픽션 책과 단편소설에게도 주어진다. John Creasey Memorial Dagger는 최고의 첫 추리소설에게 주어진다. Ellis Peters Historical Dagger는 최근에 추가된 것으로 최고의 역사 추리소설에게 주어진다. Dagger Awards를 위한 제출은 오직 출판업자만이 할 수 있으며, 상은 신문과 잡지 비평가 위원회나 그 분야 전문가들이 심사를 맡는다.

| 문제 해설 | The Ellis Peters Historical Dagger is a recent addition and is given out to the Best Historical Mystery.에서 최근 추가된 상은 John Creasey Memorial Dagger가 아니라, Ellis Peters Historical Dagger임을 알 수 있으므로, ④는 이 글의 내용과 일치하지 않는다.   정답 ④

| 구문 분석 | 〈1행〉 *Dagger Awards* are bestowed by
S   V(수동태)
the Crime Writers Association, a British mystery
동격
writers association.

| Words & Phrases |
· **bestow** 수여하다   · **association** 협회
· **award** 상을 수여하다; 상
· **in recognition of** ~을 인정하여
· **runner-up** 2등

7 어법성 판단

| 전문 해석 | 시를 읽는다는 것은 우리가 초심자들에게 수행하도록 가르치는 계속적인 역사적 활동이라는 점을 주목하라. 우리는 주로 학교 교육이라는 방법으로, 그들을 그 연습으로 인도한다. 우리는 그들에게 시를 읽는 필수적

인 지식과 기술을 가르치고 시를 읽는 더 나은 방법과 더 나쁜 방법들 사이의 차이에 대한 느낌을 그들에게 준다. 게다가, 우리 모두는 시 읽기에 내재된 좋은 점들, 즉 시를 읽음으로써만 얻어질 수 있는 좋은 점들이 있다는 것을 알고 있다. 그리고 문학의 역사와 이론을 알고 있는 우리 모두는 독자들이 시 읽기에서 얻고자 애쓰는 좋은 점들은 역사적으로 매우 다양하고 오늘날에는 상당히 논쟁이 된다는 것을 알고 있다.

| 문제 해설 | (A) 선행사가 an ongoing historical activity이고, 뒤의 절에서 perform의 목적어 역할을 하므로 관계사 which를 써야 한다. (B) 주어 We에 and로 연결되는 동사이어야 하므로 impart를 써야 한다. (C) 주어가 all of us로 복수이므로 복수형 동사인 know를 써야 한다. **정답 ④**

| 구문 분석 | 〈8행〉 And all of us [who are acquainted
   S   관계사절(선행사 all of us 수식)
with literary history and theory] know [that the
              명사절   S'
goods {which readers have tried to achieve in
           관계사절(선행사 the goods 수식)
reading poetry} have varied widely across history,
                    V1
and are today much contested].
   V'2

| Words & Phrases |
· ongoing 계속적인   · novice 초심자
· induct 인도하다   · requisite 필수적인
· impart A to B A를 B에게 주다   · internal 내적인, 내재된
· be acquainted with ~을 알고 있다, ~에 정통하다
· contest 논쟁을 일으키다, ~에 이의를 제기하다

8 어법성 판단

| 전문 해설 | 스파르타는 그 주변의 모든 도시 국가들이 그랬던 것처럼 변화를 거부했다. 어느 시점에서 다른 도시 국가들은 그들 자신의 동전을 만들었지만, 스파르타는 여전히 무거운 철봉을 사용하여 교환했다. 아마도 이것은 그들이 외부 세계와의 접촉으로부터 고립되게 했을 것이다. 그러나 그들은 펠로폰네소스(그리스 본토의 일부인 반도)의 5분의 2를 소유하고 통치했다. 그들이 더 무엇을 원하고 필요로 할 수 있었겠는가? 스파르타인들은 자신의 힘에 대해 너무나 자신하고 있어서 그들은 도시 주변으로 벽을 쌓지도 않았다. 그러나, 이것은, 오래 가지 못할 것이었다. 어떠한 문명도 그 자체로 영원히 지속될 수 없다. 척박한 토질 때문에 어떤 품목에 대해서는 절대적으로 무역을 할 필요가 있었다. 그리고 외부의 도시 국가들은 철광산과 이러한 강한 시민을 소유하는 이점을 알았다. 그리하여 먼저 페르시아와, 그 다음으로 그리스의 인근 국가들과의 전쟁

은 불가피해졌다.

| 문제 해설 | they 이하가 완전한 문장이며 의미상 「너무 ~ 해서 .... 하다」의 「so ~ that...」 구문이므로 ④의 which를 that으로 고쳐야 한다. **정답 ④**

| 오답 풀이 | ① had changed에서 반복되는 changed를 생략한 구조이다.
② they were isolated의 의미이므로 목적격 보어로 과거분사의 쓰임은 적절하다.
③ did own and control로 연결되어 동사를 강조하는 do조동사의 쓰임은 적절하다.
⑤ 보어이므로 형용사의 쓰임은 적절하다

| 구문 분석 | 〈9행〉 The poor quality of the land made
                                      S   V
it absolutely necessary to trade for some items.
가목적어   O.C   진목적어

9 제목 추론

| 전문 해설 | 긍정적인 태도에 진정으로 숙달하기 위해서는 전적으로 부정적인 비판의 힘을 이해해야 한다. 비평가라는 정의는 누군가 혹은 무엇인가를 판단하거나 흠을 잡는 사람이다. 우리는 모두 이러한 삶의 오염에 대해 죄를 짓고 있다. 당신의 이웃, 형제, 혹은 지난 주에 보았던 영화에 대해 이야기를 하고 있든 아니든. 당신이 그것을 어떻게 보더라도 비판이란 독이다. 다른 사람들을 평가하는 것이 아니라 인생의 모든 상황에서 우리 자신을 관찰하는 것을 배우는 것이 우리의 자리인 것이다. 비판이란 진정으로 오늘날 사회에서 인간의 가장 나쁜 습관들 중 하나가 되었다. 인간이 서로를 평가할 권리를 가지고 있다고 생각하는 것은 어떤 이유에서라도 완전히 잘못 되었다! 이러한 독성이 있는 오염이 그들의 피부 혹은 인종, 배경 혹은 종교적인 신념 때문에 수백만 명의 남, 여, 어린이들을 죽였다. 그것은 사람들의 영혼을 두렵게 하고 사람들의 삶을 파괴하며, 대중과 국가를 증오심에 가득 찬 질투심 많은 격분의 상태로 변화시킨다.

| 문제 해설 | 이 글은 남을 비판하는 것을 독성이 있는 오염이라고 말하면서 그것 때문에 수많은 사람들이 죽게 되는 파괴적인 것이라고 했으므로 제목으로 가장 적절한 것은 ④'비판: 근본적으로 파괴적인 힘'이다. **정답 ④**

| 오답 풀이 | ① 세상의 원동력은 무엇인가?
② 오염: 환경적 독소 처리하기
③ 성공하기 위해 인간관계를 조절하라
⑤ 같은 기준으로만 다른 사람들을 평가하라

| **구문 분석** | 〈6행〉 It is not our place to judge
　　　　　　가주어　　not A but B: A가 아니라 B　진주어1
others but to learn to observe ourselves in all
　　　　　진주어2
situations in life.

| Words & Phrases |
· **master** ～에 정통하다 · **attitude** 태도
· **absolute** 절대적인 · **criticism** 비판
· **definition** 정의 · **critic** 비평가
· **find fault with** ～의 흠을 잡다
· **multitude** 대중